De huurster

D0319349

Gemeentelijke Bibliotheek
Beveren
Uitleenpost
Haasdonk

Eerder verschenen van deze auteur:

EINDSPEL
NU NIET HUILEN
OP HET TWEEDE GEZICHT
VRIENDINNEN TOT IN DE DOOD
ZEG MAAR DAG TEGEN MAMMIE

Joy Fielding

De huurster

Van Holkema & Warendorf

Voor mijn dochter Shannon, niet alleen mijn grote steun en toeverlaat, maar bovenal mijn vriendin.

Tweede druk, mei 2003
Eerste druk, maart 2003

Oorspronkelijke titel: *Whispers and Lies*
Oorspronkelijke uitgave: Atria Books,
a division of Simon & Schuster, Inc.

Van Reemst Uitgeverij, Unieboek bv
Postbus 97, 3990 DB Houten

www.unieboek.nl

Vertaling: Erica Feberwee
Omslagontwerp: Wil Immink
Opmaak: ZetSpiegel, Best

ISBN 90 269 8316 6/ NUR 332

1

Ze zei dat ze Alison Simms heette.
De naam tuimelde loom, bijna zwoel over haar lippen, als honing die van een mes druipt. Ze was opvallend lang en had een zachte, aarzelende stem – de stem van een meisje – hoewel ze een stevige hand gaf en me recht aankeek. Dat beviel me wel. Zíj beviel me wel, ook al ben ik de eerste die toegeeft dat mensenkennis niet bepaald mijn sterkste kant is. Maar mijn eerste indruk was positief. En de eerste indruk is blijvend, zei mijn moeder altijd.
'Wat een enig huis,' zei ze, met mijn hand nog altijd in de hare. Ze keek waarderend de woonkamer rond. Haar roodblonde krullen dansten op haar schouders terwijl ze enthousiast knikte, bij wijze van instemming met haar eigen oordeel. Haar blik ging van de comfortabele bank naar de twee sierlijke Queen-Annestoeltjes, de poffende ruches langs de ramen en het geschulpte vloerkleed op de lichtgekleurde, hardhouten vloer. 'Ik ben dol op de combinatie roze en zachtpaars. Sterker nog, dat zijn mijn lievelingskleuren.' Toen glimlachte ze. Het was een aanstekelijke, stralende glimlach. 'Ik heb altijd een roze-met-lichtpaarse bruiloft gewild.'
Ik moest lachen, of ik wilde of niet. Het was zo'n verrukkelijk idiote opmerking, zeker bij een eerste ontmoeting. Ze lachte met me mee, en ik gebaarde uitnodigend naar de bank. Toen ze zich in de zachte, donzen kussens liet vallen en haar lange, slanke benen over elkaar sloeg, verdween haar blauwe zonnejurkje bijna volledig tussen de wervelende roze en lichtpaarse bloemen op de bekleding, tot ze zich sierlijk naar voren boog en me vol verwachting aankeek. Ik ging op de punt van de gestreepte Queen-Annestoel tegenover haar zitten en bedacht dat ze me deed denken aan een mooie, roze flamingo – een echte, niet zo'n afschuwelijk plastic ding dat veel mensen bij hun vijver hadden staan. 'Wat ben je lang.' Ik had het nog niet gezegd, of ik had er al spijt van. Waarschijnlijk hoorde ze haar hele leven niets anders.

'Een meter vijfenzeventig.' Ze wekte niet in het minst de indruk alsof ik haar had beledigd. 'Maar ik lijk langer.'
'Inderdaad,' zei ik, ook al was ik met mijn een meter zestig in bijna elk volwassen gezelschap de kleinste. 'Mag ik vragen hoe oud je bent?'
'Achtentwintig.' Er verscheen een lichte blos op haar wangen. 'Maar ik lijk jonger.'
'Inderdaad,' zei ik voor de tweede keer. 'Wees maar blij. Ik heb er altijd precies zo oud uitgezien als ik ben.'
'En hoe oud ben je? Tenminste, als ik dat mag vragen...'
'Wat denk je?'
De plotselinge intensiteit in haar blik verraste me. Ze keek me onderzoekend aan, alsof ik een erg letterlijk specimen was dat in een laboratorium tussen twee stukjes glas onder een microscoop lag. Haar heldere, groene ogen keken in mijn vermoeide bruine, gleden over mijn gezicht en bestudeerden elke lijn, elke rimpel – de tekenen van mijn leeftijd. Ik maakte me weinig illusies en zag mezelf precies zoals ik wist dat zij me zag: een redelijk aantrekkelijke vrouw met hoge jukbeenderen, grote borsten en een slecht kapsel.
'Ik weet het niet,' zei ze. 'Veertig?'
'In de roos!' Ik begon weer te lachen. 'Ik zei het je toch?'
We vervielen in stilzwijgen, een tableau vivant met de warme middagzon als belichting. Stofdeeltjes dansten in de lucht tussen ons in, als honderden kleine insecten. Ze glimlachte en vouwde haar handen in haar schoot. De vingers van haar ene hand speelden verstrooid met die van de andere. Ze droeg geen ringen, geen nagellak, maar ze had lange, goed verzorgde nagels. Ik zag dat ze nerveus was; dat ze wilde dat ik haar aardig zou vinden. 'Heb je het gemakkelijk kunnen vinden?' vroeg ik.
'O, ja. Geen probleem. Je had het heel duidelijk uitgelegd: naar het oosten op Atlantic Avenue, dan op Seventh naar het zuiden, langs de witte kerk tussen Second en Third Street. Nee, het was geen enkel probleem. Behalve dan het verkeer. Ik wist niet dat Delray zo'n drukke stad is.'
'Ach, het is november,' hielp ik haar herinneren. 'Dan komen de overwinteraars.'
'De overwinteraars?'
'De toeristen,' legde ik uit. 'Je bent duidelijk nieuw in Florida.'

Ze keek naar haar voeten, gestoken in sandaaltjes. 'Dit tapijt is werkelijk schitterend. Je hebt wel lef, om een wit kleed in de woonkamer te leggen.'
'Ach, dat valt wel mee. Zoveel bezoek krijg ik niet.'
'Nee, je zult het wel erg druk hebben met je werk. Het heeft me altijd geweldig geleken om verpleegster te zijn. Zulk dankbaar werk.'
Ik lachte. 'Ach, dankbaar is niet het woord dat ik zou gebruiken.'
'Welk woord zou je dán gebruiken?'
Ze wekte de indruk dat ze oprecht nieuwsgierig was, iets wat ik zowel verfrissend als aandoenlijk vond. Het was al zo lang geleden dat iemand enige belangstelling voor me had getoond, dus waarschijnlijk was ik gewoon gevleid. Tegelijkertijd vroeg ze het op zo'n ontroerend naïeve manier, dat ik haar het liefst in mijn armen had genomen – zoals een moeder dat met haar kind doet – om te zeggen dat ze niet zo haar best hoefde te doen; dat ze het huisje in mijn achtertuin mocht huren; dat het besluit al was genomen op het moment dat ze bij me binnenstapte.
'Hoe ik mijn beroep zou willen omschrijven?' Ik dacht even na. 'Uitputtend,' zei ik ten slotte. 'Veeleisend. Om gek van te worden.'
'Fijne woorden.'
Ik lachte alweer. Ze was hier nog maar net, en toch had ik al heel wat keren gelachen. Ik weet nog dat ik dacht hoe heerlijk het zou zijn om iemand om me heen te hebben die me aan het lachen maakte. 'Wat voor werk doe jij?' vroeg ik.
Alison stond op, liep naar het raam en keek uit over de brede straat, omzoomd door diverse soorten schaduwrijke palmen. Bettye McCoy – de derde vrouw van Richard McCoy en zo'n dertig jaar jonger dan hij, maar dat was in zuid-Florida niet ongebruikelijk – werd over het trottoir gesleurd door haar twee witte hondjes. Ze was geheel in beige Armani gehuld, en in haar vrije hand droeg ze een wit plastic zakje met hondenpoep, als een bizar accessoire. De ironie daarvan leek de derde mevrouw McCoy echter te ontgaan. 'O, kijk eens wat schattig! Wat zijn het? Poedeltjes?'
'Bichons.' Ik ging naast haar staan, zodat de bovenkant van mijn hoofd zich op gelijke hoogte bevond met haar kin. 'De domme blondjes van de hondenwereld.'
Nu was het Alisons beurt om te lachen. Het geluid vulde de kamer

en danste tussen ons in, net als de stofjes in de middagzon. 'Maar ze zijn wel schattig, vind je niet?'
'Schattig is niet het woord dat ik zou gebruiken,' zei ik, bewust mijn eerdere opmerking herhalend.
Ze glimlachte samenzweerderig. 'Welk woord zou je dán gebruiken?'
'Eens even denken.' Ik begon plezier in het spelletje te krijgen. 'Kefferig. Irritant. Vernielzuchtig.'
'Vernielzuchtig? Hoe kunnen zulke schattige beestjes vernielzuchtig zijn?'
'Een van de twee kwam een paar maanden geleden mijn tuin in stormen en heeft mijn Chinese roos uitgegraven. Dat was bepaald niet schattig!' Toen ik me van het raam afkeerde, viel mijn oog op het silhouet van een man in de schaduwen aan de overkant, op de hoek van de straat. 'Wacht er iemand op je?'
'Op mij? Nee. Hoezo?'
Ik deed een stap naar voren en tuurde naar de overkant, maar de man was verdwenen, en ik begon ineens te twijfelen of hij er wel had gestaan. Ook toen ik de straat uit keek, zag ik niemand.
'Ik dacht dat ik iemand onder die boom zag staan.' Ik gebaarde met mijn kin.
'Ik zie niemand.'
'Nee, ik zal me wel vergist hebben. Wil je koffie?'
'Graag.' Ze volgde me door de kleine eetkamer, die haaks op de woonkamer stond, naar de voornamelijk witte keuken aan de achterkant van het huis. 'O, kijk nou eens!' riep ze vol verrukking, en ze liep met gretig uitgestrekte armen naar de muur naast de kleine ontbijthoek. 'Wat zijn het? Hoe kom je eraan?'
Mijn blik gleed over de vijfenzestig porseleinen vrouwengezichten die ons aanstaarden van de vijf houten planken aan de muur. 'Het zijn vazen,' vertelde ik. 'Mijn moeder spaarde ze. Het merendeel komt uit Japan. Ze dateren uit de jaren vijftig. In de bovenkant zit een gat, dus je zou er bloemen in kunnen zetten. Hoewel, veel kan er niet in. Toen ze voor het eerst op de markt kwamen, waren ze misschien een paar dollar waard.'
'En nu?'
'Het schijnt dat ze erg waardevol zijn. Gewilde verzamelobjecten. Althans, zo worden ze genoemd.'

'En hoe zou jij ze noemen?' Ze keek me afwachtend aan, met een ondeugende glimlach om haar volle, beweeglijke mond.
Ik hoefde niet lang na te denken. 'Rommel,' zei ik prompt.
'Ik vind ze schitterend,' protesteerde ze. 'Moet je die wimpers zien! O, en deze heeft oorbellen! En die een parelsnoertje. O, en die! Is het niet kostelijk zoals ze je aankijkt?' Ze pakte een van de vazen voorzichtig van de plank. Het porseleinen beeldje was ongeveer vijftien centimeter hoog, met gewelfde, geschilderde wenkbrauwen en getuite rode lippen. Lichtbruine krullen piepten onder een roze-met-witte tulband vandaan. Om haar hals droeg ze een roze roos. 'Ze is niet zo sierlijk als sommige andere, maar ze kijkt zo hooghartig. Echt een arrogante dame uit de hogere kringen, die minachtend neerkijkt op de rest van de wereld.'
'Om je de waarheid te zeggen lijkt ze op mijn moeder,' zei ik.
Alison liet het porseleinen beeldje bijna uit haar handen vallen. 'O, wat erg! Neem me alsjeblieft niet kwalijk.' Ze zette de vaas haastig terug op zijn plek, tussen twee meisjes met linten in hun haar en de ogen van een hinde. 'Het was niet mijn bedoeling om...'
Ik lachte. 'Het is grappig dat uitgerekend die je opvalt. Het was haar lievelingsvaas. Wat gebruik je in je koffie?'
'Melk en drie klontjes suiker?' zei ze een beetje onzeker, met haar blik nog altijd op de porseleinen vrouwengezichten.
Ik schonk de twee mokken vol die ik had klaargezet nadat ze me had gebeld vanuit het ziekenhuis. Ze had mijn briefje op het prikbord bij een van de afdelingsbalies zien hangen, zei ze, en ze wilde graag zo snel mogelijk langskomen.
'Verzamelt je moeder ze nog steeds?'
'Nee, ze is vijf jaar geleden gestorven.'
'Ach, dat spijt me.'
'Ja, mij ook. Ik mis haar ontzettend. Daarom heb ik het ook niet over mijn hart kunnen verkrijgen om haar vriendinnen te verkopen. Lust je een stukje taart? Veenbessen met pompoen,' zei ik, haastig van onderwerp veranderend, bang dat ik sentimenteel werd. 'Vanmorgen vers gebakken.'
'Bak je zelf taart? Allemensen! Ik ben diep onder de indruk. Zoiets zou ik nooit kunnen. Ik ben een ramp in de keuken.'
'Heeft je moeder je niet leren koken?'
'Ach, de relatie tussen mijn moeder en mij was niet echt geweldig.'

Ze glimlachte, maar het gebaar leek voor het eerst geforceerd. 'Nou ja, dat doet er ook niet toe. Ja, ik wil graag een stukje taart. Ik ben helemaal gek op veenbessen.'
Weer moest ik lachen. 'Ik geloof niet dat ik ooit iemand heb ontmoet die zo enthousiast was over veenbessen. Kun je me even een mes aangeven?' Ik wees naar het driehoekige messenblok op de hoek van het witbetegelde aanrecht. Alison haalde het bovenste mes eruit, een monster van wel dertig centimeter lang, met een taps toelopend lemmet van vijf centimeter breed. 'Lieve hemel!' zei ik. 'Lijkt dat je niet een beetje overdreven?'
Ze draaide het mes langzaam om, bestudeerde haar spiegelbeeld in het vlijmscherp geslepen lemmet en streek voorzichtig met haar vingers langs de zijkant, totaal in gedachten verzonken. Toen ze zag dat ik naar haar keek, zette ze het mes terug, pakte een kleiner en keek gespannen toe terwijl het mes moeiteloos door de taart sneed. Op mijn beurt keek ik mijn ogen uit zodra ze begon te eten, terwijl ze me complimenteerde met de smaak en de luchtigheid van mijn baksel. In een oogwenk had ze haar bordje leeg. Ze at snel, met een soort kinderlijke concentratie.
Misschien had ik wantrouwender moeten zijn, of in elk geval meer op mijn hoede, zeker na mijn ervaringen met mijn laatste huurder. Maar waarschijnlijk was ik juist door die ervaringen zo gevoelig voor Alisons meisjesachtige charme. Ik wilde oprecht geloven dat ze was zoals ze zich voordeed: een enigszins naïeve, charmante jonge vrouw. Een schatje.
Een schatje, denk ik nu.
Schatje is niet het woord dat ik zou gebruiken. *Hoe kan zoiets schattigs vernielzuchtig zijn*, had ze gevraagd.
Waarom had ik niet naar haar geluisterd?
'Je hebt blijkbaar nooit problemen met de lijn,' zei ik toen ze een paar verdwaalde kruimels onder haar vinger plette en in haar mond stak.
'Nee, ik heb eerder moeite om op gewicht te blijven. Daar werd ik vroeger altijd mee geplaagd. Ze scholden me uit voor "mager scharminkel", en "vel over been". Ik was het laatste meisje in de klas dat borsten kreeg, en veel is het nooit geworden, dus daar werd ik ook mee gepest. Tegenwoordig wil iedereen dun zijn, maar ik krijg nog steeds veel kritiek. Mensen zeggen voortdurend

dat het wel lijkt alsof ik anorexia heb. Je zou eens moeten horen wat ik allemaal naar mijn hoofd krijg.'
'Mensen kunnen erg gevoelloos zijn,' viel ik haar bij. 'Wat heb je voor opleiding gedaan?'
'Geen, ben ik bang. Ik was niet echt wat je noemt een studiehoofd, dus ik ben al in mijn eerste jaar gestopt met mijn studie.'
'En wat heb je toen gedaan?'
'Eens even denken. Ik heb een tijdje bij een bank gewerkt... daarna in een sokkenwinkel... als gastvrouw in een restaurant... bij een kapsalon als receptioniste... Dat soort dingen. Ik heb nooit problemen gehad om werk te vinden. Zou ik misschien nog een kopje koffie mogen?'
Ik schonk haar nogmaals in en deed opnieuw een scheutje room en drie schepjes suiker in haar koffie. 'Wil je het huisje zien?'
Ze schoot onmiddellijk overeind, gooide haar koffie in één teug achterover en veegde haar mond af met de rug van haar hand. 'Ik kan niet wachten! En ik weet gewoon zeker dat het schitterend is!' Ze volgde me naar de achterdeur, als een gretig jong hondje dat naar mijn hielen hapte. 'Op het briefje stond zeshonderd per maand. Klopt dat?'
'Ja, is dat een probleem, denk je? Bovendien wil ik dat je de eerste en de laatste maand vooruitbetaalt.'
'Prima. Zodra ik op orde ben, ga ik op zoek naar een baan. Trouwens, ook als ik niet meteen iets vind, is het geld geen probleem. Ik heb een erfenisje van mijn grootmoeder gekregen, dus ik kan me aardig redden. Tenminste, in financieel opzicht,' voegde ze er zacht aan toe. Haar roodblonde haar viel in zachte golven rond haar ovale gezicht.
Ooit had ik ook zulk haar, dacht ik, terwijl ik een paar eigenzinnige, kastanjebruine krullen achter mijn oor stopte. 'Mijn vorige huurster had een betalingsachterstand van een paar maanden toen ze vertrok. Vandaar dat ik het vraag...'
'Natuurlijk, dat begrijp ik heel goed.'
We staken het grasveldje tussen mijn keukendeur en het tuinhuisje over. Daar viste ik de sleutel uit de zak van mijn spijkerbroek. Ik voelde me enigszins ongemakkelijk omdat ze me zo gespannen stond op te nemen en liet van de weeromstuit de sleutel in het gras vallen. Alison bukte zich onmiddellijk om hem op te rapen. Toen

ze hem in mijn hand legde, streken haar vingers langs de mijne. Ik duwde de deur van het huisje open en deed een stap naar achteren om haar binnen te laten.

Er ontsnapte een diepe zucht aan haar volle lippen. 'Het is nog mooier dan ik dacht. Een... een wonder, dat is het.' Ze danste de kleine kamer rond, met haar hoofd achterover, haar armen gestrekt, alsof ze het wonder kon vangen en naar zich toe trekken. Ze beseft niet dat zíj het wonder is, dacht ik, plotseling beseffend hoe graag ik wilde dat ze het leuk zou vinden; dat ze zou blijven. 'Ik ben blij dat je hier dezelfde kleuren hebt gebruikt als in jouw huis,' zei ze, terwijl ze als een vlinder beurtelings op alle meubelen neerstreek – van de kleine bank naar de grote stoel en naar de schommelstoel in thonetstijl die in een hoek van de kamer stond. Ze keek bewonderend naar het vloerkleed – lichtpaarse en witte bloemen tegen een zachtroze achtergrond – en de ingelijste posters aan de muur: een groepje ballerina's van Degas, hoog op de benen, achter de coulissen vóór een opvoering; de kathedraal van Monet bij zonsondergang, en Mary Cassatts liefdevolle portret van een moeder met haar kind.

'De rest van de kamers ligt hier achter.' Ik deed de dubbele deuren open die toegang gaven tot een piepklein keukentje, de badkamer en de slaapkamer.

'Het is perfect, echt perfect.' Ze liet zich op het tweepersoons bed vallen, wipte op en neer en streek met haar handen gretig over de antieke witte sprei. Toen ze zichzelf zag in de spiegel boven de wit gespoten, rieten kaptafel, nam ze onmiddellijk een meer damesachtige pose aan. 'Het is echt schitterend. Ik zou het net zo hebben ingericht. Echt precies zo.'

'Ik heb hier vroeger zelf gewoond,' zei ik, zonder te weten waarom, want dat had ik mijn vorige huurder nooit verteld. 'Mijn moeder woonde in het grote huis, en ik hier.'

Er speelde een vluchtige, nerveuze glimlach om Alisons mond. 'Dus we zijn het eens?'

'Zodra je dat wilt, kun je erin.'

Ze sprong overeind. 'Dan wil ik er graag meteen in. Ik hoef alleen maar naar het motel om mijn koffers te halen, dus ik kan binnen een uur terug zijn.'

Ik knikte en besefte nu pas hoe snel het allemaal was gegaan. Ik

wist zo goed als niets van haar. Er was nog zoveel dat we moesten bespreken. 'We moeten het nog over de huisregels hebben...' zei ik ontwijkend.
'De huisregels?'
'Ja, ik wil niet dat er wordt gerookt. Geen luidruchtige feestjes en geen huisgenoten.'
'Dat is geen probleem,' zei ze gretig. 'Ik rook niet, feestjes geef ik niet, en ik ken hier niemand.'
Ik liet de sleutel in haar hand vallen en zag hoe haar vingers zich eromheen sloten.
'Ontzettend bedankt.' Met de sleutel in haar hand pakte ze haar tas om er twaalf knisperende biljetten van honderd dollar uit te halen. 'Ik heb ze vanmorgen zelf gedrukt,' zei ze met een zelfbewuste glimlach.
Ik was verbijsterd dat ze met zoveel contant geld op zak liep, maar probeerde niets te laten merken. 'Heb je zin om vanavond te komen eten, zodra je op orde bent?' hoorde ik mezelf vragen. Waarschijnlijk was ik zelf méér verrast door de uitnodiging dan zij. 'Graag! Dat lijkt me erg gezellig.'
Toen ze weg was, ging ik in mijn woonkamer zitten, verbijsterd over mijn eigen optreden. Ik, Terry Painter – veertig jaar, allesbehalve impulsief, een vrouw met een geordend bestaan – had zojuist mijn tuinhuisje verhuurd aan een volslagen vreemde; een jonge vrouw zonder referenties – behalve een innemende manier van doen en een opmerkelijke glimlach; een vrouw zonder vaste baan, maar met een dikke portemonnee. Wat wist ik van haar? Niets, helemaal niets. Ik wist niet waar ze vandaan kwam. Ik wist niet wat ze in Delray kwam doen. Ik wist niet hoe lang ze van plan was te blijven. Ik wist niet eens waarom ze in het ziekenhuis was geweest toen ze mijn briefje had zien hangen. Kortom, ik wist helemaal niets van haar. Behalve haar naam.
Ze had gezegd dat ze Alison Simms heette.
Op dat moment had ik geen enkele reden om daaraan te twijfelen.

2

Precies om zeven uur stond ze aan de deur voor het avondeten, gekleed in een zwarte katoenen broek en een mouwloos zwart truitje. Ze had haar haar strak naar achteren gekamd en bij elkaar gebonden in een lange vlecht, zodat ze me deed denken aan een langgerekt uitroepteken. In haar ene hand droeg ze een boeket verse snijbloemen, in de andere een fles rode wijn. 'Een Italiaanse Amarone uit 1997,' zei ze trots. Toen sloeg ze haar ogen ten hemel. 'Niet dat ik iets van wijn weet, maar volgens de slijter was het een erg goed jaar.' Ze glimlachte haar spierwitte tanden bloot. Haar licht gestifte lippen namen de hele onderste helft van haar gezicht in beslag. Als vanzelf beantwoordde ik haar glimlach, hoewel ik zoals altijd probeerde mijn lichte overbeet te maskeren, die zelfs jarenlange behandelingen door peperdure orthodontisten niet volledig hadden kunnen corrigeren. Volgens mijn moeder heb ik die overbeet te danken aan mijn hardnekkige gewoonte als kind om op de middel- en ringvinger van mijn linkerhand te zuigen, waarbij ik ondertussen met het sjofele restant van mijn lievelingsdekentje over mijn neus streek. Maar aangezien mijn moeder aan bijna hetzelfde euvel leed, ben ik geneigd te geloven dat mijn esthetische onvolmaaktheid eerder een erfelijke kwestie is dan dat ik die over mezelf heb afgeroepen.
Alison volgde me door de woon- en de eetkamer naar de keuken, waar ik het papier van de bloemen wikkelde en een hoge, kristallen vaas met water vulde. 'Kan ik iets doen?' Gretig liet ze haar blik in het rond gaan, alsof ze elk hoekje van de keuken in haar geheugen wilde prenten.
'Nee hoor, pak maar een stoel en hou me gezelschap.' Ik zette de bloemen in het lauwwarme water en snoof aan de kleine roze rozen, de tere, witte margrieten en de paarse trossen wilde bloemetjes. 'Ze zijn prachtig. Dank je wel.'
'Graag gedaan. Het ruikt hier verrukkelijk.'

'Ach, het is niets bijzonders,' protesteerde ik haastig. 'Gewoon kip. Je houdt toch wel van kip?'
'Ik eet alles. Zet een bord voor me neer en het is in een mum van tijd leeg. Ik ben de snelste eter ter wereld.'
Ik glimlachte toen ik me herinnerde hoe ze die middag het stuk veenbessen-pompoentaart had verorberd. Was het nog maar een paar uur geleden dat we elkaar voor het eerst hadden ontmoet? Op de een of andere manier had ik het gevoel alsof we elkaar al ons hele leven kenden; alsof we, ondanks het leeftijdsverschil, al ons hele leven vriendinnen waren. Ik hield mezelf streng voor dat ik in werkelijkheid zo goed als niets van haar wist. 'Vertel eens wat over jezelf,' zei ik dan ook luchtig, terwijl ik in de keukenladen op zoek ging naar een kurkentrekker.
'Er valt niet zoveel te vertellen.' Ze ging op een van de rieten stoelen aan de ronde, glazen keukentafel zitten, maar ze bleef rechtop zitten, bijna waakzaam, alsof ze zich niet echt durfde te ontspannen.
'Waar kom je vandaan?' Ik wilde niet opdringerig zijn, ik was gewoon nieuwsgierig, zoals ik altijd nieuwsgierig ben wanneer ik nieuwe mensen ontmoet. Ik voelde echter dat ze een beetje op haar hoede was en liever niet over zichzelf praatte. Of misschien voelde ik ook wel helemaal niets. Misschien was het vrijblijvende gebabbel die avond in mijn keuken gewoon precies wat het leek: twee vrouwen die langzaam en voorzichtig probeerden elkaar wat beter te leren kennen. Er werden over en weer vragen gesteld, zonder dat er al te diep over de antwoorden werd nagedacht. Het ene onderwerp haalde het andere uit, en het ging allemaal als vanzelf, zonder vooropgezet plan, zonder geheime agenda.
Tenminste, bij mij.
'Chicago,' antwoordde Alison.
'O ja? Ik ben dol op Chicago. Waar heb je gewoond?'
'In een van de voorsteden,' zei ze vaag. 'En jij? Kom je oorspronkelijk uit Florida?'
Ik schudde mijn hoofd. 'Nee, ik kom uit Baltimore. Op mijn vijftiende zijn we hierheen verhuisd. Mijn vader handelde in regenjassen, en Florida leek hem het ideale afzetgebied, met alle orkanen en zo.'
Alisons groene ogen werden groot van ongerustheid.
'Maak je geen zorgen. Het orkaanseizoen is voorbij.' Ik lachte, ter-

wijl ik eindelijk de kurkentrekker ontdekte, helemaal achter in de la met bestek. 'Dat is het probleem met Florida,' zei ik peinzend. 'Aan de oppervlakte lijkt het allemaal prachtig, volmaakt. Het paradijs op aarde. Maar als je wat beter kijkt, zie je onder het spiegelgladde wateroppervlak de alligator loeren; je ziet giftige slangen door het smaragdgroene gras glibberen en je hoort al van ver de orkaan, die fluistert in de bladeren.'

Alison glimlachte, en de warmte van die glimlach vulde het vertrek, als stoom uit een ketel. 'Ik kan wel de hele avond naar je luisteren.'

Ik wuifde het compliment weg en gebruikte mijn vingers als waaier, alsof ik het warm had. Mezelf kennende vermoed ik dat ik bloosde.

'Heb je wel eens een orkaan meegemaakt?' Alison leunde voorover in haar stoel.

'Diverse.' Ik worstelde met de fles Amarone, om hem open te krijgen zonder de kurk in tweeën te breken. Het was lang geleden dat ik een fles wijn had opengetrokken. Ik kreeg zelden bezoek, en bovendien was ik nooit echt een drinker geweest. Na één glas wijn stond ik al op mijn kop. 'Andrew was natuurlijk de ergste. Dat was werkelijk uitzonderlijk. Wanneer je zoiets van dichtbij meemaakt, krijg je diep respect voor de natuur.'

'Hoe zou je het omschrijven?' vroeg ze, de draad van ons eerdere spelletje weer oppakkend. 'Welke woorden zou je gebruiken?'

'Angstaanjagend,' zei ik prompt. 'Meedogenloos.' Ik zweeg even, draaide zachtjes de kurkentrekker naar rechts en voelde dat de kurk zich overgaf en langzaam omhoogkwam in de donkergroene hals van de fles. Ik moet bekennen dat ik bijna kinderlijk trots was op mezelf toen ik de kurk ten slotte omhoog hield. 'Maar ook prachtig, indrukwekkend.'

'Ik pak wel even glazen.' Alison stond al in de eetkamer voordat ik de kans kreeg om haar te vertellen waar ze de glazen kon vinden.

'In de vitrinekast,' riep ik haar – totaal overbodig – na. Het leek wel alsof ze uit zichzelf wist waar ze moest zoeken.

'Ik heb ze al.' Ze kwam terug met twee kristallen glazen op een hoge voet en hield ze me beurtelings voor. Ik schonk ze tot ongeveer een kwart vol. 'Ze zijn prachtig,' zei Alison bewonderend. 'Alles wat je hebt is prachtig.'

'Proost.' Ik tikte zachtjes met mijn glas tegen het hare en keek bewonderend naar de dieprode kleur van de wijn.

'Waar drinken we op?'
'Op onze gezondheid,' antwoordde de verpleegster in mij.
'En op goede vriendinnen,' voegde Alison er verlegen aan toe.
'Op níéuwe vriendinnen,' verbeterde ik haar en bracht het glas naar mijn mond. Al voordat ik ook maar één druppel had gedronken, steeg het krachtige aroma naar mijn hoofd.
'Op een nieuw begin,' fluisterde Alison. Haar gezicht verdween achter het ronde glas toen ze een grote slok van haar wijn nam. 'Hm, lekker. Wat vind jij ervan?'
Ik dacht na over de kwalificaties die deskundigen gebruikten wanneer ze het over wijn hadden – *vol, rond, fruitig*, soms zelfs *eigenzinnig*. *Lekker* hoorde niet in dat rijtje thuis. Wat wisten zij ervan, dacht ik, terwijl ik de wijn door mijn mond liet dansen, zoals ik dat mannen in chique restaurants had zien doen, om de smaak volledig tot zijn recht te laten komen. 'Lekker is precies het juiste woord,' viel ik haar ten slotte bij. 'Om niet te zeggen ontzéttend lekker!'
Opnieuw die grijns waardoor haar hele gezicht veranderde. Haar neus verdween tussen haar wangen, zodat alle nadruk kwam te liggen op haar stralende ogen. Ze nam nog een grote slok, toen nog een. Ik volgde haar voorbeeld, en al snel werd het tijd om onze glazen opnieuw te vullen. Deze keer schonk ik ze bijna halfvol.
'Wat doet een meisje uit Chicago in Delray?' vroeg ik belangstellend.
'Ik had behoefte aan verandering.' Daar zou ze het misschien bij hebben gelaten, maar ze zag aan mijn gezicht dat ik oprecht nieuwsgierig was. 'Ach, ik weet het niet precies.' Ze staarde afwezig naar de porseleinen vrouwenhoofden. 'Ik denk dat ik opzag tegen de winter in Chicago. Bovendien is een vriendin van me een paar jaar geleden naar Delray verhuisd. Het leek me leuk om haar op te zoeken.'
'En heb je dat gedaan?'
'Wat?'
'Haar opgezocht?'
Alison keek me verward aan, alsof ze niet goed wist wat ze daarop moest zeggen.
Dat is het probleem met liegen.
Een goede leugenaar zorgt dat hij de ander altijd een stap vóór blijft. Een goede leugenaar anticipeert, beantwoordt een vraag,

maar is in gedachte al bij de volgende. Hij is voortdurend waakzaam en heeft altijd een gemakkelijk antwoord klaar.
Het enige wat een slechte leugenaar nodig heeft, is een gemakkelijk doelwit.
'Ik ben naar haar op zoek gegaan,' zei Alison ten slotte, na een stilte die misschien nét iets te lang had geduurd. 'Daarom was ik in het ziekenhuis, waar ik je briefje zag.' De woorden kwamen nu moeiteloos over haar lippen. 'Ze had me geschreven dat ze in een privé-kliniek werkte, Mission Care in Delray. Dus ik besloot haar te verrassen en te vragen of ze met me ging lunchen. Misschien kon ze wel een huisgenote gebruiken. Maar volgens het personeel werkte ze daar allang niet meer.' Alison haalde haar sierlijke schouders op. 'Gelukkig zag ik toen jouw briefje.'
'Hoe heet je vriendin? Als ze verpleegster is, kan ik er misschien wel achter komen waar ze heen is gegaan.'
'Ze is geen verpleegster,' zei Alison snel. 'Ze was secretaresse of zoiets.'
'Hoe heet ze?' herhaalde ik. 'Ik kan morgen op mijn werk wel eens informeren. Misschien is er iemand die weet waar ze naartoe is gegaan.'
'Doe geen moeite.' Alison streek afwezig met haar vinger over de rand van haar glas, dat een licht spinnend geluid produceerde, alsof het reageerde op de tedere liefkozing van een minnaar. 'Zo dik waren we nu ook weer niet.'
'En toch ben je het halve land doorgereisd...'
Alison haalde haar schouders op. 'Ze heette Rita Bishop. Ken je haar?'
'De naam komt me niet bekend voor.'
Ze haalde diep adem en ontspande haar schouders. 'Ik heb Rita nooit een mooie naam gevonden. Jij?'
'Nee, ik ken wel mooiere,' moest ik toegeven, en ik liet me moeiteloos van het onderwerp Rita Bishop afleiden.
'Wat zijn je lievelingsnamen?'
'Daar heb ik eigenlijk nooit over nagedacht.'
'Ik vind Kelly leuk,' zei Alison. 'En Samantha. Als ik ooit een dochter krijg, noem ik haar denk ik Kelly of Samantha. En Joseph als ik een zoontje krijg. Of misschien Max.'
'Hm, zo te horen heb je er al goed over nagedacht.'

Ze staarde enkele seconden peinzend naar haar glas. Toen nam ze nog een slok. 'Heb jij kinderen?' De vraag weerkaatste tegen de zijkant van haar glas en klonk enigszins gesmoord.
'Ik ben niet getrouwd.'
'Je hoeft toch niet te trouwen om kinderen te krijgen!'
'Nee, tegenwoordig niet meer,' viel ik haar bij. 'Maar toen ik jong was, kregen mensen geen kinderen als ze niet getrouwd waren. Dat kan ik je wel vertellen.' Ik deed de deur van de oven open. Een golf warme, heerlijk geurende lucht kwam me tegemoet. 'Hoe dan ook, ik hoop dat je trek hebt, want de kip is klaar.'
'Ik kan niet wachten,' zei Alison met een brede glimlach.

Ze had gelijk, dacht ik later. Ik had nog nooit iemand meegemaakt die zo snel at. Binnen een paar minuten was haar bord leeg – gebraden kip, aardappelpuree, gekookte worteltjes, asperges – alles was verdwenen. Ik had zelf amper mijn eerste hap kip op, of zij schepte al voor de tweede keer op.
'Het is verrukkelijk. Ik ken niemand die zo goed kan koken,' zei ze met volle mond.
'Ik ben blij dat je het lekker vindt.'
'Jammer genoeg heb ik maar één fles wijn meegenomen.' Alison fronste haar wenkbrauwen – iets wat ze niet vaak deed – en keek langs de taps toelopende, witte kaarsen in het midden van de tafel naar de inmiddels lege fles Amarone.
'Het is maar goed dat we maar één fles hadden. Ik moet morgenochtend om zes uur beginnen, en dan word ik geacht weer stevig op mijn benen te staan.'
'Waarom ben je verpleegster geworden?' Alison slurpte het laatste slokje wijn uit haar glas.
'Mijn vader en een van mijn lievelingstantes zijn al vóór hun vijftigste overleden aan kanker.' Ik verdrong het beeld van hun lijdende, verwoeste gezichten op de bodem van mijn wijnglas. 'Ik stond machteloos, en dat vond ik verschrikkelijk. Dus ik besloot iets met geneeskunde te gaan doen. Mijn moeder had geen geld om me naar de universiteit te sturen en mijn cijfers waren niet hoog genoeg om in aanmerking te komen voor een beurs. Dus een studie medicijnen zat er niet in. Vandaar dat ik verpleegster ben geworden, en ik vind het heerlijk.'

'Ook al is het uitputtend, veeleisend en word je er soms gek van?' Alison lachte terwijl ze me met mijn eigen woorden confronteerde.
'Ja, ondanks dat. Bovendien heb ik dankzij mijn verpleegstersopleiding ook voor mijn moeder kunnen zorgen toen ze een beroerte had gehad. Daardoor kon ze thuis blijven en in haar eigen bed doodgaan, in plaats van in een steriele ziekenhuiskamer.'
'Ben je dáárom nooit getrouwd?' vroeg Alison. 'Omdat je het te druk had met de zorg voor je moeder?'
'Nee, het zou niet eerlijk zijn om haar de schuld te geven. Hoewel ik het natuurlijk wel kan proberen,' zei ik lachend. 'Nee, ik geloof eigenlijk dat ik altijd heb gedacht dat ik nog tijd genoeg had; dat ik uiteindelijk vanzelf iemand zou leren kennen op wie ik verliefd zou worden, iemand om mee te trouwen en kinderen mee te krijgen. *En ze leefden nog lang en gelukkig*, de fantasie van bijna alle meisjes. Alleen is het er nooit van gekomen.'
'Je bent die speciale man nooit tegen het lijf gelopen.'
'In elk geval nooit een man die speciaal genoeg was.'
'Nou, het is nog lang niet te laat. Je weet maar nooit...'
'Ik ben veertig,' hielp ik haar herinneren. 'Dus laten we elkaar niet voor de gek houden. En jij? Is er een speciale man in jouw leven? Iemand die in Chicago op je wacht?'
Ze schudde haar hoofd. 'Nee, niet echt.' Ze ging er verder niet op door.
'Hoe vonden je ouders het dat je zo ver weg ging wonen?'
Alison stopte met eten en legde haar vork keurig schuin over haar bord. 'Leuke borden! Het dessin is prachtig. Mooi om te zien, zonder dat het afbreuk doet aan het eten. Als je begrijpt wat ik bedoel.'
Merkwaardig genoeg begreep ik precies wat ze bedoelde. 'Je ouders weten niet waar je bent, hè?' vroeg ik aarzelend. Ik wilde niet opdringerig lijken, maar tegelijkertijd was ik nieuwsgierig. 'Ik zal ze bellen zodra ik een baan heb,' zei ze, daarmee mijn vermoeden bevestigend.
'Denk je niet dat ze zich zorgen maken?'
'Dat betwijfel ik.' Ze zweeg even en gooide haar vlecht over haar andere schouder. 'De relatie was niet echt geweldig, maar dat heb je waarschijnlijk al begrepen.' Ze zweeg weer. Haar ogen schoten heen weer, alsof ze een onzichtbare tekst las. 'Tot overmaat van ramp is mijn oudere broer de droom van iedere ouder. Er valt wer-

kelijk niets op hem aan te merken. Sterspeler – aanvaller – van het basketbalteam op de middelbare school, zwemkampioen op *college*, summa cum laude afgestudeerd op Brown. En ik was een onmogelijk lang, mager kind dat voortdurend over haar eigen grote voeten struikelde. Er was geen schijn van kans dat ik zelfs maar in de schaduw van mijn broer kon staan, dus uiteindelijk ben ik gestopt het te proberen. Ik ontpopte me steeds meer tot een lastig kind. Zo'n kind dat alles zelf wil doen, alles beter weet, je kent dat wel.'

'Zo te horen was je gewoon een typische tiener.'

Haar grote, groene ogen keken me dankbaar aan. 'Dank je wel, maar *typisch* is niet het woord dat ik zou gebruiken.'

'Welk woord zou je dán gebruiken?'

Haar trieste glimlach maakte plaats voor een grijns, en ze keek naar het plafond alsof ze daar het antwoord kon vinden. 'Onmogelijk,' zei ze ten slotte. 'Onverbeterlijk. Ik werkte me voortdurend in de nesten,' vervolgde ze lachend. De woorden stroomden over haar lippen. 'Ik werd om de haverklap het huis uit geschopt, en op mijn achttiende verjaardag ben ik weggelopen.'

'En toen?'

'Toen ben ik getrouwd.'

'Je bent op je achttiende getrouwd?'

'Tja, wat moet ik erover zeggen?' Ze haalde haar schouders op. 'De fantasie van alle meisjes.'

Ik knikte begrijpend en reikte naar het broodmandje, waardoor mijn vork van mijn bord via mijn schoot op de grond viel. Hij maakte een grote jusvlek op mijn witte broek. Alison schoot toe om hem op te rapen en rende naar de keuken om spuitwater te pakken. Toen ik haastig opstond, voelde ik het effect van de wijn. Langzaam en voorzichtig liep ik naar de woonkamer, terwijl ik probeerde me te herinneren wanneer ik voor het laatst zo dronken was geweest van een paar glazen wijn. Ik liep naar het raam en legde mijn voorhoofd tegen het koele glas.

Toen zag ik hem.

Hij stond aan de overkant van de straat, even roerloos als de majestueuze koningspalm waar hij tegenaan leunde. Ook al was het te donker om zijn gezicht te kunnen onderscheiden, aan zijn houding zag ik dat hij naar het huis keek. Ik tuurde de duisternis in, probeerde het licht van de straatlantaarns te bundelen tot één straal en deze in zijn gezicht te schijnen. Maar het effect was minder sterk dan ik had gehoopt, en de man verdween in de vage gloed die het resultaat was. 'Dat was geen goed idee,' mompelde ik en besloot de man rechtstreeks te confronteren en te vragen wat hij daar deed; waarom hij in het donker naar mijn huis stond te staren.

Ik strompelde naar de voordeur en rukte hem open. 'Hé, jij daar!' riep ik, en ik stak beschuldigend mijn vinger uit naar de duisternis. Er was niemand.

Ik rekte mijn hals, tuurde de koppige duisternis in en keek naar weerskanten de straat uit, maar ik zag niets. Ik spitste mijn oren, alert op het geluid van voetstappen die zich haastig verwijderden, maar ik hoorde niets.

In de tijd die ik nodig had gehad om van het raam naar de deur te lopen, was de man verdwenen. Als hij er inderdaad was geweest, zei ik tegen mezelf, denkend aan de donkere schim die ik eerder meende te hebben gezien.

'Wat doe je?' Alison kwam achter me staan.

Ik voelde haar adem langs mijn nek strijken. 'O, ik had gewoon behoefte aan een beetje frisse lucht.'

'Is alles goed met je?'

'Een beetje te goed. Heb je soms iets in mijn wijn gedaan?' zei ik lachend, terwijl Alison de voordeur dichtdeed en me terugloodste naar de woonkamer, waar ze me op een van de Queen-Annestoelen drukte en de jusvlek op mijn broekspijp begon te deppen tot ik de nattigheid op mijn huid voelde.

Ik legde mijn hand op de hare, die bleef rusten op mijn dij. 'De vlek is al weg.'

Ze richtte zich op. 'O, sorry. Nou doe ik het alweer! Ik draaf altijd door. Met alles. Neem me alsjeblieft niet kwalijk.'

'Wat zou ik je kwalijk moeten nemen?' vroeg ik oprecht verbaasd. 'Je hebt toch helemaal niets verkeerds gedaan?'

'Nee? O, gelukkig.' Ze liet zich lachend en met een blos op haar gezicht op de andere stoel vallen.

'Hoe is het afgelopen met je huwelijk?' vroeg ik vriendelijk, maar ondertussen vocht ik tegen een knagend onbehagen; een gevoel dat me ongetwijfeld probeerde te waarschuwen dat Alison Simms

misschien niet de charmante, ongecompliceerde jonge vrouw was die ik in haar zag, en aan wie ik de sleutels van mijn tuinhuisje had gegeven.
'Zoals het meestal afloopt wanneer je trouwt op je achttiende,' zei ze eenvoudig. Haar ogen zochten de mijne. 'Het huwelijk werd geen succes,' zei ze zonder een zweem van een glimlach.
'Dat spijt me.'
'Mij ook. We hebben het geprobeerd. We hebben het echt geprobeerd. We zijn een paar keer uit elkaar gegaan en weer bij elkaar teruggekomen, ook nadat de scheiding was uitgesproken.' Ze streek ongeduldig een verdwaalde lok van haar voorhoofd. 'Soms is het erg moeilijk om bij iemand vandaan te blijven, zelfs wanneer je weet dat hij totaal de verkeerde man voor je is.'
'Dus daarom ben je naar Florida gekomen?'
'Misschien,' gaf ze toe, maar meteen daarop verdrong een stralende glimlach elk spoor van weemoed en onzekerheid. 'Wat hebben we voor toe?'

3

'Ik was vijftien toen ik voor het eerst met een jongen naar bed ging.' Alison schonk nog een glaasje Baileys voor zichzelf in. We zaten op de grond in de woonkamer, met onze rug tegen het meubilair, onze benen voor ons uit gestrekt, als twee lappenpoppen. Alison had erop gestaan om na het eten af te ruimen, de afwas te doen, af te drogen en alles weer op zijn plek te zetten, terwijl ik aan de keukentafel zat en me verbaasde over haar handigheid, de snelheid waarmee ze werkte en het feit dat ze intuïtief leek te weten waar alles hoorde; bijna alsof ze het huis al kende. De Baileys had ze gevonden toen ze de wijnglazen terugzette in de kast in de eetkamer. De fles stond achter in de kast. Ik was vergeten dat ik hem nog had.

Ik weet niet waarom we de grond verkozen boven de bank. Waarschijnlijk had Alison zich eenvoudigweg op de grond laten vallen en had ik haar voorbeeld gevolgd. Hetzelfde gold voor de Baileys. Ik was beslist niet van plan geweest nog meer te drinken, maar plotseling hield ik een sierlijk likeurglas in mijn hand en liet het door Alison volschenken. Ik had natuurlijk kunnen weigeren, maar ik had het zo goed naar mijn zin. Doorgaans sleet ik mijn dagen met mensen die oud of ziek waren of om welke reden dan ook problemen hadden. Alison daarentegen was de vleesgeworden jeugd. Ze was bruisend en levendig, en ze gaf me zo'n gevoel van diepe tevredenheid dat alle twijfels die aan me knaagden, alle kleinzielige reserves die ik had, verdwenen als sneeuw voor de zon. Samen met mijn gezonde verstand. Het kwam er simpel gezegd op neer dat ik niet wilde dat ze wegging, en als ik ervoor kon zorgen dat de avond nog wat langer duurde door een tweede glas Baileys te drinken, dan deed ik dat. Dus hield ik haar gretig opnieuw mijn glas voor. Ze schonk het prompt vol. 'Dat had ik je waarschijnlijk beter niet kunnen vertellen,' zei ze. 'Nu denk je natuurlijk dat ik een lellebel ben.'

Het duurde even voordat het tot me doordrong waar ze het over had. 'Natuurlijk denk ik dat niet,' zei ik heftig. Er gleed een uitdrukking van opluchting over Alisons gezicht – als een penseelstreek. Het leek wel alsof ze had gewacht op mijn vrijspraak; alsof ze had gewild dat ik haar vergiffenis zou schenken voor de zonden in haar verleden. 'Bovendien ben ik nog erger,' zei ik haastig, in een poging te zorgen dat ze zich beter zou voelen, en om haar duidelijk te maken dat het niet aan mij was om een oordeel te vellen.

'Hoezo?' Ze boog zich voorover en zette haar glas op het tapijt. Het verdween in het roze blad van een bloem.

'Ik was pas veertien toen ik het voor het eerst met een jongen deed,' fluisterde ik schuldbewust, alsof mijn moeder nog altijd meeluisterde vanuit de slaapkamer boven.

'Het is niet waar! Dat kan ik me gewoon niet vóórstellen!'

'Echt waar.' Ik betrapte mezelf erop dat ik niets liever wilde dan haar overtuigen; dat ik haar wilde bewijzen dat ze niet de enige was met een verleden, met dingen waar ze liever niet over praatte, hoe klein en onbeduidend ze misschien ook waren. Misschien wilde ik haar zelfs wel een beetje shockeren, om haar – en mezelf – te laten zien dat ik meer was dan ik op het eerste gezicht leek; dat in deze vrouw van middelbare leeftijd nog altijd het hart van een onstuimig kind klopte.

Of misschien was ik gewoon dronken.

'Hij heette Roger Stillman,' vervolgde ik zonder aandringen, en in gedachten zag ik weer de slungelachtige jongen voor me met lichtbruin haar en grote, lichtbruine ogen, die me moeiteloos had weten te verleiden toen ik in de derde klas van de middelbare school zat. 'Hij zat twee klassen hoger, dus ik voelde me natuurlijk enorm gevleid dat hij zelfs maar tegen me práátte. Hij vroeg me mee naar de film. Mijn moeder vond me nog te jong om uit te gaan, dus ik zei tegen mijn ouders dat ik naar een vriendinnetje ging om een repetitie te leren. In plaats daarvan had ik met Roger afgesproken bij de bioscoop. Het was een James-Bondfilm – vraag me niet welke – en dat vond ik reuze spannend, want het was de eerste die ik zag. Niet dat ik er veel van heb gezien.' Ik herinnerde me de naar tabak ruikende adem van Roger in mijn hals terwijl ik probeerde de gecompliceerde plot van de film te volgen; zijn lip-

pen die langs mijn oor streken terwijl ik probeerde alle dubbelzinnige opmerkingen te begrijpen; zijn hand die van mijn schouder naar mijn borsten gleed terwijl James weer eens een gewillige vrouw naar zijn bed lokte. 'We vertrokken al voordat de film was afgelopen. Roger had een auto.' Ik haalde mijn schouders op, alsof daarmee alles was gezegd.
'En hoe is het afgelopen met Roger?'
'Hij heeft me aan de dijk gezet. Niet echt verrassend.'
Alisons gezicht verried hoe vervelend ze het voor me vond. 'En? Was je er kapot van?'
'Natuurlijk. Ik was gebróken, zoals alleen een meisje van veertien dat kan zijn. Zeker toen hij tegenover de hele school begon op te scheppen over zijn verovering.'
'Het is niet waar!'
Ik lachte om Alisons spontane verontwaardiging. 'Nou en of. Ik ben bang dat Roger een hufter van het zuiverste water was.'
'En wat is er van die hufter geworden?'
'Ik heb geen idee. Het jaar daarop zijn we naar Florida verhuisd en ik heb hem nooit meer gezien.' Ik schudde mijn hoofd en zag de kamer om me heen draaien. 'Hemel, ik heb er in geen jaren meer aan gedacht. Dat is een van de verbijsterende dingen van de jeugd.'
'Wat?'
'Je denkt dat je ergens nooit overheen zult raken, en dan ineens ontdek je dat je het totaal vergeten bent.'
Alison glimlachte en liet haar hoofd kantelen, waarbij ze haar zwanenhals strekte tot haar spieren kraakten en ontspanden.
'Alles is dringend, alles is belangrijk, en tegelijkertijd denk je dat je alle tijd van de wereld hebt,' vervolgde ik, bijna zonder te beseffen dat ik het hardop zei terwijl ik haar gadesloeg, gefascineerd door de bewegingen van haar hoofd.
'En nu? Is er een man die je leuk vindt? Ken je iemand met wie je wel wat zou willen?' Alison liet haar hoofd over haar schouders rollen.
'Niet echt. Nou... dat is niet helemaal waar,' hoorde ik mezelf zeggen, hoewel ik eigenlijk helemaal niet van plan was geweest haar in vertrouwen te nemen. 'Ik... ik vind Josh Wylie wel leuk. Zijn moeder ligt in het ziekenhuis waar ik werk.'

Alison hield op met draaien en keek me recht aan. Ze zei niets, maar wachtte duidelijk tot ik door zou gaan.
'Dat is alles wat ik erover kan zeggen,' vervolgde ik. 'Hij woont in Miami en komt een keer per week bij haar op bezoek. We hebben elkaar maar een paar keer gesproken, maar hij lijkt me erg aardig en...'
'Je zou er geen bezwaar tegen hebben om hem beter te leren kennen,' maakte Alison mijn zin af.
Ik knikte, maar besloot dat ik dat beter niet had kunnen doen, want de kamer stuiterde als een rubber bal om me heen. Moeizaam en met tegenzin kwam ik overeind. 'Het is de hoogste tijd. Ik moet naar bed.'
Alison stond onmiddellijk naast me en legde in een hartelijk gebaar haar hand op mijn arm. Ze wekte de indruk alsof ze helemaal geen last had van de drank. 'Voel je je wel goed?'
'Prima,' loog ik. De vloer deinde nog altijd op en neer, en ik moest me vasthouden aan de leuning van de bank om niet te vallen. Ik keek overdreven aandachtig op mijn horloge, maar de cijfers dansten over de wijzerplaat en ik kon de kleine wijzer niet eens van de grote onderscheiden. 'Het is al laat,' zei ik desalniettemin. 'En ik moet morgen weer vroeg op.'
'Ik ben toch niet te lang gebleven?'
'Nee, natuurlijk niet.'
'Weet je het zeker?'
'Heel zeker. Ik vond het een erg gezellige avond.' Ineens had ik het merkwaardige gevoel dat ze op het punt stond me welterusten te kussen. 'We moeten het gauw weer eens doen.' Ik boog mijn hoofd en ging Alison door de woon- en de eetkamer voor naar de keuken, waar ik prompt tegen de tafel aan liep en bijna in haar armen viel.
'Weet je zeker dat het wel gaat?' vroeg ze, terwijl ik wanhopig probeerde mijn evenwicht – en mijn waardigheid – terug te vinden. 'Misschien kan ik beter nog even blijven, om te zorgen dat je heelhuids in bed komt.'
'Nee, maak je geen zorgen. Ik voel me prima,' zei ik nogmaals, voordat ze het opnieuw kon vragen.
Alison was al half de deur uit toen ze plotseling bleef staan. Ze reikte in de linkerzak van haar zwarte broek en draaide zich om.

Ik werd er duizelig van. 'Er schiet me ineens iets te binnen. Dit vond ik in het huisje.' Ze strekte haar hand naar me uit.
Ondanks het feit dat het me duizelde en dat ik alles dubbel zag, herkende ik het gouden hartje dat aan een dun, gouden kettinkje op Alisons hand lag.
'Waar heb je dat gevonden?' Ik nam het van haar over. Het tere kettinkje hing aan mijn vingers als een vergeten sliert engelenhaar aan een afgedankte kerstboom.
'Onder mijn bed,' zei Alison, zich onbewust de meubels in het tuinhuis toe-eigenend.
'Wat had je onder het bed te zoeken?'
Tot mijn verrassing werd Alison vuurrood. Ze verplaatste haar gewicht onbehaaglijk van de ene naar de andere voet. Het was voor het eerst dat ik haar niet op haar gemak zag. Toen ze eindelijk antwoord gaf, dacht ik dat ik het verkeerd had verstaan.
'Wat zei je?'
'Ik kijk altijd onder mijn bed, om te zien of er geen enge mannen onder zitten,' herhaalde ze schaapachtig, en het kostte haar duidelijk moeite me aan te kijken.
'Enge mannen?'
'Ik weet dat het belachelijk is, maar ik kan er niets aan doen. Ik doe het al sinds ik heel klein was. Toen heeft mijn broer me verteld dat er een monster onder mijn bed zat dat me zou opeten zodra ik sliep.'
'Je kijkt onder je bed om te zien of er geen enge mannen onder zitten?' herhaalde ik, buitengewoon – maar onverklaarbaar – gecharmeerd door het idee.
'Ik kijk ook altijd in de kasten. Gewoon voor de zekerheid.'
'En heb je ooit iemand gevonden?'
'Nog niet.' Ze lachte. 'Hoe dan ook, dat kettinkje is van jou.' Ik deed een stap naar achteren en struikelde bijna over mijn eigen voeten, terwijl de kamer negentig graden kantelde en vijfenzestig porseleinen vrouwengezichten van hun planken dreigden te schuiven. 'Het is niet van mij. Het was van Erica Hollander, mijn laatste huurster.'
'Die je nog een paar maanden huur schuldig is?'
'Precies.'
'Dan is het nu van jou.' Alison draaide zich weer om naar de deur.

'Nee, hou jij het maar.' Ik hield haar het kettinkje voor, want ik wilde niets meer met Erica Hollander te maken hebben.
'Nee, dat kan ik niet aannemen,' zei Alison, maar desondanks strekte ze haar hand uit.
'Wie het vindt, mag het houden. Hier, neem mee. Het... het past bij je.'
Dat liet Alison zich geen twee keer zeggen. 'Ja, dat vind ik eigenlijk ook.' Ze lachte, deed in een vloeiend gebaar het dunne kettinkje om haar hals en maakte moeiteloos het slotje dicht. 'Hoe staat het me?'
'Heel mooi. Alsof het voor je gemaakt is.'
Alison klopte op het hartje om haar hals en probeerde haar spiegelbeeld te zien in het donkere keukenraam. 'Ik vind het prachtig.'
'Draag het in gezondheid.'
'Denk je niet dat ze er nog om komt?'
Nu was het mijn beurt om te lachen. 'Dat zou ze eens moeten proberen. Zo, en nu moet ik echt naar bed. Het is al veel te laat.'
'Welterusten.' Alison boog zich naar me toe en kuste me op mijn wang. Haar haar rook naar aardbeien, haar huid naar talkpoeder. Als een pasgeboren baby, dacht ik met een glimlach. 'Nogmaals bedankt,' zei ze. 'Voor alles.'
'Graag gedaan.' Ik deed de achterdeur open en wierp haastig een blik in het rond.
Er stond niemand te wachten, er was niemand die het huis in de gaten hield.
Ik slaakte een zucht van verlichting en wachtte tot Alison veilig in haar huisje was voordat ik de keukendeur sloot. Ik streek met mijn hand langs de plek waar Alison me had gekust, terwijl ik me voorstelde hoe ze door haar kleine woonkamer naar de slaapkamer liep. In gedachten zag ik haar knielen om onder het bed te kijken, en vervolgens in de kast, om te zien of zich daar geen monsters hadden verstopt. Afwezig dacht ik aan de man die ik voor het huis had zien staan. Was hij er inderdaad geweest? En had hij inderdaad naar mij – of naar Alison – gekeken?
Wat een lieve meid! Dat dacht ik. Dat dacht ik echt. *Zo kinderlijk, zo onschuldig.*
Nee, ook weer niet zo onschuldig, hielp ik mezelf herinneren terwijl ik met moeite de trap op liep naar mijn slaapkamer. Een bui-

tengewoon lastige tiener. Getrouwd op haar achttiende. Al snel weer gescheiden. Om nog maar te zwijgen van de hoeveelheid drank die ze op kon zonder er last van te krijgen.
Ik herinner me vaag dat ik me heb uitgekleed en mijn nachthemd heb aangetrokken. Maar dat weet ik alleen nog omdat ik mijn nachthemd eerst achterstevoren aan bleek te hebben. Ik herinner me niet meer dat ik mijn gezicht heb gewassen of mijn tanden gepoetst, hoewel ik zeker weet dat ik dat heb gedaan. Wat ik me nog wél herinner is het gevoel van mijn blote voeten die wegzonken in het ivoorwitte vloerkleed toen ik naar mijn bed liep; een gevoel alsof ik door dikke modder waadde. Ik herinner me ook het zware gevoel in mijn dijen, alsof mijn benen aan de grond waren verankerd. Het grote bed midden in de kamer leek mijlenver weg. Het duurde een eeuwigheid voor ik er was, en het vereiste een enorme inspanning om het dikke, witte dekbed terug te slaan. Ik weet nog dat ik het om me heen zag opbollen als een vallende parachute toen ik ging liggen, en ik voel nog het zachte kussen toen ik mijn hoofd neerlegde.
Ik had verwacht dat ik onmiddellijk in slaap zou vallen. Dat zie je altijd in films wanneer mensen te veel hebben gedronken. Ze worden draaierig, raken gedesoriënteerd en vallen als een blok in slaap. Soms geven ze eerst over. Maar ik was niet misselijk en ik viel niet als een blok in slaap. Ik lag daar alleen maar voor me uit te staren in het donker. Mijn hoofd tolde, ik wist dat ik over een paar uur al zou moeten opstaan en ik snakte ernaar om even alles te kunnen vergeten. Maar de slaap wilde niet komen. Ik draaide van mijn linker- naar mijn rechterzij, ik probeerde het op mijn rug, zelfs op mijn buik, maar ten slotte gaf ik het op en keerde ik terug naar mijn oorspronkelijke positie. Ik trok mijn knieën op naar mijn borst, legde mijn ene been over het andere, draaide mijn lichaam in houdingen waar een slangenmens trots op zou zijn geweest, maar het hielp allemaal niets. Uiteindelijk besloot ik een slaappil te nemen, en ik was al half uit bed toen ik bedacht dat je die nooit met alcohol mag innemen. Trouwens, het was nu al te laat voor pillen. Tegen de tijd dat ze begonnen te werken, ging de wekker, en ik zou de volgende dag nog uren in een soort sombere mist verkeren, erger dan op de ergste regendag.
Ik overwoog om te gaan lezen, maar ik worstelde al weken met het

boek dat op mijn nachtkastje lag en ik was nog steeds niet verder dan hoofdstuk vier. Bovendien waren mijn hersens net zo moe als mijn ogen, dus het zou alleen maar frustrerend en zinloos zijn om op dit uur te proberen iets in me op te nemen. Nee, ik had geen andere keus dan geduldig te blijven wachten tot ik in slaap viel.
Maar dat gebeurde niet.
Een halfuur later lag ik nog te wachten. Ik haalde verschillende keren diep adem en improviseerde wat yogaoefeningen die ik in een tijdschrift had zien staan, ook al had ik geen idee of ik ze op de juiste manier deed. In het ziekenhuis werden yogalessen gegeven, maar ik was er nooit toe gekomen om me in te schrijven. Net zomin als ik ertoe was gekomen om me op te geven voor Pilates of transcendente meditatie, of om de buikspierapparaten te bestellen waarvoor reclame werd gemaakt op de televisie. In gedachten beloofde ik plechtig dat ik al die dingen de volgende morgen meteen zou doen als ik nu in slaap viel.
Ook dat werkte niet.
Ik dacht eraan de televisie aan mijn voeteneind aan te zetten – er was ongetwijfeld wel ergens een herhaling van *Law & Order* – maar ik gaf er de voorkeur aan het bezoek van Alison nog eens de revue te laten passeren. Wat had me in 's hemelsnaam bezield om zo openhartig tegen haar te zijn en haar dingen toe te vertrouwen die ik nog nooit aan iemand had verteld? Lieve hemel, Roger Stillman! Waar kwam dat vandaan? Ik had niet meer aan hem gedacht sinds ik uit Baltimore was weggegaan.
En wat had ze mij nu helemaal verteld?
Dat ze op haar vijftiende voor het eerst met een jongen naar bed was geweest.
En wat nog meer?
Niet veel, besefte ik. Alison mocht dan de poorten naar de herinneringen hebben geopend, zelf was ze voor het hek blijven staan. Ik daarentegen was halsoverkop naar binnen gestormd en had alle voorzichtigheid overboord gezet. Dat was een van de meest boeiende dingen aan Alison, besloot ik, terwijl er een zacht gezoem begon achter mijn oren. Het léék alleen maar alsof ze je in vertrouwen nam. In werkelijkheid wist ze jóú zover te krijgen dat je háár in vertrouwen nam.
Dat was mijn laatste gedachte toen ik eindelijk in slaap viel. Ik kan

me niet meer herinneren dat ik indommelde, wél dat ik droomde. Het was een vage droom, zonder diepere betekenis. Een reeks rare beelden. Roger Stillman die James Bond nadeed op de achterbank van zijn auto; de moeder van Josh Wylie die me glimlachend aankeek vanuit haar ziekenhuisbed en vroeg of ik het boeket gele en oranje rozen dat haar zoon uit Miami had meegebracht in een vaas wilde zetten; mijn moeder die me waarschuwde dat ik de wekker niet had gezet.
Het besef dat ik dat inderdaad niet had gedaan maakte dat ik om twee minuten over vier wakker werd en mijn hand uitstrekte naar het nachtkastje. Het was schemerig in mijn kamer, en ik deed met tegenzin mijn ogen open terwijl mijn vingers naar de wekkerradio tastten.
Op dat moment zag ik de donkere gedaante aan het voeteneind van het bed staan.
Eerst dacht ik dat het een soort spookverschijning moest zijn; dat mijn zintuigen werden misleid door alle wijn die ik had gedronken, of dat het een droom was die hardnekkig weigerde te verdwijnen, een speling van maanlicht en schaduwen. Pas toen de gedaante bewoog, besefte ik dat hij echt was.
En ik gilde het uit.
De schreeuw sneed door de duisternis als een mes door een homp vlees. Hij schraapte langs de lucht en liet die bloedend en gehavend achter. Het feit dat dit krankzinnige, onmenselijke geluid uit mijn keel kon komen, maakte me bijna net zo bang als de gedaante die langzaam op me af kwam. Ik gilde opnieuw.
'Het spijt me zo,' jammerde een stem. 'O, het spijt me zo.'
Ik weet niet precies meer wanneer ik besefte dat Alison de gedaante was, en of dat kwam door haar stem of door de glinstering van het gouden hartje om haar hals. Ze hield haar hoofd vast alsof het pijn deed en zwaaide met haar bovenlichaam, als een boom die werd geteisterd door de wind. 'Het spijt me zo,' zei ze opnieuw. 'Het spijt me zo.'
'Wat kom je doen?' wist ik eindelijk uit te brengen, terwijl ik een laatste schreeuw smoorde en mijn hand uitstrekte naar de lamp naast mijn bed.
'Nee!' riep ze uit. 'Alsjeblieft. Niet aandoen!'
Ik verstijfde en aarzelde. 'Wat kom je doen?' vroeg ik nogmaals.

'Het spijt me zo. Ik wilde je niet wakker maken.'
'Wat kom je doen?' vroeg ik voor de derde keer. Mijn hart bonsde in mijn keel.
'Mijn hoofd...' Ze begon aan haar haar te plukken, alsof ze het met wortel en al uit haar hoofd wilde trekken. 'Ik heb een migraine-aanval.'
Ik klom uit bed en deed aarzelend een paar stappen in haar richting. 'Migraine?'
'Ja, het zal wel door de rode wijn komen.' Ze zweeg, alsof ze verder geen woord kon uitbrengen.
Ik ging naast haar staan, sloeg mijn arm om haar heen en drukte haar op de rand van het bed. Ze droeg een lang nachthemd van witte katoen – bijna identiek aan het mijne – en haar haar hing langs haar betraande gezicht. 'Hoe ben je binnengekomen?' vroeg ik.
'De keukendeur was niet op slot.'
'Dat kan niet. Ik doe hem altijd op slot.' Anderzijds, ik was behoorlijk wazig geweest, hielp ik mezelf herinneren. Het was heel goed mogelijk dat ik had vergeten de deur op slot te doen. Tenslotte had ik ook geen wekker gezet.
'Hij was echt open. Ik heb eerst geklopt, maar je gaf geen antwoord. Toen heb ik de deur geprobeerd. Ik hoopte dat ik iets in je medicijnkastje zou kunnen vinden zonder je wakker te maken. Het spijt me zo.'
Ik keek naar de badkamer. 'Het sterkste wat ik heb, zijn aspirines.'
Alison knikte, alsof ze wilde zeggen dat alles beter was dan niets. Ik liet haar achter op de rand van mijn bed en haastte me naar de badkamer. Daar rommelde ik door de inhoud van het medicijnkastje tot ik eindelijk het flesje pillen had gevonden. Ik schudde er vier in mijn hand, vulde een glas met water en liep terug naar de slaapkamer.
'Alsjeblieft.' Ik gaf haar de pillen. 'Ik zal morgen proberen om iets sterkers voor je te krijgen.'
'Morgen ben ik dood.' Ze probeerde te lachen, maar kwam niet verder dan gekreun, terwijl ze de pillen slikte en haar hoofd tegen mijn schouder legde in een poging haar ogen zo veel mogelijk af te schermen tegen het licht.
'Dat zal ons leren,' hoorde ik mezelf zeggen met de stem van mijn

moeder, terwijl ik over haar arm streek en haar zachtjes heen en weer wiegde, als een baby. 'Je blijft vannacht hier slapen.'
Alison verzette zich niet toen ik haar naar de zijkant van het bed loodste en de dekens over haar heen trok. 'En jij dan?' vroeg ze met haar ogen dicht.
'Ik slaap in de kamer hiernaast.'
Maar Alison had de dekens al over haar hoofd getrokken. Het enige bewijs dat ze er was, waren een paar lokken roodblond haar die zich als een vraagteken op mijn kussen krulden.

4

Alison sliep nog toen ik de volgende morgen de deur uit ging. Ik overwoog even om haar wakker te maken en terug te loodsen naar haar eigen bed, maar ze lag er zo vredig bij en ze zag er zo kwetsbaar uit, dat ik het niet over mijn hart kon verkrijgen haar te storen. Haar roodblonde haar vormde nog altijd een opmerkelijk contrast met haar bijna lijkbleke huid, en mijn ervaring met migraine was dat er – net als bij dronkenschap – vierentwintig uur slaap nodig was om ervanaf te komen. Dus de kans was groot dat Alison nog sliep wanneer ik die middag tegen vieren thuiskwam. Wat had het dan voor zin om haar wakker te maken?

Achteraf besef ik dat het fout was, ook al was het bepaald niet mijn eerste fout waar het Alison betrof, en zeker ook niet mijn laatste. Nee, het was maar een van mijn vele beoordelingsfouten ten aanzien van het meisje dat zich Alison Simms noemde. Maar achteraf is het altijd gemakkelijk praten. Natuurlijk was het stom van me om iemand die ik amper kende onbewaakt in mijn huis te laten. Natuurlijk was dat vragen om moeilijkheden. Ter verdediging kan ik alleen maar aanvoeren dat het op dat moment niet zo voelde. Om amper zes uur 's ochtends, na misschien vier uur slaap, voelde het goed en volkomen natuurlijk om Alison alleen thuis te laten. Want waar zou ik me zorgen over moeten maken? Dat ze mijn stokoude televisie zou stelen? Dat ze de verzameling porseleinen vazen van mijn moeder in een kruiwagen het huis uit zou rijden? Dat ze een bord in mijn voortuin zou zetten en mijn inboedel zou verpatsen? Dat mijn huis en mijn tuinhuis in de as gelegd zouden zijn wanneer ik die middag thuiskwam van mijn werk?

Misschien had ik voorzichtiger moeten zijn, meer op mijn hoede, minder goed van vertrouwen.

Maar dat was ik niet.

Bovendien luidt het spreekwoord toch dat je geen slapende honden wakker moet maken?

Hoe dan ook, ik liet Alison slapend achter in mijn bed, net als Goudhaartje bij de familie beer, herinner ik me nog dat ik dacht, terwijl ik grinnikend de trap af sloop op mijn lompe, witte verpleegstersschoenen en de voordeur zo zachtjes mogelijk open en weer dichtdeed. Mijn auto, een vijf jaar oude, zwarte Nissan, stond op het tuinpad naast het huis. Ik keek vluchtig en nog een beetje slaperig de verlaten straat uit. In de verte hoorde ik het zwakke gezoem van auto's en bussen. De stad was bezig wakker te worden, dacht ik, en ik wenste vurig dat ik mijn witte uniform kon verruilen voor mijn witte nachtjapon en dat ik weer in bed kon kruipen. Gelukkig was ik niet zo moe als ik had gevreesd. Sterker nog, ik voelde me verrassend goed.

Ik reed achteruit het tuinpad af en deed de raampjes open om de frisse ochtendlucht binnen te laten. November is een heerlijke tijd in het zuiden van Florida. De temperatuur blijft doorgaans aan de aangename kant van de vijfentwintig graden; de drukkende vochtigheid van de zomermaanden is zo goed als verdwenen en de dreiging van extreme weersomstandigheden is geweken. In plaats daarvan zorgt de hemel voor een voortdurend wisselende combinatie van zon en wolken, met af en toe een – maar al te welkome – stortbui. En we krijgen meer dan genoeg stralende, onbewolkte middagen; dagen waarop de zon hoog aan een wolkeloze, stralend blauwe hemel staat. Het zag eruit alsof het vandaag wel eens zo'n dag zou kunnen worden. Tegen de tijd dat ik thuiskwam, kon ik Alison misschien wel meenemen voor een wandeling langs het strand, als ze zich goed genoeg voelde. Er gaat niets boven de helende werking van de oceaan op de geest en de geteisterde ziel. Misschien gold voor migraine wel hetzelfde, dacht ik, met een blik op het raam van mijn slaapkamer.

Heel even dacht ik dat ik de gordijnen zag bewegen. Ik trapte op de rem en bracht mijn gezicht dichter naar de voorruit. Bij nader inzien bleek echter dat ik me had vergist. Het waren de schaduwen van de palmbomen naast mijn huis die over het raam van mijn slaapkamer streken en de illusie van beweging daarbinnen creëerden. Ik bleef nog even naar het raam kijken en luisterde naar het gefluister van de palmbladeren in de bries. De gordijnen achter het raam van mijn slaapkamer hingen roerloos.

Mijn voet verschoof van de rem naar het gaspedaal en ik reed langzaam Seventh Avenue af tot ik bij Atlantic Avenue kwam, waar ik linksaf sloeg. De anders altijd verstopte hoofdweg door Delray ligt er op dit uur van de ochtend zo goed als verlaten bij. Dat is een van de weinige voordelen als je zo vroeg op je werk moet zijn, en ik had onbelemmerd zicht op de talloze chique winkels, galeries en restaurants die de stad de laatste jaren een nieuw aanzicht hadden gegeven. Tot verrassing van velen – ook van mij – was Delray zelfs populair geworden; een bestemming, in plaats van een plek om doorheen te rijden. Ik vond die onverwachte veranderingen en de sfeer van opwinding fantastisch, ook al maakte ik er zelf zelden deel van uit. Alison zou het hier heerlijk vinden, wist ik intuïtief.

Ik passeerde het tenniscentrum aan de noordzijde van Atlantic Avenue, waar elk jaar het Citrix Open werd gehouden, en vervolgens kwam ik langs Old School Square op de noordwesthoek van Atlantic en Swinton, langs het South County Courthouse en de brandweerkazerne van Delray Beach aan mijn linkerhand. Bij de I-95 nam ik de onderkruising naar Jog Road, die ik in zuidelijke richting volgde, tot ik vijf minuten later bij het ziekenhuis arriveerde.

Mission Care is een kleine privé-kliniek, gehuisvest in een kauwgomroze gebouw van vijf verdiepingen en gespecialiseerd in chronische zorg. De meerderheid van de patiënten is oud en heeft ernstige gezondheidsproblemen, met als gevolg dat ze vaak boos en van streek zijn. En wie kan het ze kwalijk nemen? Ze weten dat ze niet meer beter worden; dat ze nooit meer naar huis gaan. Dat Mission Care in wezen hun laatste rustplaats is. Sommigen zijn er al jaren. Vanuit hun smalle bedden kijken ze met nietsziende ogen naar plafonds waarop ook niets te zien is, terwijl ze wachten tot de verpleegster hen in bad komt doen of in een andere houding komt leggen. En al die tijd verlangen ze naar bezoek dat zelden komt en bidden ze heimelijk om de dood, terwijl ze zich tegelijkertijd koppig vastklampen aan het leven. Wat moet het toch deprimerend zijn om voortdurend omringd te zijn door zieken en stervenden, krijg ik vaak te horen. En soms is het dat ook. Het is altijd moeilijk om mensen te zien lijden, om een jonge vrouw te moeten troosten die in de bloei van haar leven is getroffen door MS, om een kind te verzorgen dat in coma ligt en nooit meer wakker zal worden, om

een oude man met de ziekte van Alzheimer te kalmeren wanneer hij scheldt op de zoon die hij niet meer herkent.
En toch maken sommige momenten het allemaal de moeite waard. Momenten waarop zelfs de simpelste daad van vriendelijkheid wordt beloond met zo'n stralende glimlach dat je tranen in je ogen krijgt, of met zo'n oprecht gefluisterd 'dank je wel' dat je knieën knikken. Daarom ben ik verpleegster geworden, begrijp ik op dat soort momenten, en als ik daarmee hopeloos romantisch ben of dwaas sentimenteel, dan is dat maar zo.
Waarschijnlijk is het die eigenschap die me tot zo'n gemakkelijk doelwit maakt. Ik lijd aan hetzelfde waanidee als Anne Frank, namelijk dat mensen van nature goed zijn.
Ik zette mijn auto op het personeelsgedeelte van het parkeerterrein en ging naar binnen, de hal door, langs het cadeauwinkeltje en de apotheek die pas over een paar uur open zouden gaan, en de koffiebar waar het al druk was. Ik ging in de rij staan voor een kop smakeloze zwarte koffie en een vetvrije muffin met veenbessen. Ik moest denken aan Alison die zo dol op veenbessen was. In een van mijn keukenladen had ik nog een recept voor muffins met banaan en veenbessen, en ik besloot bij thuiskomst een portie te maken.
De administratie ging pas om negen uur open, en ik nam me voor om er later op de dag even langs te gaan en te informeren naar Alisons vriendin, Rita Bishop. Ook al had Alison gezegd dat ik geen moeite hoefde te doen, het leek me misschien het proberen waard. Het zou kunnen zijn dat Rita een adres had achtergelaten waarnaar haar post kon worden doorgestuurd. Of misschien wist een van de secretaresses waar ze heen was gegaan.
Ik had mijn koffie al op en was halverwege de muffin toen de deuren van de tergend langzame lift eindelijk opengingen op de derde verdieping. Achter de afdelingsbalie was het al een drukte van belang. 'Wat is er aan de hand?' vroeg ik aan Margot King, een stevige vrouw met oranje haar en blauwe contactlenzen. Margot werkte al meer dan tien jaar in Mission Care, en in die tien jaar was de kleur van haar ogen net zo vaak veranderd als die van haar haar. De enige constanten waren de kleur van haar uniform – stralend, smetteloos wit – en die van haar huid – verbijsterend zwart, als ebbenhout.
'Een verkrachtingsslachtoffer,' fluisterde Margot.

'Een verkrachtingsslachtoffer? Waarom hebben ze haar hier gebracht?'
'De verkrachting is al drie maanden geleden gebeurd. Een vent heeft haar met een honkbalknuppel geslagen en voor dood achtergelaten. Sindsdien ligt ze in coma. Het lijkt er niet op dat ze op korte termijn naar huis kan, dus heeft de familie besloten haar hierheen te laten brengen toen ze in Delray Medical Center bedden te kort kwamen.'
'Hoe oud?' Ik zette me schrap.
'Negentien.'
Ik zuchtte en liet mijn schouders hangen. 'Nog meer aangename verrassingen?'
'Nee, hetzelfde als altijd. Mevrouw Wylie heeft naar je gevraagd.'
'Nu al?'
'Al vanaf vijf uur. "Waar is mijn Terry? Waar is mijn Terry?"' herhaalde Margot met de zwakke stem van Myra Wylie.
'Ik ga wel even bij haar om het hoekje kijken.' Ik liep de gang al in, maar bleef toen abrupt staan. 'Is Caroline er al?'
'Die komt pas om elf uur.'
'Caroline heeft toch last van migraine?'
'Ja, dat klopt. Ze heeft er verschrikkelijk veel last van.'
'Wil je tegen haar zeggen dat ik haar moet spreken, zodra je haar ziet?'
'Problemen?'
'Het gaat om een vriendin,' zei ik, en ik vervolgde mijn weg door de perzikkleurige gang naar de kamer van Myra Wylie.
Langzaam duwde ik de deur open en stak ik mijn hoofd om een hoekje, voor het geval dat de broze zevenentachtigjarige, die behalve aan chronische leukemie ook aan een aangeboren hartafwijking leed, weer in slaap was gevallen.
'Terry!' klonk de stem van Myra Wylie uit haar ziekenhuisbed. 'Daar is mijn Terry!' De woorden bleven trillend in de lucht hangen, als de rook van een sigaret.
Ik liep naar het bed, klopte op de knokige hand onder de steriele witte lakens en glimlachte naar het oude gezicht met de waterig blauwe ogen. 'Myra, hoe voel je je vandaag?'
'Heerlijk.' Dat zei ze altijd als ik het vroeg, en ik lachte. Zij lachte ook, maar het klonk zwak en ging al snel over in gehoest. Toch zag

ik in die paar korte momenten een glimp van de prachtige, bruisende vrouw die Myra Wylie moest zijn geweest, voordat haar lichaam begon aan zijn langzame, sluipende verraad. Bovendien herkende ik het gezicht van haar zoon Josh in de lijn van haar hoge jukbeenderen en de zachte welving van haar lippen. Josh Wylie zou een buitengewoon knappe oude man worden, dacht ik onwillekeurig toen ik een stoel bijtrok en naast zijn moeder ging zitten.
'Je had naar me gevraagd?'
'Ja, ik heb eens liggen denken. Misschien zouden we iets anders met mijn haar kunnen doen, de volgende keer dat we het wassen.'
Ik streek het dunne, witte haar uit haar gezicht. 'Wat voor model zou je leuk vinden?'
'Ik weet het niet. Iets wat een beetje hipper is.'
'Een beetje hipper.'
'Misschien een boblijn.'
'Een boblijn?' Ik drukte de dunne pieken die Myra's gezicht omlijstten een beetje omhoog en uit elkaar. Haar gezicht begon in te vallen, de lijnen rond haar ogen en haar mond werden diepe kloven. Geleidelijk aan veranderde het levende weefsel in een dodenmasker. Hoe lang zou ze nog te gaan hebben? 'Een boblijn,' herhaalde ik. 'Natuurlijk! Waarom niet?'
Myra glimlachte. 'Dat schattige verpleegstertje met al die sproeten was er gisteravond. Dat jonge ding. Hoe heet ze ook alweer?'
'Sally?'
'Ja, precies! Sally. Ze kwam me mijn medicijnen brengen en we raakten aan de praat. Ze vroeg hoe oud ik was. Je had haar gezicht moeten zien toen ik zei dat ik zevenenzeventig ben!'
Ik keek in Myra's ogen, op zoek naar het bewijs dat ze een grapje maakte, maar dat zag ik niet. 'Myra,' begon ik ten slotte voorzichtig. 'Je bent geen zevenenzeventig.'
'O nee?'
'Je bent zevenentáchtig.'
'Zevenentachtig?' Het bleef heel lang stil, en Myra legde een bevende hand op haar hart. 'Is me dat schrikken!'
Ik streelde lachend haar schouder.
'Weet je het zeker?'
'Dat staat op je kaart. Maar we kunnen het je zoon vragen, de volgende keer dat hij op bezoek komt.'

'Ja, laten we dat doen.' Myra's oogleden werden zwaar, haar stem klonk zwakker. 'Want volgens mij klopt het niet.'
'We zullen het vrijdag aan Josh vragen.' Ik stond op uit mijn stoel en liep naar de deur. Toen ik me omdraaide, was ze alweer in diepe slaap.
De rest van de ochtend gebeurde er niets bijzonders. Ik verzorgde mijn patiënten, voerde hun ontbijt, lunch, verschoonde vuile lakens en hielp degenen die nog konden lopen naar de wc. En ik keek om het hoekje bij Sheena O'Connor, het negentienjarige verkrachtingsslachtoffer dat van Delray Medical Center naar ons was overgebracht. Terwijl ik de littekens en kneuzingen inspecteerde die een bespotting waren van haar jonge, onschuldige gezicht, kletste ik maar wat voor me uit. Maar als ze me hoorde, bleek dat nergens uit.
Normaliter lunch ik in de kantine van het ziekenhuis – het eten is er verrassend goed, en je krijgt het nergens goedkoper – maar die dag was ik veel te nieuwsgierig hoe het met Alison was. Ik overwoog haar te bellen, maar wilde haar niet wakker maken, in het geval dat ze nog sliep. Bovendien verwachtte ik niet dat ze mijn telefoon zou opnemen. Dus gewapend met twee tabletten Imitrex die ik van Caroline had gekocht – 'Ze zijn zo vervloekt duur, anders kreeg je ze van me' – en de namen van verscheidene artsen in de omgeving van wie ik dacht dat Alison ze zou kunnen raadplegen, gebruikte ik mijn lunchpauze om naar huis te rijden en te kijken hoe het met haar ging.
Toen ik mijn tuinpad op reed, zag ik een jongeman met een honkbalpet laag over zijn voorhoofd achter een boom op de hoek staan, op bijna dezelfde plek waar ik de vorige dag iemand had zien staan. Maar tegen de tijd dat ik mijn auto had geparkeerd en terugliep naar de stoep, was hij verdwenen. Toen ik de straat uit keek, zag ik hem nog net om de hoek verdwijnen. Even overwoog ik achter hem aan te gaan. Gelukkig werd ik afgeleid door gekef, en ik draaide me om naar mijn huis. Bettye McCoy stond naast een met veel liefde opgekweekte rozenstruik van de buren en deed alsof ze niet zag dat een van haar honden ertegenaan plaste. Ik overwoog haar te vragen of ze misschien een verdachte persoon in de buurt had gezien, maar zag ervan af. Bettye McCoy keurde me amper een blik waardig sinds ik een van haar dierbare bichons met een bezemsteel uit mijn tuin had gejaagd.

Ik veegde mijn voeten af bij de voordeur en vervloekte in stilte het zachte geknars waarmee hij openging. Na mijn werk zou ik een beetje olie op de scharnieren spuiten, nam ik me voor. Het was bijna griezelig stil in huis, op het zachte zoemen van de airconditioning na. Een snelle blik om me heen vertelde me dat alles nog op zijn plek stond. Uit niets bleek dat er iemand in de kamer was geweest.
Ik liep op mijn tenen naar boven, naar de slaapkamer, en kuchte zachtjes om Alison niet aan het schrikken te maken als ze al wakker was. Toen deed ik voorzichtig de deur open.
De gordijnen waren nog dicht, dus het duurde even voordat ik besefte dat de kamer leeg was. De lakens en de sprei waren keurig rechtgetrokken en Goudhaartje sliep niet langer in mijn bed. 'Alison?' riep ik, en ik keek in de badkamer en de tweede slaapkamer voordat ik weer naar beneden liep. 'Alison?' Ze was weg.
'Alison?' riep ik opnieuw bij de deur van het tuinhuisje. Ik klopte zachtjes, maar kreeg geen antwoord. Toen ik probeerde door het raam naar binnen te gluren, zag ik niets, en ik hoorde geen beweging in het tuinhuisje. Zou Alison zich inmiddels alweer zo goed voelen dat ze de deur uit was gegaan? Of lag ze op de grond in de badkamer, met haar hoofd tegen de koude tegels, wanhopig op zoek naar verlichting van de pijn; te ziek, te zwak om mijn geklop te antwoorden? Hoewel mijn gezonde verstand me zei dat ik overdreven reageerde, liep ik opnieuw naar de voordeur en klopte ik wat harder. 'Alison!' riep ik, deze keer met luide stem. 'Alison, ik ben het, Terry. Is alles goed met je?'
Ik wachtte een halve minuut en liet mezelf binnen. 'Alison?' riep ik opnieuw.
Zodra ik over de drempel stapte, wist ik dat het huisje leeg was, maar ik hield vol en bleef haar naam roepen terwijl ik naar de slaapkamer liep. Haar kleren van de vorige dag lagen onverschillig over de vloer verspreid, op de plek waar ze ze had uitgetrokken. Het bed was niet opgemaakt en rook naar haar; een sterke mengeling van aardbeien en babypoeder, die nog in de gekreukte lakens en de gedeukte kussens hing. Alison zelf was echter nergens te zien. Tot mijn schande moet ik bekennen dat ik ook onder het bed heb gekeken. Dacht ik soms dat de gevreesde enge man te voorschijn was gekomen en Alison had ontvoerd in haar slaap? Ik

weet niet wat ik dacht. Net zomin als ik weet wat me bezielde om in de kleine inloopkast te kijken. Dacht ik dat ze zich daar had verstopt? Zoals ik al zei, ik weet niet wat ik dacht. Waarschijnlijk dacht ik gewoon helemaal niets.

Alison had geen uitgebreide garderobe. Een paar jurken, waaronder de blauwe zonnejurk die ze bij onze eerste ontmoeting had gedragen; diverse spijkerbroeken; een witte blouse; een zwart leren jack. In een hoek van de lange, ingebouwde plank lagen misschien een stuk of vijf, zes T-shirts en in de andere hoek was een stapeltje kanten ondergoed gepropt. Afgetrapte zwart-witte sportschoenen stonden naast een paar weinig gedragen, zilverkleurige schoenen met hoge hakken en met een open hiel. Ik pakte een van de schoentjes en vroeg me af hoe iemand in 's hemelsnaam op zulke dingen kon lopen. Zelf had ik zulke hoge hakken niet meer gedragen sinds... Nee, ik had nóóit zulke hoge hakken gehad, besefte ik, met een blik op mijn eigen voeten. Ik had mijn verpleegstersschoenen uitgetrokken en liep op kousen. Voordat ik besefte wat ik deed, trok ik eerst de ene schoen aan en toen de andere.

Op dat moment – terwijl ik op de sexy schoentjes van Alison in haar klerenkast stond – hoorde ik beweging in de aangrenzende kamer. Ik was me bewust van een lichte trilling van de vloer: voetstappen die dichterbij kwamen. Ik verstijfde, niet wetend wat ik moest doen. Het was één ding om Alison te vertellen dat ik zó bezorgd was geweest om haar gezondheid dat ik me toegang had verschaft tot haar huisje. Maar hoe moest ik uitleggen wat ik in haar kast deed, wankelend op haar nieuwe, zilverkleurige hoge hakken?

Eén krankzinnig moment overwoog ik mijn hielen tegen elkaar te klakken en '*There's no place like home; there's no place like home*' te zeggen, in de hoop dat ik, net als Dorothy in de *Wizard of Oz*, op wonderbaarlijke wijze weer in mijn eigen woonkamer zou belanden. Of voor mijn part in Kansas. Alles was beter dan hier, dacht ik, me bewust van Alison die in de deuropening stond. 'Het spijt me zo,' zei ik, in afwachting van haar reactie. 'Ik hoop niet dat je boos bent.'

Alleen, er stond helemaal niemand in de deuropening. Ik was alleen, met mijn overspannen verbeelding. Om nog maar te zwijgen van mijn schuldgevoel omdat ik niet het recht had om hier te zijn.

Wankelend op die buitensporig hoge hakken stond ik in de kast te wachten tot mijn hartslag weer normaal werd. Ik zou een goede inbreker zijn, dacht ik honend, terwijl ik de schoenen uitdeed en terugzette op hun plek, naast de afgetrapte sportschoenen.
Op dat punt had ik moeten maken dat ik wegkwam. Het was duidelijk dat Alison zich beter voelde; dat ik geen enkele reden had om me zorgen te maken. En ik had zeker geen reden om hier te zijn, in wat inmiddels háár huis was. Ik was op weg naar de voordeur – écht – toen ik het zag liggen.
Haar dagboek.
Het lag open op de witte rieten ladenkast, alsof het me uitnodigde erin te lezen; bijna alsof Alison het daar met opzet had neergelegd alsof ze had geweten dat ik langs zou komen. Ik probeerde het niet te zien en door te lopen, zonder erbij te blijven staan, zonder me ernaartóé te bukken, gebiedt de eerlijkheid me te zeggen. Maar het ellendige ding trok me aan als een magneet. Bijna zonder dat ik het wilde, vloog mijn blik over de langgerekte krullen en lussen van Alisons handschrift, dat me deed denken aan een wilde, visuele rit in een achtbaan.
Zondag 4 november. Het is zover. Ik heb het gedaan. Ik bén er!
Ik wendde haastig mijn blik af en klapte het dagboek dicht. Maar toen besefte ik dat het open had gelegen, dus ik bladerde het haastig door, op zoek naar de laatste aantekening.
Donderdag 11 oktober. Lance verklaart me voor gek. Hij zegt dat ik niet moet vergeten wat er de vorige keer is gebeurd.
Vrijdag 26 oktober. Ik begin zenuwachtig te worden. Misschien is het toch niet zo'n goed idee.
Zondag 28 oktober. Lance waarschuwt me voortdurend dat ik moet proberen er emotioneel los van te blijven. Misschien heeft hij gelijk. Misschien is het hele plan gewoon krankzinnig.
Ik bladerde verder naar de laatste aantekening, zonder écht in het dagboek te lezen en tot me te laten doordringen wat er stond. *Zondag 4 november. Het is zover. Ik heb het gedaan. Ik bén er! Ik woon in het huisje in haar achtertuin, en ze heeft me zelfs voor het eten uitgenodigd. Ze lijkt me aardig, ook al is ze anders dan ik had verwacht.*
Wat bedoelde ze daarmee?
Wat had ze verwacht?
We hadden elkaar aan de telefoon amper een minuut gesproken;

nauwelijks lang genoeg om ook maar enige indruk van elkaar te krijgen.
Lance verklaart me voor gek. Hij zegt dat ik niet moet vergeten wat er de vorige keer is gebeurd.
Bestond er een verband tussen deze aantekeningen?
'Nu doe ik het weer,' zei ik hardop. Ik liet me weer meeslepen door mijn verbeelding. De paar zinnen die ik in Alisons dagboek had gelezen, konden van alles betekenen. Of helemaal niets. Het onbehaaglijke gevoel dat ik had, kwam eerder voort uit mijn eigen schuldgevoel omdat ik in Alisons persoonlijke bezittingen stond te snuffelen dan uit haar onschuldige aantekeningen. Ik deinsde achteruit alsof het dakboek een sissende slang was.
En ik deed niets. Toen niet, later niet, zelfs niet toen ik na mijn werk thuiskwam en bij Alison aanklopte om te kijken hoe het met haar was. Zelfs niet toen ze me vertelde dat ze op een kort wandelingetje na eigenlijk de hele dag in bed had gelegen.
Ik gaf haar de Imitrex, een lijst van artsen in de buurt en een kop zelfgemaakte kippensoep en nam me vast voor om vriendelijk te zijn, maar op een afstand te blijven. *Ik moest er emotioneel los van blijven,* zou de geheimzinnige Lance me ongetwijfeld adviseren. En op de een of andere manier slaagde ik erin mezelf ervan te overtuigen dat er niets aan de hand was zolang Alison op tijd haar huur betaalde en zich aan de regels hield.

5

Tegen het eind van de week, vrijdag, was ik het dagboek zo goed als vergeten. Een van mijn collega's lag met een zware griep in bed, dus ik had aangeboden voor haar in te vallen, naast mijn eigen dienst op woensdag en donderdag. Het gevolg was dat ik Alison niet zag. Ik kreeg wél een lief briefje van haar, waarin ze me bedankte voor het eten en zich uitgebreid verontschuldigde voor de overlast. Ze verzekerde me dat ze zich inmiddels een stuk beter voelde en stelde voor om in het weekend naar de film te gaan. Natuurlijk alleen als ik tijd had. Ik reageerde niet en besloot te zeggen dat ik doodmoe was wanneer ze het me nogmaals vroeg. Als ik dergelijke voorstellen maar vaak genoeg afwees, zou Alison het uiteindelijk wel begrijpen en zou onze relatie terugkeren naar het niveau waarop hij had moeten blijven: die van huisbaas en huurder. Ik was overhaast te werk gegaan door Alison in mijn privéleven toe te laten.

'Waar denk je aan, kindje?' vroeg de stem naast me bezorgd.

'Hm? Wat? O, neem me niet kwalijk.' Ik keerde terug naar het heden, zette alle onwelkome herinneringen van me af en richtte mijn volle aandacht weer op de verschrompelde oude vrouw die alleen nog in leven werd gehouden door de slangen die voeding in haar desintegrerende aderen pompten.

Ik las lichte nieuwsgierigheid in Myra Wylies ogen. 'Je was wel heel ver weg met je gedachten.'

'Sorry. Heb ik je pijn gedaan?' Ik liet het infuus los dat ik had bijgesteld.

'Natuurlijk niet, kindje. Zelfs al zou je het willen, dan zou je me nog geen pijn kunnen doen. Je hoeft je niet te verontschuldigen. Is alles in orde?'

'Het gaat uitstekend.' Ik stopte de deken in aan haar voeteneind. 'Je doet het opmerkelijk goed.'

'Dat bedoelde ik niet. Ik vroeg of alles goed ging met jou.'

'Uitstekend,' zei ik nogmaals, alsof ik probeerde ook mezelf gerust te stellen.
'Je kunt me alles vertellen. Dat weet je toch?'
Ik glimlachte dankbaar. 'Ja, dat weet ik.'
'Ik meen het.'
'Ook dat weet ik.'
'Je ziet eruit alsof je over heel diepe dingen nadenkt,' zei Myra Wylie. Ik begon te lachen. 'Lach niet. Josh vindt het ook.'
Onmiddellijk begon mijn hart sneller te slaan. 'Je zoon denkt dat ik over diepe dingen nadenk?'
'Ja, dat zei hij. De laatste keer dat hij bij me was.'
Ik voelde me belachelijk gevleid, als een tiener die erachter is gekomen dat de jongen op wie ze verliefd is ook verkikkerd is op haar. Toen ik op mijn horloge keek, zag ik dat mijn handen beefden. 'Het is bijna twaalf uur. Hij kan elk moment hier zijn.'
'Hij vindt je erg aardig.'
Vergiste ik me of zag ik een ondeugende glinstering in Myra's waterige ogen? 'O ja?'
'Josh verdient een lieve vrouw,' zei Myra, meer tegen zichzelf dan tegen mij. 'Hij is gescheiden. Dat heb ik je toch verteld?' Ik knikte, snakkend naar meer bijzonderheden, maar ik deed mijn uiterste best om niet meer dan een lichte nieuwsgierigheid te tonen.
'Ze heeft hem in de steek gelaten en is er met haar aerobicsleraar vandoor gegaan. Kun je je dat voorstellen? De onnozele gans!' Myra Wylies broze schouders verstijfden van heilige verontwaardiging. 'Ze maakt haar gezin kapot, ze breekt het hart van mijn zoon, en waarvoor? Om 'm te smeren met de een of andere spierbundel die tien jaar jonger is dan zij, en die haar nog geen halfjaar later weer aan de kant zet. Dat had ze kunnen weten. En nú beseft ze natuurlijk hoe verkeerd het is wat ze heeft gedaan; nú wil ze hem terug. Maar gelukkig is Josh daar te verstandig voor. Hij zal haar nooit terugnemen.' Myra's stem brak – als een radio met een slechte ontvangst – en ze begon zorgwekkend te kuchen en naar lucht te snakken.
'Diep ademhalen,' instrueerde ik, en ik keek gespannen toe terwijl haar ademhaling geleidelijk aan weer normaal werd. 'Dat is beter. Je moet jezelf niet zo van streek maken. Dat is het niet waard. Het is voorbij. Ze zijn gescheiden.'

'Hij neemt haar nooit terug.'
'Natuurlijk niet. Nooit meer,' viel ik haar bij.
'Hij verdient een lieve vrouw.'
'Absoluut.'
'Iemand zoals jij,' zei Myra. 'Je houdt toch van kinderen?'
'Ik ben dol op kinderen.' Ik volgde haar blik naar de twee zilveren lijstjes op het verrijdbare nachtkastje naast haar bed en keek in de lachende gezichten van haar kleinkinderen.
'Ze zijn inmiddels een stuk groter. Jillian is vijftien en Trevor bijna twaalf.'
'Dat weet ik,' hielp ik haar herinneren. 'Ik heb ze ontmoet. Het zijn hele lieve kinderen.'
'Ze zijn door een hel gegaan toen Janet net weg was.'
'Ja, dat is ongetwijfeld niet gemakkelijk voor ze geweest.' Het was nooit gemakkelijk om je moeder te verliezen, dacht ik. Hoe oud je ook was en ongeacht de omstandigheden. Je moeder bleef tenslotte je moeder. Ik verbeet een glimlach. Nou, dat was een wel héél diepzinnige gedachte. 'Ik moet verder. Kan ik nog iets voor je doen voordat je zoon komt?'
'Zou je mijn haar een beetje willen kammen?'
'Natuurlijk. Met alle plezier.' Ik streek voorzichtig met een kam over Myra's hoofd en zag dat de dunne pieken grijs haar onmiddellijk terugvielen op hun plek. 'Je had gelijk over die boblijn. Het staat je erg goed.'
'Vind je?' Er verscheen een gretige, bijna kinderlijke glimlach op haar gezicht.
'Al mijn collega's vragen ineens of ik hun haar wil knippen. Ze zeggen dat ik mijn roeping ben misgelopen.'
'Volgens mij had je geen beter beroep kunnen kiezen.' Myra kneep in mijn hand.
'Ik kom straks wel even langs om je zoon gedag te zeggen,' zei ik met een knipoog.
'Terry?' riep ze toen ik op het punt stond om de kamer uit te lopen. Ik draaide me om en zag dat ze haar vingertoppen op haar mond legde. 'Misschien een beetje lippenstift?'
Ik liep weer naar het bed.
'Nee, ik niet,' zei ze haastig. 'Jij.'
Ik liep lachend en hoofdschuddend naar de deur, en ik lachte nog

steeds toen ik de gang in liep en Alison bij de afdelingsbalie zag staan.
'Terry!' Ze rende naar me toe, met gespreide armen. Haar gezicht straalde van trots. Ze had haar blauwe zonnejurk aan en haar krullen dansten weelderig om haar schouders. Om haar hals droeg ze de ketting van Erica Hollander, en het gouden hartje rustte op haar sleutelbeen alsof het er hoorde.
'Alison! Wat doe jij hier?' Ik keek naar Margot en Caroline, die druk bezig waren achter de lange, gewelfde balie. Margot zat aan de telefoon en Caroline noteerde gegevens op patiëntenkaarten. Ze keken allebei vluchtig onze kant uit, maar deden alsof ze geen aandacht aan ons besteedden.
'Het is me gelukt! Het is me gelukt!' Alison sprong als een klein kind op en neer.
Ik legde een vinger op mijn lippen om haar duidelijk te maken dat ze niet zoveel lawaai mocht maken en zachter moest praten. 'Wat is je gelukt?'
'Ik heb een baan,' joelde ze, niet in staat zich te beheersen. 'Bij Galerie Lorelli. Aan Atlantic Avenue. Vier dagen per week, soms op zaterdag en een paar avonden. Dus ik zit in de dienstverlening,' zei ze stralend. 'Net als jij.'
'Dat is geweldig,' hoorde ik mezelf zeggen. Hoewel ik me had voorgenomen op een afstand te blijven, was haar enthousiasme aanstekelijk. 'Wat ga je precies voor werk doen?'
'Voornamelijk verkopen. Ik weet natuurlijk niet veel van kunst, maar Fern zei dat ze me alles zou leren wat ik moet weten. Fern is mijn baas. Fern Lorelli. Ze lijkt me erg aardig. Ken je haar toevallig?'
Ik schudde mijn hoofd, maar Alison praatte alweer door.
'Ik heb gezegd dat ik niet veel van kunst weet, want het leek me beter om maar gewoon eerlijk te zijn. Vind je ook niet? Ik wilde niet dat ik die baan onder valse voorwendselen zou krijgen. Tenslotte zou ze er vroeg of laat toch achterkomen, waar of niet? Maar ik hoefde me geen zorgen te maken, zei ze. Zij zou de kunst voor haar rekening nemen, en ik beperk me voorlopig zo veel mogelijk tot sieraden en cadeauartikelen. Maar... als het me lukt een schilderij te verkopen, krijg ik een commissie van vijf procent. Wat vind je ervan? Is het niet geweldig?'
'Het is geweldig,' zei ik weer.

'Sommige schilderijen kosten een paar duizend dollar, dus het zou fantastisch zijn als ik er eén verkocht. Maar voorlopig sta ik dus voornamelijk achter de kassa. Samen met een ander meisje. Denise Nickson heet ze geloof ik. Denise is een nichtje van Fern. Eh.. wat kan ik je nog meer vertellen? O... ik krijg twaalf dollar per uur en ik begin maandag. Is het niet geweldig?'
'Het is geweldig,' zei ik voor de derde keer.
'Ik kon niet wachten om het je te vertellen, dus vandaar...' 'Gefeliciteerd.'
'Kan ik je mee uit nemen voor de lunch?'
'De lunch?'
'Om het te vieren. Ik trakteer.'
Ik verplaatste mijn gewicht ongemakkelijk naar mijn andere voet. Technisch gesproken had ik op dat moment lunchpauze, en mijn maag knorde al een uur van de honger. 'Dat zal niet gaan,' zei ik echter. 'Het is zo hectisch vandaag...'
'Vanavond dan?'
'Dan kan ik ook niet. Ik draai een dubbele dienst.'
'Morgenavond,' hield ze vol. 'Dat is nog beter, want dan is het zaterdag. Dus dan kun je de volgende morgen uitslapen. Morgenavond heb je toch geen plannen?'
'Nee,' zei ik, in het besef dat Alison me niet met rust zou laten voordat we iets hadden afgesproken, al moest ze daarvoor mijn hele agenda tot Kerstmis doornemen. 'Maar het hoeft echt niet. Je hoeft me niet mee uit te nemen.'
'Natuurlijk wel. Bovendien wil ik het graag. Om je te bedanken voor alles wat je voor me hebt gedaan.'
'Ik heb helemaal niets gedaan.'
'Hoe kun je dat nou zeggen? Je hebt me een droomhuis bezorgd, je hebt me te eten gevraagd en me het gevoel gegeven dat ik welkom was. Je hebt zelfs voor me gezorgd toen ik ziek was. Ik sta diep bij je in het krijt, Terry Painter.'
'Het enige wat je me verschuldigd bent, is de huur.' Ik deed mijn uiterste best om afstand te bewaren, maar voelde dat ik tegen mijn zin werd teruggezogen in haar wereld; dat ik opnieuw ten prooi viel aan haar betovering. *Je hebt me een droomhuis bezorgd.* Wie zei nou zoiets? Het was bijna onmogelijk om niet van haar gecharmeerd te zijn.

Bovendien, waar maakte ik me druk om? Wat kon ik in 's hemelsnaam te vrezen hebben van iemand als Alison? Zelfs als ik uitging van het ergste scenario – dat ze de een of andere sluwe oplichter was – waar kon ze dan op uit zijn? In materieel opzicht bezat ik weinig: mijn huis, het huisje in mijn achtertuin, een bescheiden bedrag aan spaargeld en mijn merkwaardige collectie vrouwenhoofden. Het stelde allemaal niet veel voor. Al helemaal niet in Florida. Een halfuur naar het noorden stonden de landhuizen van Palm Beach en Hobe Sound, stuk voor stuk met uitzicht op de oceaan. Een halfuur naar het zuiden lag Miami's beroemde South Beach, met zijn huizen als paleizen. Florida stond gelijk aan geld, aan rijke oude mannen die niets liever wilden dan dat er door knappe, jonge meisjes misbruik van hen werd gemaakt. Daar lééfden ze voor. Het was volstrekt onwaarschijnlijk dat Alison haar tijd aan mij zou verspillen als het haar om geld te doen was.
Ik besef nu dat er momenten zijn waarop ons brein eenvoudigweg weigert de bewijzen te accepteren die ons door onze eigen ogen worden aangereikt; momenten waarop het verlangen om jezelf voor de gek te houden zwaarder weegt dan het instinct tot zelfbehoud. Net zoals ik besef dat, hoe oud we ook zijn en hoeveel wijsheid we ook denken te hebben vergaard, we nooit echt overtuigd zijn van onze eigen sterfelijkheid. Bovendien, sinds wanneer moet alles in het leven voldoen aan de wetten van de logica?
'Dus dat is afgesproken?' Alisons brede, komische grijns werd nog breder.
'Afgesproken,' hoorde ik mezelf zeggen. 'Geweldig!' Ze draaide in het rond, zodat de rok van haar zonnejurk rond haar knieën wervelde. 'Heb je nog voorkeur voor een bepaald restaurant?'
Ik schudde mijn hoofd. 'Verras me maar.'
Ze wreef over het gouden hartje om haar hals. 'Ik ben gek op verrassingen.'
Alsof dat het wachtwoord was, ging op dat moment het brandalarm. Er bleek uiteindelijk niets aan de hand te zijn, maar in de paar minuten die nodig waren om daarachter te komen, heerste er totale chaos. Toen ik terugkwam bij de afdelingsbalie – nadat ik diverse geschrokken patiënten had gerustgesteld en verzekerd dat het ziekenhuis niet op het punt stond in vlammen op te gaan – was Alison verdwenen.

'Is alles goed met iedereen?' vroeg Margot.
'Ja, hoor. Meneer Austin zei: "Brand of geen brand, ik ga nergens heen zonder mijn gebit".' Ik lachte bij de gedachte aan de temperamentvolle oude baas in kamer 411.
'Knap meisje met wie je stond te praten,' zei Margot.
'Dat is mijn nieuwe huurster.'
'O ja? Nou, ik hoop dat je deze keer meer geluk hebt.'

Het uur daarop verstreek tamelijk rustig. Het brandalarm zweeg en we kregen verder geen onverwachte bezoekers. Na een korte lunchpauze in de kantine ging ik door met hartslagen opnemen, pijnstillers toedienen, patiënten naar en van de wc helpen of hen troosten wanneer ze in opstand kwamen tegen hun lot. Op een bepaald moment die middag stond ik voor de deur naar de kamer van Sheena O'Connor. Ik aarzelde even, duwde hem open en ging naar binnen.
Het jonge meisje lag met grote, angstige ogen naar het plafond te staren. Zag ze daar de man die haar had verkracht? De man die haar bewusteloos had geslagen en vervolgens voor dood achtergelaten? Ik liep naar het bed, en legde mijn hand op de hare. Uit niets bleek dat ze zich van mijn aanraking bewust was. 'Stil maar,' fluisterde ik. 'Je bent veilig. Het komt allemaal goed.'
Ik trok een stoel bij en ging naast haar zitten. Plotseling schoot me een oud Iers wiegeliedje te binnen. Het duurde even voordat ik de wijs te pakken had, en toen begon ik te zingen, heel zacht, heel teder, zoals je voor een pasgeboren baby zingt. *'Too-ra-loo-ra-loo-ra... too-ra-loo-ra-lie...'*
Ik weet niet waarom ik uitgerekend aan dat liedje moest denken, want ik kon me niet herinneren dat mijn moeder het ooit voor me had gezongen. Misschien kwam het door de naam O'Connor. Misschien dacht ik dat Sheena's moeder het wel eens voor haar gezongen zou kunnen hebben en dat het liedje iets in het onderbewustzijn van het meisje zou beroeren; dat het haar zou herinneren aan een tijd waarin ze zich veilig had gevoeld, beschermd tegen alle kwaad.
'Too-ra-loo-ra-loo-ra.' Met elke herhaling van de simpele klanken won mijn stem aan kracht. *'Too-ra-loo-ra-lie...'*
Uit niets bleek dat Sheena me hoorde.

'Too-ra-loo-ra-loo-ra... that's an Irish lullaby.'
'Wat een lief liedje,' klonk een mannenstem vanuit de deuropening.
Ik herkende de stem zonder dat ik me hoefde om te draaien en trok mijn gezicht in de plooi, zodat hij mijn gevoelens er niet van af zou lezen. Toen pas draaide ik me om naar de deur. Josh Wylie was een grote, knappe man; aantrekkelijk op een bijna nonchalante manier. Hij had peper-en-zoutkleurig haar en keek me aan met dezelfde blauwe ogen als zijn moeder. 'Hoe lang sta je daar al?'
'Lang genoeg om te beseffen dat je een prachtige stem hebt.'
Ik zocht houvast aan de spijlen van Sheena's bed terwijl ik overeind kwam. 'Dank je wel.' Met bonzend hart liep ik de kamer door, verrast dat mijn voeten me gehoorzaamden. Josh Wylie deed een stap naar achteren, de gang in, terwijl ik de deur van Sheena's kamer achter me dichttrok.
'Wat is er met haar?' vroeg Josh toen we de gang uit liepen.
Ik vertelde hem de gruwelijke bijzonderheden van de verkrachting. 'Ze ligt in coma. Ook al heeft ze haar ogen open, ze ziet niets.'
'Komt er ooit verandering in haar toestand?'
'Dat weet niemand.'
'Wat vreselijk.' Josh schudde verdrietig zijn hoofd. 'Hoe is het met mijn moeder?' Er verscheen een warme glimlach om zijn mond, die de glinstering in zijn ogen benadrukte. 'Ik heb begrepen dat je haar haar hebt geknipt.'
'Ach, een paar plukken hier en daar. Maar ze is blijkbaar erg tevreden.'
'Ze vindt het geweldig. Trouwens, ze vindt jóú ook geweldig,' voegde hij eraan toe. 'Ze is helemaal weg van je.'
'Dat is geheel wederzijds.'
'Ze vindt dat ik met je moet gaan lunchen, de volgende keer dat ik bij haar langskom.'
'Wat?'
'Of je met me wilt lunchen, aanstaande vrijdag. Als je kunt, natuurlijk. En als je trek hebt...'
'Ik heb altijd trek,' zei ik, dankbaar toen hij begon te lachen. 'Aanstaande vrijdag. Klinkt goed.' Ik dacht aan Alison. Twee verrassende uitnodigingen op één dag.

'Goed, dat is dan afgesproken.' We hadden de afdelingsbalie bereikt. 'Tot die tijd laat ik mijn moeder achter in je bekwame en creatieve handen.'
'Rij voorzichtig,' riep ik hem na, toen hij in de wachtende lift stapte. 'Denk erom dat je niet in uniform bent. Dit heeft niets met je werk te maken.' Hij stak zijn hand op, toen gleed de deur van de lift langzaam dicht.
Dit heeft niets met je werk te maken. In gedachten plunderde ik mijn kast en probeerde ik te besluiten wat ik zou aantrekken. Of zou ik iets nieuws kopen, dacht ik frivool. Toen pas werd ik me bewust van een lichte commotie achter me. 'Wat is er aan de hand?' Ik draaide me om en zag dat Margot en Caroline koortsachtig de balie afzochten.
'Carolines portemonnee is verdwenen,' zei Margot. 'Hij zat in haar tas.'
Ik liep om de balie heen en begon ook te zoeken. 'Weet je het zeker? Kan hij niet in een van je zakken zitten?'
'Ik heb overal gekeken,' zei Caroline wanhopig, terwijl ze de inhoud van haar tas op de grond gooide. Ze had een langwerpig gezicht en bruin haar, tot net onder haar oren. Op haar meest gunstige momenten zag ze er al licht gedeprimeerd uit, maar nu was ze echt radeloos.
'Misschien heb je hem in je andere tas laten zitten. Dat gebeurt mij ook regelmatig,' zei ik enthousiast, ook al was het me nog nooit overkomen.
'Nee, ik had hem vanmorgen bij me. Dat weet ik zeker, want ik heb beneden een kop koffie en een broodje gehaald.'
'Misschien heb je hem toen op de toonbank laten liggen.'
Caroline schudde haar hoofd. 'Ik weet zeker dat ik hem weer in mijn tas heb gestopt.' Ze keek de gang op en neer, met tranen in haar neerslachtige bruine ogen. 'Verdorie! Er zat meer dan honderd dollar in.'
Ik dacht aan Alison, die hier had gestaan toen het brandalarm was gegaan en de balie tijdelijk onbewaakt was geweest. Tegen de tijd dat de rust was weergekeerd, was ze verdwenen. Kon het zijn dat zij Carolines portemonnee had gestolen?
Hoe kwam ik zelfs maar op het idee, vroeg ik me af.
Het was veel voor de hand liggender dat Caroline haar portemon-

nee in de kantine had laten liggen. 'Toch vind ik dat je beneden moet gaan kijken.' Ik keek in alle laatjes en vakjes van de balie. Ten slotte inspecteerde ik mijn eigen tas, om te zien of daar niets uit ontbrak.
'Ik zal de kantine bellen,' zei Caroline met tegenzin. 'Maar ik weet zeker dat hij daar niet ligt. Hij is gestolen. Iemand heeft hem gestolen.'

6

Toen ik zaterdagavond onder de douche vandaan kwam, ging de telefoon. Ik wikkelde de grote witte handdoek om me heen, sloeg een tweede handdoek om mijn schouders en liep door de slaapkamer naar de telefoon, me afvragend of het Alison was om onze afspraak af te zeggen. Terwijl ik de hoorn naar mijn oor bracht, streek ik mijn natte haar uit mijn gezicht. 'Hallo?'
'Ik wil graag Erica Hollander,' zei een mannenstem, zonder zich voor te stellen.
Het duurde een fractie van een seconde voordat het tot me doordrong wat hij had gezegd. 'Die woont hier niet meer,' zei ik koel, terwijl mijn blik een paar eigenzinnige waterdruppels volgde, die zich over mijn been naar het ivoorkleurige tapijt haastten. Tegelijkertijd sijpelde diep vanbinnen een gevoel van angst en ongerustheid door me heen.
'Weet u dan misschien waar ik haar kan bereiken?' De stem had een heel licht zuidelijk accent. Ik dacht niet dat ik hem eerder had gehoord.
'Ik heb helaas geen idee waar ze is.'
'Wanneer is ze vertrokken?'
Ik dacht terug aan de laatste keer dat ik Erica had gezien. 'Eind augustus.'
'Heeft ze geen adres achtergelaten waarnaar haar post kan worden doorgestuurd?'
'Ze heeft helemaal niets achtergelaten, ook niet de twee maanden huur die ze me nog schuldig is. Met wie spreek ik?'
Het antwoord was een klik die weergalmde in mijn oren.
Ik gooide de hoorn op de haak en liet me op het bed vallen, terwijl ik diep inademde en probeerde de onaangename herinneringen aan Erica Hollander te verdringen. Afwezig was ze echter net zo koppig als tijdens haar aanwezigheid, en ze liet zich niet zomaar wegsturen.

Erica Hollander was jong, net als Alison. En net als Alison was ze een lange, slanke, elegante verschijning, zij het net iets minder lang, net iets minder slank en net iets minder elegant. Haar weelderige, donkerbruine haar viel tot op haar schouders en ze zwaaide het voortdurend van de ene naar de andere kant, zoals modellen dat doen in die irritante televisiereclames waarin een goede shampoo wordt vergeleken met een goed orgasme. Hoewel ze bij de juiste belichting niet onknap kon worden genoemd, grensde haar gezicht gevaarlijk dicht aan het eenvoudige. Alleen haar neus – lang, dun en met een lichte afwijking naar links – gaf haar gezicht nog enig karakter, enige persoonlijkheid. Natuurlijk vond Erica zelf haar neus afschuwelijk. 'Ik ben aan het sparen om er iets aan te laten doen,' had ze me meer dan eens verteld.
'Je neus is prachtig,' had ik haar verzekerd, als een echte moederkloek.
'Hij is verschrikkelijk. Ik ben aan het sparen om er iets aan te laten doen.'
Ik had geduldig geluisterd naar haar gejammer over haar neus, net zoals ik geduldig had geluisterd naar haar opschepperij over haar vriendje – 'Charlie is zo knap, Charlie is zo intelligent' – dat een jaar in Tokio zat voor zijn werk. Ik had ook geluisterd toen het afgelopen was met de opschepperij en ze begon te klagen – 'Charlie heeft deze week niet gebeld, Charlie moet oppassen wat hij doet' – en ik had mijn oordeel vóór me gehouden toen ze iets was begonnen met de een of andere kerel die ze had ontmoet bij Elwood aan Atlantic Avenue, de vaste stek van veel motorrijders. Ik had haar zelfs geld geleend om tweedehands een draagbare computer te kopen; allemaal omdat ik dacht dat we vriendinnen waren. Het was nooit bij me opgekomen dat ze er in het holst van de nacht vandoor zou gaan zonder het geld van de computer te hebben terugbetaald. Om nog maar te zwijgen van de twee maanden huur die ze me nog schuldig was.
De knappe, intelligente Charlie in Tokio had niet kunnen accepteren dat zijn vriendin hem zomaar aan de kant had gezet – net zoals ze dat met mij had gedaan – en had me bestookt met steeds onaangenamere telefoontjes uit Japan, waarin hij eiste dat ik hem vertelde waar ze was. Hij had er zelfs de politie bij gehaald, die hem min of meer hetzelfde had verteld als ik. Maar zelfs dat had

hem niet tevreden kunnen stellen. Hij was me blijven lastigvallen tot ik had gedreigd zijn werkgever te bellen. Toen was er abrupt een eind aan de telefoontjes gekomen.
Tot vanavond.
Ik schudde mijn hoofd, verbaasd dat Erica Hollander me nog altijd problemen bezorgde, zelfs nu ze al bijna drie maanden weg was. Ze was mijn eerste huurster geweest, en mijn laatste, had ik gezworen toen ze was vertrokken.
Waardoor was ik van gedachten veranderd?
De eerlijkheid gebiedt me toe te geven dat ik het miste om iemand in de buurt te hebben. Ik heb niet veel vriendinnen. Natuurlijk zijn er mijn collega's – vrouwen zoals Margot en Caroline – maar buiten ons werk doen we zelden iets samen. Caroline is getrouwd met een veeleisende man en Margot heeft de zorg voor vier kinderen. Bovendien ben ik altijd een beetje gereserveerd geweest. Deze schuwheid, gecombineerd met mijn neiging om me te begraven in mijn werk, maakt het lastig om nieuwe mensen te ontmoeten. Daar komt nog bij dat mijn moeder heel lang ziek is geweest voordat ze stierf, en naast mijn patiënten in het ziekenhuis had ik ook nog de zorg voor mijn moeder. Aan iets anders kwam ik nauwelijks toe.
Bovendien gebeurt er in onze maatschappij iets verraderlijks met vrouwen wanneer ze veertig worden, vooral wanneer ze niet getrouwd zijn. We raken als het waren verloren in een dichte, laaghangende mist. Iedereen weet dat we er zijn, maar we zijn een beetje wazig geworden; zo wazig dat we als het ware opgaan in het omringende landschap. Het is niet dat we onzichtbaar zijn – mensen lopen welbewust om ons heen en vermijden de confrontatie – maar men ziet ons niet meer stáán. En wie niet meer wordt gezien, wordt ook niet meer gehoord.
Dat is wat er gebeurt met vrouwen van boven de veertig.
We verliezen onze stem.
Misschien lijken we daarom zo boos. Misschien is het helemaal geen kwestie van hormonen. Misschien willen we gewoon dat er aandacht aan ons wordt besteed.
Hoe dan ook, ik begon erover na te denken hoe gezellig die eerste tijd met Erica Hollander was geweest; hoe fijn ik het had gevonden om iemand in de buurt te hebben, ook al zagen we elkaar niet

eens zoveel. Ik weet niet precies wat het was, maar op de een of andere manier had ik me minder alleen gevoeld, dankzij het simpele feit dat ik mijn huis met iemand deelde. Dus ik besloot het opnieuw te proberen. Wat zeggen ze ook alweer over tweede huwelijken? Dat de hoop het wint van de ervaring?
Ik was echter vastberaden om de tweede keer niet dezelfde fouten te maken. Daarom had ik besloten om geen advertentie in de krant te zetten en in plaats daarvan een paar discrete briefjes opgehangen in het ziekenhuis. Ik besefte dat ik daardoor waarschijnlijk een ouder iemand zou aantrekken, iemand met meer verantwoordelijkheidsgevoel. Misschien een werkende vrouw, misschien zelfs een vrouw zoals ik.
In plaats daarvan kreeg ik Alison.
De telefoon deed me opschrikken uit mijn gedachten. Ik werd me bewust van de airco die in mijn nek blies, als de koele adem van een minnaar. Ik huiverde.
'Hallo, met mij,' tjilpte Alison toen ik de hoorn naar mijn oor bracht. 'Heb je me niet horen kloppen?'
De handdoek om mijn borst raakte los en viel op de grond toen ik overeind schoot. 'Wat? Nee. Waar ben je dan?'
'Ik sta bij de keukendeur, ik bel je met mijn mobieltje. Is alles goed met je?'
'Ja, prima. Ik ben alleen een beetje laat. Kan ik je over tien minuten oppikken?'
'Natuurlijk. Prima.'
Ik wikkelde de handdoek weer om me heen en liep naar het raam van mijn slaapkamer. Vanachter de witte vitrage zag ik Alison naar haar huisje slenteren. Ze droeg een strakke, marineblauwe jurk waarvan ik me niet herinnerde dat ik die in haar kast had gezien. Haar zilverkleurige hoge schoentjes met open hielen bezorgden haar geen enkel probleem bij het lopen. Terwijl ik naar haar keek, stopte ze haar mobiele telefoon in de zilverkleurige tas die om haar schouder hing. Ze haalde hem echter bijna onmiddellijk weer te voorschijn, waarbij er een paar bankbiljetten meekwamen en op de grond dwarrelden. Alison raapte het geld haastig op en stopte het weer in haar zilverkleurige tasje. Ik dacht aan de biljetten van honderd dollar die ze me als vooruitbetaling op de huur had gegeven, en aan de honderd dollar die ontbrak

uit de tas van Caroline. Zou het kunnen zijn dat Alison die had gestolen?
'Dat is belachelijk,' zei ik hardop, terwijl ik zag dat Alison een nummer intoetste op haar mobiele telefoon. Alison hoefde geen geld van anderen te stelen. Ze zei iets in haar telefoontje en begon te lachen. Plotseling draaide ze zich om, bijna alsof ze wist dat ik naar haar keek. Ik drukte me plat tegen de muur en verroerde me niet tot ik de deur van het huisje open en weer dicht hoorde gaan.
Een kwartier later stond ik bij haar aan de deur, in een zachtgele, mouwloze jurk met laag uitgesneden hals die ik een jaar eerder had gekocht, maar nog nooit had durven dragen. 'Sorry dat het zo lang duurde. Mijn haar bleef niet zitten.'
'Het zit prima.' Alison bekeek me met het geoefende oog van een vrouw die het gewend is in de spiegel te kijken. 'Het zou alleen geknipt moeten worden,' zei ze na een korte stilte. 'Dat kan ik wel voor je doen. Tenslotte heb ik een paar maanden in een kapsalon gewerkt.'
'Als receptioniste,' hielp ik haar herinneren.
Ze lachte. 'Ja, maar ik heb mijn ogen goed de kost gegeven en erg veel geleerd. Ik heb talent. Echt waar. Zal ik na het eten een poging wagen?'
Ik dacht aan de geïmproviseerde boblijn die ik Myra Wylie eerder die week had bezorgd. Was ik net zo dapper als Myra? 'Waar gaan we heen?'
'Naar een nieuw restaurant, tegenover Galerie Lorelli. Ik heb al gebeld en gezegd dat we iets later zijn.'
Het restaurant heette Barrington's, en zoals veel restaurants in Zuid-Florida was het vanbinnen veel groter dan je vanaf de straat zou denken. Het was ingericht als een Franse bistro, met veel Tiffany-lampen en glas-in-loodramen. Posters van Toulouse Lautrec, met danseressen van de Moulin Rouge, hingen aan de muren die – ongelukkig genoeg – dezelfde zachtgele kleur hadden als mijn jurk. Zonder mijn royaal uitgevallen decolleté zou ik waarschijnlijk in het niets zijn verdwenen.
De ober bracht een mandje brood, de wijnkaart en twee grote menukaarten, en begon uit zijn hoofd de specialiteiten buiten de kaart op te sommen. Terwijl hij dat deed, gingen zijn blikken heen

en weer tussen Alisons gezicht en mijn borsten. Ik weet nog dat ik dacht dat we samen de wereld zouden kunnen regeren.
'*Dolphin*!' jammerde Alison vol afschuw bij een van de suggesties van de ober.
'Geen Flipper,' zei ik haastig. 'Dit is een vis, geen zoogdier. Ze noemen hem ook wel mahi mahi.'
'Dat klinkt al een stuk beter.'
'Hoe is de zalm?' vroeg ik.
'Lekker,' zei de ober, met zijn blik op Alison gericht. 'Maar een beetje saai.' Hij keek mij aan.
'En de zwaardvis?' vroeg Alison.
'Verrukkelijk,' zei de ober enthousiast. 'Gegrild en geserveerd met een licht pikante saus van Dijon-mosterd en gesauteerde groenten en rode aardappeltjes.'
'Dat klinkt inderdaad verrukkelijk. Ik neem de zwaardvis.'
'En ik de zalm,' zei ik, de hoon van de ober riskerend door voor saai te kiezen.
'En drinkt u daar wijn bij?'
Alison gebaarde naar mij, alsof ze de keuze aan mij overliet. 'Wat voor wijn nemen we?'
'Ik denk dat ik vanavond bedank. Geen wijn voor mij.'
'Je moet een glas wijn drinken. Tenslotte hebben we iets te vieren.'
'Weet je nog wat er de vorige keer gebeurde toen we wijn hadden gedronken?' waarschuwde ik.
Ze keek me niet-begrijpend aan, alsof ze haar migraineaanval alweer was vergeten. 'We nemen witte wijn, geen rode,' zei ze na even te hebben nagedacht. 'Daar krijg ik geen last van.'
De ober wees op de wijnen, gevolgd door zijn persoonlijke advies. Het werd iets uit Chili, geloof ik. Erg lekker, verrukkelijk koud, en mijn hoofd begon al snel aangenaam te suizen. De bediening was traag, dus ik had mijn glas al leeg tegen de tijd dat het eten kwam. Toen Alison me nogmaals inschonk, protesteerde ik niet, hoewel het me opviel dat ze zelf maar een paar slokken had genomen. 'O, dit is om je bord bij op te eten,' zei ze enthousiast na de eerste hap van haar zwaardvis. 'Hoe is jouw zalm?'
'Om je bord bij op te eten,' zei ik, lachend om haar woordkeuze.
'Heb je je vriend deze week nog gezien?' vroeg Alison plotseling.
'Mijn vriend?'

'Josh Wylie.' Alison keek om zich heen in het drukke restaurant, alsof ze verwachtte hem daar te zien.
De zalm bleef steken in mijn keel. 'Hoe weet je dat?'
Alison nam een hap van haar zwaardvis, en toen nog een. 'Dat heb je me zelf verteld.'
'Echt waar?'
'Toen je me voor het eten had uitgenodigd. Ik vroeg of je in iemand geïnteresseerd was, en toen vertelde je dat er inderdaad iemand was die je leuk vond.' Ze dempte haar stem en liet haar blik nogmaals traag door het restaurant gaan. 'Josh Wylie. Zijn moeder is toch een van je patiënten?' Ze stopte twee aardappeltjes in haar mond en prikte nog een stuk vis aan haar vork.
'Ja, dat klopt.'
'En, heb je hem nog gezien?'
'Ja, ik heb hem gezien. Sterker nog, hij heeft me uitgenodigd voor de lunch aanstaande vrijdag.'
Alisons ogen werden groot van verrukking. 'Goed gedaan, Terry!'
Ik begon te lachen. 'Ik zou me er maar niet te veel van voorstellen,' zei ik, zowel om mezelf als om Alison te behoeden voor teleurstellingen. 'Waarschijnlijk wil hij alleen maar over zijn moeder praten.'
'Als hij over zijn moeder wilde praten, dan deed hij dat wel in de wachtkamer. Nee, neem maar van mij aan dat hij je leuk vindt.'
Ik haalde mijn schouders op en hoopte dat ze gelijk had. 'We zullen zien.'
Alison wuifde mijn bedenkingen weg. 'Ik ben benieuwd naar de verhalen. Denk erom dat je me alles vertelt.' Ze klapte in haar handen, alsof ze me wilde feliciteren met wat ik had bereikt. Toen at ze met drie snelle happen haar bord leeg. 'Wat spannend allemaal. Ik kan gewoon niet wachten tot het vrijdag is.'
Ik kan me van dat etentje verder niet veel herinneren, behalve dat Alison erop stond een toetje te nemen en dat ik meer at dan ik had moeten doen.
'Kom op,' weet ik nog dat ze zei toen ze het grote stuk bananenroomtaart naar me toe schoof. 'Je leeft maar één keer.'
Na het eten wilde ze me de galerie laten zien. Ze pakte me bij de hand en sleurde me bijna naar de overkant van de drukke straat. Ik hoorde een auto langssuizen en voelde de uitlaatgassen tegen mijn blote benen. 'Uitkijken, dame,' riep de man achter het stuur.

'Voorzichtig,' zei Alison afkeurend, alsof het míjn schuld was.
In het weekend was de galerie tot tien uur 's avonds open, in de hoop toeristen en voorbijgangers te lokken. Ik telde vier mensen in de goed verlichte ruimte, inclusief een jonge vrouw met stekelhaar achter de toonbank. Aan de muren hingen kleurige schilderijen, voornamelijk van kunstenaars die ik niet kende, hoewel er ook een typische Motherwel hing: een schilderij van een vrouw met een grote, rode mond en een geprononceerde tepel. Drie boven elkaar opgehangen schilderijen van peren waren gemaakt door een schilder wiens naam ik nooit kon onthouden, hoe vaak ik zijn werk ook zag. Mijn aandacht werd getrokken door een klein, rechthoekig doek van een vrouw wier gezicht verborgen ging achter de brede rand van haar zonnehoed. Ze zat op een roze zandstrand.
'Dat is mijn lievelingsschilderij,' zei Alison. 'Het zou schitterend staan in je woonkamer, denk je ook niet?' vervolgde ze op gedempte toon. 'Aan de muur achter de bank.'
'Ja, het is prachtig.'
Alison trok me naar het midden van de ruimte, waarbij ze bijna een grote kikker van fiberglas omstootte. 'Oeps!' Ze giechelde. 'Is hij niet afschuwelijk? Ik heb nog nooit zoiets lelijks gezien.'
Ik was het met haar eens.
'Volgens Fern zijn ze niet aan te slepen, die stomme dingen. Het is toch niet te geloven, o, Denise, hoi' vervolgde ze in één adem. 'Dit is Terry Painter, mijn hospita. En mijn vriendin,' voegde ze er met een glimlach aan toe.
Het meisje achter de toonbank keek op uit het modeblad waarin ze stond te bladeren. Haar uitzonderlijk paarsblauwe ogen domineerden haar smalle gezichtje. 'Aangenaam kennis met u te maken.' Haar stem klonk verrassend hees, en de woorden kwamen traag over haar volle lippen, alsof ze niet zeker wist of ze het wel zo aangenaam vond om kennis met me te maken. Ze was geheel in het zwart gekleed, waardoor ze nog magerder leek dan ze was, hoewel ze relatief grote borsten had voor zo'n tenger figuurtje. 'Volgens mij zijn ze niet echt,' zou Alison later zeggen.
'Hoeveel kost dat schilderij,' zei ik, met een blik op het schilderij met het meisje met de breedgerande hoed op het roze strand.
Denise hief verveeld haar paarsblauwe ogen naar de verre muur. Toen reikte ze onder de toonbank en haalde ze een doorzichtig

plastic mapje met de prijslijst te voorschijn. 'Dat kost vijftienhonderd dollar.'
'De muur achter de bank in je woonkamer,' zei Alison opnieuw. 'Wat vind je ervan?'
'Jij begint pas maandag,' hielp ik haar herinneren.
Er verscheen een brede glimlach op haar gezicht. 'Ik weet zeker dat ik het geweldig zal doen, denk je ook niet?'
Ik begon te lachen en keek naar de sieraden in de glazen vitrine in het midden van de galerie. Mijn aandacht werd getrokken door een paar lange, zilveren oorbellen in de vorm van cupido's.
'Zijn ze niet schitterend?' Alison wist precies waar ik naar keek. 'Hoe duur zijn deze?' Ze tikte op de glasplaat boven de oorbellen.
Denise deed de achterkant van de vitrine open, haalde de oorbellen eruit en hield ze me voor. Haar donkerpaarse nagels staken over de toppen van haar lange, spits toelopende vingers. 'Die zijn tweehonderd dollar.'
Ik deinsde achteruit en hief in een spijtig gebaar mijn handen. 'Dat is ver boven mijn budget.'
Alison pakte de oorbellen van Denise aan. 'Onzin. Ze neemt ze.'
'Nee. Tweehonderd dollar is me echt te gortig.'
'Ik betaal.'
'Wat? Nee!'
'Ja.' Alison haalde voorzichtig de dunne gouden ringen uit mijn oren en verving ze door de lange, zilveren cupido's. 'Jij hebt mij een hart gegeven.' Ze klopte op het gouden hartje om haar hals. 'Nu is het mijn beurt.'
'Dat kun je niet vergelijken.'
'Ik wil dat je ze neemt. Bovendien krijg ik personeelskorting. Hoeveel zijn ze, met mijn korting?' vroeg ze aan Denise.
Die haalde haar schouders op. 'Neem ze toch gewoon mee. Fern merkt niet eens dat ze weg zijn.'
'Wat bedoel je?' Ik maakte onmiddellijk aanstalten om de oorbellen uit te doen.
'Ze maakt maar een grapje.' Alison had al een paar briefjes van honderd uit haar tas gehaald en stopte ze weer terug. Haastig loodste ze me naar het voorste gedeelte van de galerie. 'Fern is haar tante,' hielp ze me herinneren, alsof daarmee alles duidelijk was.
'Weet ze dat haar nicht haar besteelt?'

'Maak je geen zorgen. Ik zal het maandag met Fern regelen.'
'Beloof je dat?'
Alison glimlachte en deed mijn haar achter mijn oren om mijn nieuwe oorbellen beter te kunnen bewonderen. 'Ja, dat beloof ik.'

7

'Je ziet er prachtig uit!' Myra Wylie tilde haar hoofd van het kussen. Ze wenkte me met haar knoestige vingers, die me aan de poten van een kalkoen deden denken.
Ik streek verlegen over de voorkant van mijn gele jurk. Myra had gezegd dat ze wilde zien wat ik aantrok wanneer ik met haar zoon ging lunchen, dus had ik haar badkamer gebruikt om mijn verpleegstersuniform te verruilen voor mijn gewone kleren. Na lang wikken en wegen had ik besloten dezelfde jurk aan te trekken die ik de week daarvoor had gedragen toen ik met Alison uit eten was geweest.
'Dank je, kindje.' Myra liet haar hoofd weer op het kussen vallen, maar ze bleef me aankijken. 'Het was erg lief van je om me je jurk te laten zien. Op die manier weet ik toch een beetje hoe het zou zijn geweest als ik een dochter had gehad. Mijn vroegere schoondochter was zo'n stuk onbenul. Daar was niks aan. Maar jij...'
'Ja?' drong ik gretig aan.
'Jij bent altijd zo lief voor me.'
'Natuurlijk ben ik dat. Waarom zou ik niet aardig tegen je zijn?'
'Omdat mensen niet altijd aardig zijn,' zei Myra. De uitdrukking in haar ogen verried dat ze heel ver weg was met haar gedachten.
'Jij maakt het me anders heel gemakkelijk om aardig voor je te zijn,' zei ik naar waarheid. Ik trok een stoel bij en ging naast haar bed zitten, terwijl ik steels op mijn horloge keek. Het was bijna halfeen.
'Maak je geen zorgen,' zei Myra met een begrijpende glimlach. 'Hij komt heus niet te laat.'
Ik bukte me en deed alsof ik het blauwe katoenen laken instopte dat als sprei fungeerde.
'O, wat prachtig,' zei Myra. 'Heb je die pas?'
Haar knokige vingers streken langs de cupido's die aan mijn oren

bengelden. 'Ja, ik heb ze gekregen.' Terwijl ik het zei, vroeg ik me af of Alison de betaling met haar baas had geregeld, zoals ze had beloofd.
'Van een vriendje?' Myra's ogen werden troebel van bezorgdheid, alsof haar grauwe staar nog erger was geworden.
'Nee. Van mijn nieuwe huurster.' Weer zag ik Alison voor me. Ze was maandag begonnen met haar nieuwe baan, en behalve een haastig telefoontje om te zeggen dat ze zich volledig op haar plaats voelde, had ik haar de hele week niet gesproken. 'Bovendien ben ik een beetje te oud voor vriendjes, vind je ook niet?'
'Je bent nooit te oud voor vriendjes.'
'Vriendjes? Wat zijn dat voor gesprekken?' klonk een zware mannenstem uit de deuropening.
'Daar is hij,' zei Myra, opgewonden als een klein meisje. 'Hoe gaat het, lieverd?' Ze strekte haar armen naar hem uit. Ik deed een stap opzij en keek toe hoe Josh zich liet omhelzen. 'Uitstekend,' zei hij, met zijn blik op mij.
'Was het druk op de weg?'
'Vreselijk.'
'Je moet ook de tolweg nemen.'
'Ja, je hebt gelijk.' Hij richtte zich op en schonk me een glimlach. 'We voeren elke week dezelfde discussie.'
'Je moet ook naar je moeder luisteren,' zei ik.
'Ja, je hebt gelijk,' zei hij opnieuw.
'Ziet Terry er niet prachtig uit?' vroeg Myra.
Ik keek naar de grond om de blos te verbergen die ik voelde opkomen. Niet omdat ik in verlegenheid was gebracht door het compliment, maar omdat ik precies hetzelfde stond te denken over haar zoon. Ik geloof niet dat ik tot op dat moment had beseft hoe aantrekkelijk hij was, met zijn markante, sprekende gezicht, zijn gespierde armen onder zijn overhemd met korte mouwen. Ik moest me beheersen om hem niet ongegeneerd aan te gapen. Dat was me in geen jaren overkomen.
'Ja, ze ziet er erg mooi uit,' antwoordde Josh braaf.
'Hoe vind je haar oorbellen?'
Josh streek over mijn wang. 'Heel mooi.'
Ik voelde een plotselinge warmte, alsof hij een lucifer had afgestreken en die vlak bij mijn huid hield. 'Je bent een onruststoker,

weet je dat?' zei ik tegen Myra, die buitengewoon en ongepast tevreden met zichzelf leek.
'Ben je zover?' vroeg Josh.
Ik knikte.
'Ik verwacht een volledig verslag na de lunch,' riep Myra ons na.
'Ik zal aantekeningen maken,' riep ik terug, terwijl Josh me de kamer uit loodste.
'Heb je zin om aan zee te lunchen?' vroeg hij.
'Het lijkt wel alsof je gedachten kunt lezen.'

We gingen naar Luna Rosa, een chique eetgelegenheid aan South Ocean Boulevard, recht tegenover het strand. Het was een van mijn favoriete restaurants, op loopafstand van mijn huis, ook al kon Josh dat natuurlijk niet weten. Hij had een tafeltje buiten gereserveerd, en we gingen langs het smalle trottoir zitten, genietend van de zeelucht en de onafgebroken stroom mensen die kwam langs paraderen.
'Wanneer is dit allemaal gebeurd?' Josh kon zich gemakkelijk verstaanbaar maken boven het lawaai van de branding en het verkeer.
'Wanneer is wat gebeurd?' Ik keek naar een jonge vrouw in een turkooisblauwe stringbikini die op blote voeten de weg over rende en verdween in het oogverblindende zonlicht.
Josh gebaarde met zijn grote, sprekende handen om zich heen. 'Dit. Wat ik me van Delray herinner, zijn oerwouden en ananasplantages.'
Ik begon te lachen. 'Je komt niet vaak deze kant uit, zeker?'
'Nee, ik geloof van niet.'
'Delray is de afgelopen tien jaar erg veranderd.' Ik voelde tot mijn eigen verrassing een golf van trots over me heen spoelen. 'We zijn net voor de tweede keer door de National Civic League uitgeroepen tot All-American City, en een paar jaar terug tot Florida's best bestuurde stad.' Ik glimlachte. 'Dat gaat verder dan alleen ananassen.'
Hij lachte, met zijn ogen nog altijd op de mijne gericht. 'Blijkbaar moet ik vaker langskomen.'
'Ik weet zeker dat je moeder dat erg leuk zou vinden.'
'En jij?'
Ik pakte mijn ijswater en nam een grote slok. 'Ik ook.'

De ober kwam met onze bestelling: krabkoekjes voor Josh, een vissalade voor mij.
'Je moeder is me d'r een,' zei ik, op zoek naar een veiliger onderwerp, terwijl ik een stuk inktvis aan mijn vork prikte. Ik heb nooit kunnen flirten, laat staan spelletjes spelen. Ik heb altijd de neiging gehad ronduit te zeggen wat ik denk.
'Ja, het is een bijzonder mens. Ik neem aan dat ze je heeft ingelicht over het familiedrama?'
'Ze heeft me verteld dat je gescheiden bent.'
'O, ik weet zeker dat haar woordkeuze aanzienlijk kleurrijker was.'
'Ach, misschien een beetje.' Ik nam nog een slok ijswater. Josh had voorgesteld om wijn te nemen, maar het had me verstandiger geleken het bij water te houden. Mijn hoofd moest helder blijven, en ik wilde niet de controle over mezelf verliezen. Bovendien had ik amper een uur pauze. Daarna moest ik weer aan het werk. Ik leunde achterover in de ongemakkelijke klapstoel en luisterde naar het geluid van de golven die rollend op het strand beukten, als een echo van het tumult diep binnenin me. Lieve hemel, wat was er met me aan de hand? Ik had me sinds mijn veertiende niet meer zo overweldigd gevoeld, zo smoorverliefd, zo méísjesachtig.
Het liefst zou ik Josh Wylie bij de boord van zijn witte overhemd hebben gepakt en hem over de tafel hebben getrokken. *Ik heb in geen vijf jaar meer een man gehad,* had ik wel willen schreeuwen. *Kunnen we de beleefdheden en het voorspel niet gewoon schrappen en meteen overgaan tot waar het om gaat?*
Maar dat deed ik natuurlijk niet. Ik bleef braaf tegenover hem zitten en glimlachte. Mijn moeder zou trots op me zijn geweest.
'Ze zegt dat jij nooit getrouwd bent geweest.' Josh sneed zijn krabkoekjes doormidden, zich niet bewust van de aanzienlijk boeiender conversatie in mijn hoofd.
'Dat klopt.'
'Maar... dat kan ik me nauwelijks voorstellen.'
'Waarom niet?'
'Je bent een prachtige, intelligente vrouw. Dus ik kan me niet voorstellen dat er nooit een vent is geweest die je mee naar het altaar heeft gesleept.'
'Tja, toch is het zo,' zei ik lachend.
'Heb je iets tegen het huwelijk?'

'Volstrekt niet.' Ik vroeg me af waarom ik me voortdurend moest verdedigen voor het feit dat ik vrijgezel was. 'Zoals ik al tegen Alison heb gezegd, was het geen bewust besluit van mijn kant om niet te trouwen.'
'Wie is Alison?'
'Wat? O, mijn nieuwe huurster.'
'Spijt?'
'Waarvan? Van Alison?'
Josh glimlachte. 'Nee, in algemene zin. Zijn er dingen in je leven waar je spijt van hebt?'
Ik slaakte een diepe zucht. 'Ja, een paar. En jij? Heb jij ergens spijt van?'
'Ja, ik kan ook wel een paar dingen bedenken.'
We genoten van het eten, van het gesprek, en er werd veel gelachen, terwijl de golven onze onuitgesproken teleurstellingen met zich meevoerden en weer op het strand gooiden.

Na de lunch trok Josh zijn schoenen en sokken uit en rolde zijn zwarte linnen broek op tot zijn knieën. Ik deed mijn sandalen uit, en zo liepen we samen langs het strand. De golven kwamen donderend aanrollen en trokken zich op het laatste moment terug. Als een gretige minnaar die werd gekweld door twijfels kwam hij telkens weer terug op zijn avances. Een minnaar die je verleidde met zijn gruwelijke schoonheid en je dan weer in de steek liet, buiten adem, alleen, verlaten op het strand. De eeuwige dans, dacht ik, terwijl het koude water over mijn tenen kabbelde.
Josh lachte genietend. 'Dit is zo'n dag waarop ik me de gelukkigste mens ter wereld voel. Heb jij dat ook?'
Ik knikte instemmend en hief mijn gezicht naar de zon, met mijn ogen tot spleetjes geknepen. 'Ja.'
'Ik herinner me nog toen ik klein was...' vervolgde hij. 'Mijn vader ging elke zaterdagmiddag met me naar het strand als mijn moeder naar de kapper ging.'
'Kom je uit Florida?' Ik weet zelf niet waarom ik dat vroeg. Tenslotte was ik volledig op de hoogte van zijn achtergrond. Hij was geboren in Boynton Beach, een stevige baby van ruim acht pond. Zijn ouders hadden hun hele getrouwde leven op Hibiscus Drive 212 gewoond. Zijn moeder was daar na de dood van haar echtge-

noot, inmiddels tien jaar geleden, blijven wonen. Ze had het aanbod van haar zoon afgeslagen om haar naar Miami te halen, zodat ze dichter bij haar kleinkinderen zou zijn. In plaats daarvan was ze in het huisje gebleven dat haar zo dierbaar was, tot ze te ziek werd om nog langer voor zichzelf te zorgen. Ze had zelf voor Mission Care gekozen en niet voor de aanzienlijk luxere verpleeghuizen in Miami, met als argument dat ze last kreeg van bloedneuzen zodra ze ten zuiden van Delray kwam. Haar zoon kwam haar minstens één keer per week opzoeken. Hij had het nog altijd zwaar met de verwerking van zijn scheiding, na zeventien jaar huwelijk met zijn jeugdliefde die hij op college had leren kennen. Als alleenstaande vader van twee lieve kinderen die ook erg in de war waren door de scheiding was hij vaak eenzaam. En hij verdiende een nieuwe kans om gelukkig te worden. Dat wist ik allemaal. Net zoals ik wist dat ik meer dan bereid was hem die kans te geven.

Ik lijk wel gek, dacht ik, in het besef dat ik geen woord had gehoord van wat hij de afgelopen twee minuten had gezegd. Wat bezielde me? Snakte ik zo naar mannelijk gezelschap dat een plezierige lunch onmiddellijk aanleiding gaf tot fantasieën in de trant van 'en ze leefden nog lang en gelukkig'? Ik moest niet zo hard van stapel lopen. *Rustig aan, dan breekt het lijntje niet.*

Welbewust richtte ik mijn aandacht op twee jongetjes van een jaar of vijf, zes in identieke vuurrode zwembroeken, die als te water geraakte houtblokken over elkaar heen tuimelden tot ze uit het gezicht verdwenen in de steeds hogere golven een eindje verder uit de kust. Ik liet mijn blik over het drukke strand gaan. Een ouder stel had het zich gemakkelijk gemaakt onder een rood-met-wit gestreepte parasol. Een jonge man was bezig een zandkasteel te bouwen met zijn zoontje van een jaar of twee, drie. Twee tieners gooiden elkaar een neonroze frisbee toe. Een vrouw van middelbare leeftijd – met een dikke buik die over het minuscule broekje van haar bikini hing – zwaaide zorgeloos met haar armen terwijl ze langs de waterkant marcheerde. Een jongere vrouw lag te zonnen, haar borstimplantaten wezen trots naar de onbewolkte hemel. Er was niemand die op de twee jongetjes lette, besefte ik, en ik hield mijn adem in toen ik hun hoofden weer boven het water zag verschijnen, maar onmiddellijk weer zag verdwijnen in de volgende hoge golf.

'Zie jij iemand die op die kinderen let?' vroeg ik aan Josh. De felle zon verblindde me bijna terwijl ik mijn blik nog altijd over het strand liet gaan.
Josh volgde mijn voorbeeld. 'Er zal vast wel iemand zijn,' zei hij weinig overtuigend, toen een van de jongens zijn armen omhoogstak en begon te zwaaien.
Een nieuwe golf maakte hem het zwaaien onmogelijk, onmiddellijk gevolgd door een nog veel grotere watermassa. Een ijl stemmetje werd door de golf meegevoerd naar de kust. 'Help!' klonk het onzeker, als een wankele surfer op een surfplank.
'Help!' riep ik op mijn beurt, en ik gebaarde wanhopig naar de strandwacht een eindje verderop, maar die had het veel te druk met het versieren van een meisje van een jaar of zestien in een zwart-met-witte stringbikini, met lange, slanke benen die tot haar honkbalpet leken te reiken. Ik heb mijn hele leven al nachtmerries over verdrinken, misschien omdat ik nooit heb leren zwemmen. Ik kon gewoon niet werkeloos blijven afwachten tot er een ramp gebeurde. Ik moest iets doen. 'We moeten iets doen,' riep ik, terwijl Josh naar de strandwacht rende.
'Help! Help!' klonk het iele stemmetje opnieuw smekend, en ik hoorde nu ook een tweede stem, nog klaaglijker dan de eerste. De noodkreten stuiterden als kiezelstenen over het wateroppervlak en werden opgeslokt door de aanrollende massa dodelijk wit schuim. 'We moeten iets doen!' riep ik naar de mensen om me heen, maar hoewel zich een kleine menigte begon te verzamelen, was er niemand die aanstalten maakte om iets te ondernemen.
Zonder nadenken gooide ik mijn tas en mijn schoenen op het zand en rende ik de branding in, naar de twee jongetjes. Het koude water reikte al snel tot mijn dijen en mijn jurk plakte aan mijn benen. Een onverwachte onderstroom trok me plotseling naar beneden, en ik probeerde wanhopig me staande te houden, maaiend met mijn armen, als roestige propellers.
'Help!' riepen de jongens nog steeds. Hun hoofden deinden op en neer als appels in een emmer water, terwijl ik resoluut naar voren waadde. Toen klapten mijn benen dubbel, als de klapstoel waarop ik enkele minuten eerder nog had gezeten.
'Ik kom eraan!' riep ik wanhopig, met de bittere smaak van de zee op mijn tong toen ik water binnenkreeg. 'Volhouden!' probeerde ik

hun moed in te spreken, maar plotseling verloor ik mijn houvast, alsof ik van een steile rots in een afgrond was gestapt, en ik probeerde uit alle macht mijn hoofd boven water te houden. Mijn handen reikten blindelings naar iets om me aan vast te klampen en ramden per ongeluk een rotsblok. Tenminste, dat dacht ik. Het bleek een kinderhoofd te zijn. Haar krulde als zeewier tussen mijn vingers.

Of het nu vastberadenheid was, voorbeschikking of puur geluk, ik slaagde erin de twee jongens te pakken te krijgen en ze op de een of andere manier al spartelend in de richting van de kust te duwen, waar ze werden aangepakt door sterke armen die hen op het droge trokken. Ik hoorde een reeks opgewonden, hoge terechtwijzingen – 'Ik had toch gezegd dat jullie moesten wachten tot ik terugkwam? Kijk nou eens wat er is gebeurd! Jullie waren bijna verdronken!' – en toen kronkelde het water zich weer om me heen, als een hongerige boa constrictor, en sleurde me mee naar zee.

Dus zo voelt het om te verdrinken, dacht ik, toen het water zich als een zware deken boven mijn hoofd sloot en aan alle kanten mijn lichaam binnendrong, als een ongeduldige minnaar die zich niet langer liet afwijzen. 'Terry,' fluisterde het water verleidelijk. Toen harder, dwingender: 'Terry... Terry.'

'Terry!'

De stem explodeerde in mijn oor terwijl vastberaden handen me onder mijn armen grepen en me omhoogtrokken. Mijn hoofd schoot door het wateroppervlak als een vuist door een glazen ruit. 'Terry, mijn god! Is alles goed met je?' Sterke armen duwden me naar het strand, waar ik me op handen en knieën liet vallen.

Water drong als glasscherven in mijn ogen, en het kostte me de grootste moeite om ze open te doen. Mijn ademhaling ging raspend, oppervlakkig, en ik had het gevoel alsof mijn longen in brand stonden.

'Is alles goed met je?' Josh keek me ongerust aan.

Ik knikte, hoestte en snakte naar adem. 'De jongens...'

'Die maken het prima.'

'O... goddank.'

Josh streek het haar uit mijn ogen en het water van mijn gezicht. 'Je bent een heldin, Terry Painter.'

'Ik ben een idioot,' mompelde ik. 'Ik kan niet zwemmen.'
'Dat heb ik gemerkt.'
'Je mag het water niet in zonder badpak,' zei een klein meisje ergens naast me.
Ik keek naar mijn ooit zo verleidelijke jurk, die nu als een ingestorte gele tent aan mijn lichaam plakte. 'Moet je nou eens zien!' zei ik klaaglijk. 'Ik zie eruit als een overrijpe banaan.'
Josh begon te lachen. 'Je ziet eruit om in te bijten,' meende ik hem te horen zeggen, hoewel ik dat niet zeker wist door de commotie die op dat moment ontstond. Er had zich een menigte om ons heen verzameld, en van alle kanten hoorde ik vreemde stemmen die me bedankten, terwijl onbekende handen me op mijn rug klopten.
'Dat was geweldig!' riep een enthousiaste voorbijganger.
'Is alles goed met u?' vroeg een jonge vrouw die op haar lange benen voorzichtig dichterbij kwam. Ik herkende de zwart-witte stringbikini en het honkbalpetje en besefte dat ze het meisje was dat ik met de strandwacht had zien praten.
'Ja, met mij is alles prima.' Ik ontdekte de strandwacht vlak achter haar – een lange, blonde, gespierde verschijning, precies zoals je dat van een strandwacht zou verwachten. De uitdrukking op zijn nietszeggende, gebruinde gezicht weifelde tussen dankbaarheid en wrok.
'Ik wilde u alleen maar even bedanken,' vervolgde het meisje. 'Dat zijn mijn broertjes die u hebt gered. Mijn moeder had me vermoord als hun iets was overkomen.'
'Je moet beter op ze letten.'
Ze knikte en keek het strand langs, waar haar broertjes alweer in het zand aan het stoeien waren. 'Ja, ik had nog zo gezegd...' De rest van de zin werd meegevoerd door de wind. 'In elk geval heel hartelijk bedankt.' Ze keek langs me heen naar Josh.
'Zoekt u soms nog werk?' grapte de strandwacht een beetje ongemakkelijk.
'Nee, doe jij dat van jou maar,' zei ik, maar hij deinsde al achteruit en gebaarde afwerend met zijn hand, alsof hij naar een hinderlijk insect sloeg.
'Mijn tas!' riep ik uit, toen ik me plotseling herinnerde dat ik hem in het zand had laten vallen. 'En mijn schoenen...'

'Hier!' Josh hield ze omhoog, als een trotse visser die zijn vangst van de dag liet zien.
'Lieve hemel, wat zie jij eruit!' riep ik toen ik zag dat hij bijna net zo nat was als ik.
'We zijn een fraai stel.' Hij boog zich naar me toe.
Ik hield mijn adem in en durfde me niet te verroeren. Ging hij me zoenen?
Er viel een pluk haar in mijn gezicht, en ik streek hem ongeduldig weg. Zand plakte aan mijn wimpers, als klodders mascara. Geweldig, dacht ik, terwijl ik mezelf door zijn ogen zag. Een echte schoonheidskoningin, kon ik mijn moeder bijna horen zeggen.
'Terry?' klonk een vertrouwde stem heel ver boven me.
Ik keek op en legde mijn hand boven mijn ogen. Alison stak als een reusachtige zonsverduistering af tegen de blauwe hemel. 'Terry?' zei ze opnieuw, terwijl ze zich naast me op haar hurken liet zakken. 'Lieve hemel! Niet te geloven!'
'Alison! Wat doe jij hier?'
'Ik heb vandaag vrij. Wat is er gebeurd? Ik hoorde dat je twee jongetjes van de verdrinkingsdood hebt gered.'
'Ze was geweldig,' zei Josh trots.
'Ja, maar het slot van het liedje was dat ik zelf bijna verdronk.'
'Is alles goed met je?'
'Ze was geweldig,' herhaalde Josh. Toen stak hij zijn hand uit naar Alison. 'Tussen twee haakjes, ik ben Josh Wylie.'
Alison schudde hem krachtig de hand. 'Alison Simms.'
'Alison is mijn nieuwe huurster,' legde ik uit.
'Aangenaam kennis te maken, Alison.'
'Insgelijks.' Bijna met tegenzin liet ze zijn hand los. 'En, heeft Terry je al uitgenodigd voor Thanksgiving?'
'Alison!'
'Terry is toevallig wel de beste kok in de hele wereld. Je hebt toch geen andere plannen?'
'Eh, nee. Maar...'
'Mooi. Dat is dan geregeld. Maak je geen zorgen, Terry,' zei Alison geruststellend. 'Ik kom je helpen.'
Ik weet niet precies wat er toen gebeurde. Ik herinner me dat ik Alisons lieftallige zwanenhals wel had kunnen omdraaien. Maar ook dat ik haar had willen omhelzen en had kunnen dansen van

blijdschap. Hoe dan ook, misschien was Alison zich bewust van mijn tweeslachtigheid, want ze mompelde vaag dat we de bijzonderheden later wel konden bespreken en maakte zich toen haastig uit de voeten, in een werveling van roze zand.
Josh bracht me naar huis en wachtte in de auto terwijl ik naar boven rende, mijn haar droogwreef en droge kleren aantrok. Vervolgens bracht hij me naar mijn werk. We zwegen allebei tot hij stilhield voor het ziekenhuis. Toen keerden we ons tegelijkertijd naar elkaar.
'Josh...'
'Terry...'
'Je hoeft niet te komen eten met Thanksgiving.'
'Je hoeft me niet uit te nodigen.'
'Nee, maar ik zou het heel leuk vinden als je kwam.'
'In dat geval vind ik het heel leuk om te komen.'
'Echt waar?'
'Janet heeft de kinderen die avond, dus ik had geen andere plannen.'
'Het wordt geen chique bedoening, hoor...'
'Dat is ook niet nodig. Waar het om gaat, is dat we de beste kok van de hele wereld hebben.'
Ik lachte. 'Tja, dat is misschien ook een beetje overdreven.'
'Een bijzonder kind, die Alison, hè?'
'Ja, dat kun je wel zeggen.'
'Een wervelende derwisj tja... Een beetje grillig, maar erg charmant. Charmant, grillig, denk ik nu. Dat zijn niet de woorden die ik zou gebruiken om haar te beschrijven.
Welke woorden zou je dan gebruiken?, hoor ik Alison in mijn oor fluisteren.
'Wil jij mijn moeder uitleggen waarom ik vandaag niet meer bij haar langskom?' vroeg Josh, wijzend op zijn natte kleren.
'Hoef ik dan niet te vertellen dat ik bijna verdronken ben?'
Josh lachte. 'Hoe laat verwacht je me volgende week donderdag?'
Ik maakte haastig de inventaris op van alle voorbereidingen die ik moest treffen. Het was jaren geleden dat ik met Thanksgiving voor iemand anders had gekookt, en ik kon me de laatste keer niet heugen dat ik een kalkoen had gekocht. Dat doe je doorgaans niet voor één persoon. 'Zeven uur?'

'Zeven uur,' herhaalde hij. 'Mijn Thanksgiving begint nu al. Dank je wel!'
Ik stapte uit de auto en rende de trap van het ziekenhuis op. Voordat ik naar binnen ging, keek ik achterom. Mijn held, dacht ik, terwijl ik Josh nakeek. Ik voelde me aangenaam licht in mijn hoofd, en in mijn oren klonk nog altijd het geluid van de branding.

8

'Oké, ben je klaar voor de nieuwe Terry Painter?'

Alison stond voor de keukendeur in een blauwe korte broek en een wit haltertruitje, met knalroze nagellak op haar blote tenen. In haar armen droeg ze een boeiende verzameling flesjes en tubes. Haar haar had ze bij elkaar gebonden in een paardenstaart, en ze zag eruit alsof ze twaalf was.

Zelf had ik mijn haar gewassen, zoals ze me had opgedragen, en in een witte handdoek gewikkeld die paste bij mijn witte badjas.

'Wat is dat allemaal?' Ik deed een stap naar achteren om haar binnen te laten.

'Crèmes, oliën, emulsies.' Ze deponeerde ze op mijn keukentafel en begon ze te ordenen. 'Wat is een emulsie eigenlijk?' vroeg ze toen ze tevreden was over haar werk.

Ik dacht terug aan mijn verpleegstersopleiding. 'Een emulsie is een colloïdale oplossing,' zei ik bijna automatisch, verbaasd door het gemak waarmee dat soort vergeten kennis weer boven kwam.

'Colloïdaal?'

'Colloïdaal betekent een soort gelatineachtige substantie, die niet diffundeert door hetzij plantaardige hetzij dierlijke membranen.'

Alison keek me aan alsof ik van een andere planeet kwam. 'Kun je dat nog een keer zeggen?'

'Het is een soort vloeistof, met de kleur en de dikte van melk,' zei ik eenvoudig.

Ze tilde glimlachend een middelgrote, glazen flesje op met een witte substantie. 'Dat is dan deze.'

'Hoe kun je producten kopen wanneer je niet weet wat erin zit?'

'Niemand weet wat erin zit. Daarom zijn ze ook zo duur.'

Ik lachte. Waarschijnlijk had ze gelijk. 'Wat heb je daar nog meer?'

'Eens even kijken. Een dieptereiniging met liposomen en een *masque* – gespeld op z'n Frans, dus dat betekent dat het écht duur is – op basis van fruitzuren. Verder een puur natuurlijke, milde scrubcrème

voor je gezicht en een biologische crème met collageen en houtmalve. Wat is dat trouwens? Hoewel, laat ook maar,' liet ze er in één adem op volgen. 'Verder hebben we een kalmerend masker voor het gebied rond de ogen – masker met een K, dus dat is waarschijnlijk minder duur – een verzorgende melk, niet te verwarren met de hierboven genoemde melkachtige emulsie, een vochtinbrengende lotion, en een tube geconcentreerde abrikozenolie. Is het je opgevallen hoe moeiteloos ik me bediende van de term *hierboven genoemd*?'
'Ja, dat is me opgevallen.'
'En was je onder de indruk?'
'Diep onder de indruk.'
'Heel goed.' Ze stak haar hand in de rechterzak van haar korte broek en haalde er verschillende flesjes nagellak uit. 'Very Cherry en Luscious Lilac. Jij mag kiezen.' Uit haar linkerzak kwamen wattenbolletjes te voorschijn, kartonnen vijlen, en een verzameling kleine martelwerktuigen. Toen haalde ze een grote schaar uit haar achterzak, die ze als een toverstaf voor mijn ogen heen en weer zwaaide. 'Voor het nieuwe kapsel van mevrouw.'
'Ja, eh... dat weet ik nog niet zo zeker,' zei ik aarzelend, terwijl ik de handdoek van mijn hoofd nam.
'Maak je geen zorgen, ik doe niets radicaals. Ik knip het alleen een beetje gelijk. Meer dan een paar centimeter gaat er niet vanaf. Je had komkommer, zei je?'
'Ja, in de koelkast.' Het kostte me de grootste moeite haar bij te houden.
'Heel goed. Zullen we dan maar beginnen?'
Wat moest ik zeggen? Ze klonk zo enthousiast, zo vol vertrouwen, zo vol overtuiging dat ik geen keus had.
Je wilt er toch goed uitzien met Thanksgiving? hoor ik haar nog zeggen. En dat was ook zo. Ik wilde er inderdáád goed uitzien. Sterker nog, ik wilde er fantastisch uitzien met Thanksgiving. Fantastisch, adembenemend, opwindend... En dat allemaal voor Josh.
Niet dat je er nu niet geweldig uitziet, had Alison er haastig aan toegevoegd.
De hele week had ik in een soort aangename roes geleefd. Ik zong mee met de radio, ik neuriede vals maar vrolijk terwijl ik medicijnen uitdeelde en ik wuifde zelfs vriendelijk naar Bettye McCoy wanneer ze kwam langswandelen met haar uit de kluiten gewas-

sen wattenbollen. En waarom? Louter en alleen omdat een vent die ik leuk vond aardig tegen me was geweest.
Nee, meer dan aardig.
Geïnteresseerd.
Geïnteresseerd in mij!
Hij gebruikt je alleen maar, kon ik mijn moeder bijna horen zeggen. *Uiteindelijk breekt hij je hart.*
Ja, daar zal het waarschijnlijk wel op uitdraaien, moest ik haar gelijk geven.
Maar het kon me niet schelen. Het deed er niet toe dat Josh nog altijd niet over zijn ex heen was, dat hij twee kinderen had en een moeder die op sterven lag, dat een serieuze relatie waarschijnlijk het laatste was waar hij op zat te wachten. Het deed er niet toe dat we maar één keer met elkaar uit waren geweest – nota bene alleen om te lunchen – en dat ik toen bijna was verdronken. Het enige wat ertoe deed, was dat hij in me geïnteresseerd was.
Je ziet eruit om in te bijten, had hij gezegd.
Ik voelde een bijna vergeten tinteling tussen mijn benen.
Wat weet je nou helemaal van hem?, hoorde ik mijn moeder vragen.
Niet veel, moest ik toegeven.
Maar dat deed er niet toe. Het zou me niet kunnen schelen al was hij een seriemoordenaar! Het enige wat telde, was dat hij gevoelens in me losmaakte die jaren hadden gesluimerd. Emoties die ik zo lang had onderdrukt, zo diep had weggedrukt, dat ik was vergeten dat ik ze had. Op mijn veertigste voelde ik me weer net als die onnozele tieners die je in het winkelcentrum ziet rondhangen, giechelend met hun vriendinnen. *En toen zei hij... en toen zei ik...* Ik was weer veertien en verliefd op Roger Stillman.
Precies, en denk eens aan wat er toen gebeurde, hielp mijn moeder me herinneren.
'We doen eerst je haar.' Alison toverde een kam te voorschijn en kamde mijn natte haar over mijn oren en mijn voorhoofd. Toen ging ze voor me op haar knieën zitten, legde haar handen langs mijn gezicht en draaide het van links naar rechts. Plotseling glimlachte ze, alsof ze mijn diepste gedachten kon raden. Zag ze Josh Wylie weerspiegeld in mijn ogen?
Ik hoorde de schaar en voelde de knippende tanden aan weerskanten van mijn hoofd, steeds dichterbij. 'Ik ruim het straks wel

op,' zei Alison, toen ik de schaar aan mijn hoofd voelde trekken en vol afschuw naar de natte plukken haar keek die op de witte tegels van de keukenvloer belandden.
'O nee,' zei ik kreunend.
'Doe je ogen dicht,' droeg Alison me op. 'Je moet er een beetje vertrouwen in hebben.'
Met mijn ogen dicht was het knippende geluid zelfs nog erger. Het leek wel alsof die schaar dwars door al mijn beschermende lagen knipte; alsof hij al mijn geheimen blootlegde en me beroofde van mijn kracht. Simson en Delila, dacht ik dramatisch, en ik haalde diep adem terwijl ik mezelf voorhield dat ik me niet langer moest verzetten, dat ik gewoon maar moest afwachten wat ervan kwam.
'Ik föhn het pas droog na je gezichtsbehandeling. Zo, dan gaan we nu naar de woonkamer.' Ze stapte over de plukken haar die als een vloerkleedje op de witte tegels lagen. 'Niet kijken,' zei ze toen ze me zag huiveren. 'Je moet een beetje vertrouwen hebben in het resultaat,' herhaalde ze. 'En in mij.'
Ik had al een laken over de bank in de woonkamer gelegd, als voorbereiding op mijn 'avondje beautyfarm', zoals Alison het lachend had genoemd. Als verlamd stond ik naast de bank, wachtend tot Alison zou zeggen wat ik moest doen.
'Oké. Ga maar liggen. Je hoofd hier en je voeten... hier. Heel goed. Ik wil dat je lekker ligt, want ik weet zeker dat je ervan gaat genieten.' Dat laatste klonk alsof ze daar niet helemaal zeker van was. 'Zo, maak jij het je maar gemakkelijk. Ondertussen ga ik alle spullen halen die ik nodig heb.'
'De plakjes komkommer liggen in de koelkast,' hielp ik haar herinneren, terwijl ik mijn ogen sloot en met mijn vingers aan het haar in mijn nek voelde.
'Je had ze niet hoeven snijden,' riep Alison vanuit de keuken. 'Dat had ik ook kunnen doen.'
Ik hoorde haar in de koelkast rommelen, de kraan aanzetten en keukenkastjes open en dicht doen. Wat zocht ze?
Nog geen minuut later was ze terug. 'We beginnen met het masker, om de dode huidcellen te verwijderen.'
'Is dat op z'n Frans, of gewoon met een K?'
Ze lachte. 'De dure versie.'
'O. Mooi zo.'

'Doe je ogen dicht, ontspan je en probeer aan leuke dingen te denken.'
Ik voelde dat er iets kouds en glibberigs op mijn gezicht werd gesmeerd, als stroop op een boterham.
'Het voelt misschien een beetje raar als het hard wordt.'
'Het voelt nu al raar.'
'Je kunt straks niet meer praten,' waarschuwde ze, terwijl ze het product in een dikke laag om mijn mond smeerde. 'Dus je kunt maar beter heel stil blijven liggen en niks meer zeggen.'
Ik had geen keus. Het voelde nu al alsof er cement op mijn gezicht was gestort. Het lijkt wel een dodenmasker, herinner ik me nog dat ik dacht. Doden*masque,* verbeterde ik mezelf, en ik zou misschien hebben gelachen als het spul inmiddels niet keihard was geweest. 'Hoe lang moet het erop blijven zitten?' vroeg ik, zonder mijn lippen van elkaar te doen.
'Twintig minuten.'
'Twintig minuten?' Ik deed mijn ogen open en probeerde overeind te komen.
Ze duwde me met zachte dwang weer op de bank. 'Ontspan je. De avond is nog jong, en we beginnen net. Doe je ogen dicht, dan kan ik de plakjes komkommer erop leggen.'
'Waar zijn die komkommers voor?' vroeg ik, maar de k kon ik niet meer uitspreken, dus het klonk vaag, alsof ik een spraakgebrek had.
'Die verminderen de zwelling. Wat ben je voor een verpleegster dat je dat niet weet?' vroeg ze plagend. 'Rustig blijven liggen,' zei ze toen. 'Het was een retorische vraag.' Ze legde de plakjes komkommer voorzichtig in de vrijgelaten cirkels rond mijn ogen. Onmiddellijk werd de kamer donkerder, alsof ik een zonnebril had opgezet. '*Retorisch,* vind je dat een fijn woord?'
'Ja, een fijn woord,' slaagde ik erin uit te brengen zonder mijn mond te bewegen.
'Ik probeer elke dag drie nieuwe woorden te leren.'
'O?' Dat ging gemakkelijk.
'Ja, het is een leuk spelletje. Ik sla gewoon het woordenboek open en zoek een woord op dat ik niet ken. Dan schrijf ik de betekenis op, en die leer ik uit mijn hoofd.'
'Zoals?'
'Zoals... Eens even denken. Vandaag heb ik drie heel bijzondere

woorden geleerd. *Inexpressibel,* dat betekent onuitsprekelijk. Je weet wel. Bijvoorbeeld inexpressibel gelukkig, onuitsprekelijk gelukkig. Dat is één. En verder *epifanie.* Daar ben ik van geschrokken, zeg! Want ik dacht dat ik wist wat het betekende, maar ik had het mis. Ik zat er echt helemaal naast. Weet je wat het betekent?'
'Een soort openbaring,' slaagde ik erin uit te brengen, hoewel de inspanning al mijn concentratie vereiste.
'Een epifanie is "het plotselinge, intuïtieve inzicht in de werkelijkheid of in de essentiële betekenis van iets,"' citeerde ze op een toon alsof ze het uit haar hoofd had geleerd. Terwijl ze zweeg, voelde ik dat ze haar hoofd schudde. 'Weet je wat ik dacht dat het betekende?'
Ik knikte met mijn kin, voorzichtig om de komkommers niet van mijn ogen te laten glijden.
'Je moet me beloven dat je me niet uitlacht.'
Ik bromde iets. Zelfs al had ik het gewild, dan had ik nog niet kunnen lachen.
'Toen ik klein was, heb ik ooit een film op televisie gezien. Het ging over een man die – ik weet niet meer waarom – in een kip veranderde. En die film heette *Epifanie.* Dus ik dacht dat epifanie betekende dat iemand in een kip veranderde. Dat heb ik al die jaren gedacht. Stel je voor dat ik ooit in een gesprek een duur woord had willen gebruiken en met mijn versie van epifanie op de proppen was gekomen!'
Ik schudde heel voorzichtig mijn hoofd. Ze had zoiets teers, zoiets kwetsbaars. Het liefst had ik haar in mijn armen genomen en getroost, als het uit zijn krachten gegroeide kind dat ze was. 'Wat was het derde woord?' vroeg ik in plaats daarvan.
'*Meros.* Dat is een plat vlak tussen twee gleuven van een triglief.'
'Wat is een triglief?'
'Geen idee.' Ze lachte. 'Ik doe maar drie woorden. Zo, genoeg gepraat. Ik wil dat je je ontspant. Je moet ervan genieten en je laten verwennen. Ik heb zo'n idee dat je jezelf lang niet genoeg verwent.'
Ze had gelijk. Verwend worden was nieuw voor me. Ik had mijn leven lang hard gewerkt; eerst op school, toen in het ziekenhuis, en zelfs thuis, bij de zorg voor mijn moeder. In zekere zin was ik dankbaar dat ik het niet gemakkelijk had gehad; dat mijn moeder me nooit had verwend. Daardoor waardeerde ik de dingen die ik

had des te meer en was ik gevoeliger en zorgzamer voor anderen.
'Terwijl het masker hard wordt, begin ik aan je voeten,' zei Alison. 'Ik ben zo terug. Diep ademhalen en je volledig ontspannen.' Het werd plotseling stil in de kamer. Ik hoorde haar in de keuken rommelen. Wat doet ze daar, vroeg ik me af, terwijl ik diep inademde en alle spanning van de drukke werkdag uit me voelde stromen.
'Je hebt erg sterke nagels.' Alison had mijn rechtervoet op schoot gelegd en was met mijn grote teen begonnen.
Ik besefte dat ik haar niet had horen terugkomen. Was ik in slaap gevallen? En hoe lang had ik geslapen?
'Ik ga ze nu knippen, dus probeer zo stil mogelijk te blijven liggen.' Zonder dat ik het wilde, bewogen mijn voeten onder haar aanraking.
'Stil blijven liggen,' waarschuwde ze opnieuw.
Ik hoorde het afgemeten geluid van de nagelknipper, terwijl haar vingers behendig en snel van de ene teen naar de volgende bewogen. *Naar bed, naar bed, zei Duimelot... Eerst nog wat eten, zei Likkepot...* begon ik in gedachten het versje op te zeggen, maar ik stopte omdat ik niet wist hoe het verder ging.
'Nu komt het lekkerste,' zei Alison en ze begon zachtjes mijn vermoeide voeten te masseren. De geur van abrikozen drong in mijn neus. 'Lekker, hè?'
'Heerlijk,' moest ik toegeven, hoewel ik niet zeker weet of ik het hardop zei.
'Nee maar, Terry Painter! Ik geloof waarachtig dat je begint te genieten!'
Ik knikte, maar toen ik probeerde te glimlachen, voelde ik de barsten in mijn wangen springen, alsof mijn gezicht in steen was veranderd.
'Mijn man kon verrukkelijk masseren,' zei Alison. De afwezige klank in haar stem vertelde me dat ze het meer tegen zichzelf had dan tegen mij. 'Dat is waarschijnlijk de reden dat ik met hem ben getrouwd. Het verklaart in elk geval waarom ik telkens weer naar hem terugging. Hij had geweldige handen. Zodra hij mijn voeten begon te masseren, was ik verkocht.'
Ik begreep wat ze bedoelde. Alison had duidelijk veel van haar ex geleerd. Het leek wel alsof ze kon toveren met haar handen. Binnen twee minuten was ik verkocht.

'Ik mis hem nog steeds,' vervolgde Alison. 'Dat is stom, ik weet het, maar ik kan er niets aan doen. Het is zo'n snóépje! Je zou hem eens moeten zien. Alle vrouwen zijn gek op hem. Dat was natuurlijk ook een deel van het probleem. En hij had geen ruggengraat. Nou ja, ik ook niet. Hij belazerde me voortdurend, en telkens nam ik me voor hem deze keer niet te vergeven en hem niet terug te nemen. Maar dan stond hij op een avond weer voor mijn deur, en dan zag hij er zo lekker uit dat ik hem natuurlijk weer binnenliet. "Alleen om te praten," zei ik dan. Maar dan gingen we op de bank zitten en begon hij mijn voeten te masseren, en ik was verkocht. We waren weer terug bij af.'
Ik zou waarschijnlijk moeten reageren, dacht ik; haar verzekeren dat ze niet de enige vrouw was die viel voor de verkeerde vent en hem elke keer weer vergaf. Maar ook zonder dat harde masker op mijn gezicht zou ik het niet hebben kunnen opbrengen om iets te zeggen. Haar onschuldige meisjesstem was als een wiegeliedje dat me in slaap zong. Ik haalde diep adem, de kamer om me heen werd nog donkerder en ik verloor elk besef van tijd.
Het volgende wat ik me herinner, is het geluid van voetstappen boven mijn hoofd. Ik deed mijn ogen open en staarde naar de witte onderkant van twee komkommerschijfjes. Toen ik ze had weggehaald, waren mijn ogen snel gewend aan de schemering. Ik voelde aan mijn gezicht, dat nog altijd was bedekt door het harde masker. Wanneer had Alison het licht uitgedaan? Hoe lang had ik geslapen? Weer hoorde ik geluiden boven mijn hoofd, alsof er laden open en dicht werden gedaan. Was ze in mijn slaapkamer? vroeg ik me af. Ik werkte mezelf overeind en reikte naar de schemerlamp. Wat deed ze daar? Helder rode nagels knipoogden naar me tussen de zachte, witte wattenbolletjes die ze tussen mijn tenen had gepropt. Very Cherry, herinnerde ik me, terwijl ik op mijn hielen naar de trap liep.
Ze stond in de logeerkamer voor de boekenplank die het grootste deel van de muur tegenover de oude, met bordeaurood fluweel beklede slaapbank in beslag nam. Het was duidelijk dat ze me niet de trap op had horen komen.
'Wat doe je hier?' vroeg ik. Het masker rond mijn mond barstte als veiligheidsglas in stukjes.
Alison draaide zich met een ruk om en liet het boek dat ze uit de

kast had gepakt uit haar handen vallen. Het viel op haar tenen, en ze hield haar adem in. Van pijn of van schrik, vroeg ik me af. 'Lieve hemel, je laat me schrikken!'
'Wat doe je hier?' vroeg ik nogmaals. De barsten in mijn masker strekten zich uit naar mijn ogen.
Even speelde er een aarzelende blik op haar gezicht, als een kaarsvlam die hapert in een tochtvlaag. 'Ik zocht dit.' Ze had zichzelf weer in de hand en haalde een pincet uit haar zak. 'Ik had de mijne vergeten, en jij lag zo schattig te snurken dat ik je niet wakker wilde maken. Ik ging ervan uit dat je wel ergens een pincet zou hebben, maar ik heb alle laden en laatjes in je badkamer moeten afzoeken. Waarom bewaar je hem niet gewoon in het medicijnkastje, zoals iedereen?'
'Ik dacht dat ik hem daar ook had liggen,' zei ik lamlendig.
Ze schudde haar hoofd. 'Hij lag bij je warmwaterrollers, onder de wastafel.' Ze stopte de pincet weer in haar zak. 'Toen ik weer naar beneden wilde gaan, viel mijn oog op je boekenkast, dus ik besloot woord nummer vier op te zoeken in het woordenboek.' Ze bukte zich en raapte het grote, glanzend rood-met-gele boek op. 'Een triglief is een constructie-onderdeel van een Dorisch fries,' verkondigde ze triomfantelijk. 'Maar vraag me niet wat een Dorisch fries is.'
Op dat moment zag ik mijn eigen spiegelbeeld in het raam. Ik had het gezicht van een mummie, en mijn pas geknipte haar stond in pieken overeind. 'Lieve hemel, dát zal je onder je bed vinden!'
Alison kromp ineen. 'Dat is niet iets om grapjes over te maken.' Ze zette het boek weer op de plank en stak haar arm door de mijne. 'Laten we dat masker van je gezicht halen. We hebben nog veel meer te doen.'
'Ik geloof niet dat ik nog meer verwennerij aankan.'
'Onzin. Ik ben net begonnen.'

9

Ik nam de dag van Thanksgiving vrij.
Dat was hoogst ongebruikelijk, want sinds de dood van mijn moeder, vijf jaar eerder, had ik elke Thanksgiving gewerkt. Sterker nog, ik werkte alle feestdagen, inclusief Eerste Kerstdag en oudejaarsavond. Waarom ook niet? Anders dan Margot en Caroline had ik geen gezin dat thuis op me wachtte; er was niemand die het erg vond als ik niet thuis was; ik had geen man en kinderen die klaagden dat ze me niet genoeg zagen. En de bewoners van Mission Care hadden altijd verzorging nodig, ook op feestdagen. Het was treurig hoe weinig bezoek sommigen kregen, en hoe plichtmatig de bezoekjes waren wanneer er wel mensen langskwamen. Als ik de feestdagen iets minder eenzaam kon maken voor mijn patiënten – van wie velen me dierbaar waren geworden en mijn bewondering afdwongen – dan deed ik dat graag. Bovendien sneed het mes aan twee kanten, want ik wilde tijdens de feestdagen net zo min alleen zitten als zij. Maar deze Thanksgiving was anders. Deze keer zou ik niet alleen zijn. Ik gaf een etentje, voor een iets groter gezelschap dan ik aanvankelijk had gedacht. Behalve Josh en Alison zou ook Alisons collega, Denise Nickson, te gast zijn. Alison had gevraagd of ze welkom was, en toen ik verre van enthousiast reageerde – ik vertrouwde Denise niet na het incident met de oorbellen – verzekerde Alison me dat ze erg intelligent en grappig was, en bovendien een meid met een hart van goud. Dus tegen beter weten in ging ik akkoord. Bovendien bedacht ik dat ik meer tijd zou hebben om me op Josh te concentreren wanneer Denise en Alison elkaar hadden.
'Het ruikt hier verrukkelijk!' Alison kwam de keuken binnen vanuit de eetkamer, waar ze de tafel had gedekt. Ze had haar blauwe zomerjurk aan. Haar krullen, die ze achter één oor had vastgezet met een sierlijke, blauwe klem in de vorm van een libelle, dansten weelderig om haar schouders. Haar voeten staken in de zilver-

kleurige, open sandaaltjes. Ik kon er nog altijd niet naar kijken zonder een licht schuldgevoel. 'Die kalkoen wordt vast heerlijk; om je bord bij op te eten.'
'Ik hoop het.'
'Kan ik verder nog iets doen?'
'Is de tafel gedekt?'
'Ja, en je weet niet wat je ziet! Hij zou zo in de *Gourmet* kunnen. Ik heb de rozen die Josh heeft gestuurd in het midden gezet, tussen de kaarsen.'
Ik keerde me blozend weer naar het fornuis, zogenaamd verdiept in de pan met rode aardappeltjes die op en neer deinden in het kokende water. Geloof het of niet, er had nog nooit iemand me bloemen gestuurd. 'Volgens mij zijn we dan helemaal klaar.' In gedachten liep ik mijn lijstje na – kalkoen, vulling, zoete aardappelen met marshmallows, rode aardappeltjes, zelfgemaakte veenbessensaus, salade met peren, walnoten en Gorgonzola-dressing.
'We hebben eten voor een heel weeshuis!' Alison gooide haar handen in de lucht, alsof ze met confetti strooide. Het was zo'n vrolijk gebaar dat ik moest lachen. 'Je bent zo mooi als je lacht,' zei Alison.
Ik glimlachte dankbaar. Als ik er die avond goed uitzag, dan was dat louter en alleen aan Alison te danken, besefte ik. Niet alleen was het kapsel dat ze me had aangemeten een doorslaand succes – mijn haar viel in zachte, goudbruine golven rond mijn gezicht en had nog nooit zo goed gezeten – maar bovendien glansde mijn huid nog altijd van de schoonheidsbehandeling die ze me had gegeven. De make-up die ze enkele uren eerder zorgvuldig had aangebracht, slaagde er op de een of andere manier in een theatraal en toch natuurlijk effect te bereiken. De nagels van mijn handen waren in dezelfde kleur gelakt als die van mijn tenen. Very Cherry combineerde prachtig met mijn marineblauwe broek en mijn nieuwe witzijden bloes. Aan mijn oren bengelden de zilveren cupido's. Het zou een heel bijzondere avond worden, hield ik mezelf voor.
De bel ging.
'O hemel!' riep ik uit. 'Hoe laat is het?'
Alison keek op haar horloge. 'Pas halfzeven. Een van onze gasten kan blijkbaar niet wachten.' Haar grote ogen werden nog groter van opwinding.
'Zie ik er echt goed uit?' Ik trok mijn blauw-wit geblokte schort

over mijn hoofd, voorzichtig om mijn haar niet in de war te maken, en ging met mijn tong over het gedempte rood van mijn lippen.
'Je ziet er fantastisch uit! Rustig blijven en diep ademhalen.'
Ik deed wat ze zei en haalde nog een keer diep adem, in de hoop dat het geluk zou brengen. Toen liep ik de keuken uit. Al voordat ik bij de deur was, hoorde ik buiten gegiechel. Blijkbaar was Denise degene die haar ongeduld niet had kunnen bedwingen, en niet Josh. Maar ze was duidelijk niet alleen. Zouden Josh en zij tegelijk zijn aangekomen, vroeg ik me af.
Toen ik de deur opendeed, stond ik inderdaad oog in oog met Denise. Ze droeg een roze T-shirt met daarop in oranje letters: ALLES WENT BEHALVE EEN VENT, en een strakke zwarte spijkerbroek. Haar donkere haar stond in woeste pieken rond haar bleke, driehoekige gezicht, en ze had haar magere armen om een al even magere, spichtige jonge man geslagen. Hij had heel kort, bruin haar, lichtbruine ogen en een wilskrachtige haviksneus. Zijn gezicht had vaag iets onheilspellends, maar het werd vriendelijker toen hij glimlachte. Toch kon ik een gevoel van onbehagen niet van me afzetten.
'Daar zijn we dan!' kondigde Denise vrolijk aan. 'Ik weet dat we aan de vroege kant zijn, maar...' Ze lachte alsof ze iets grappigs had gezegd. 'Dit is KC.' Ze begon opnieuw te lachen. Was ze dronken?, vroeg ik me af. Of stoned? 'Casey?'
'K...C,' zei de jongeman, de twee letters nadrukkelijk uitsprekend. Hij was ongeveer net zo oud als Alison, schatte ik. 'Dat staat voor Kenneth Charles, maar er is niemand die me zo noemt.'
Ik knikte en vroeg me af wie hij was en wat hij in mijn huis deed.
'Denise?' klonk de stem van Alison achter me.
'Hoi.' Denise werkte zich langs me heen de woonkamer in. 'Zo, hé! Leuk huis. Alison, mag ik je voorstellen? Dit is KC.'
'Casey?'
'K...C,' legde de jonge man opnieuw uit. 'Dat staat voor Kenneth Charles.'
'Maar er is niemand die hem zo noemt,' voegde ik eraan toe. Hij moest er wel doodmoe van worden om elke keer uitleg te verschaffen, dacht ik.
'Ik wist niet dat je iemand mee zou nemen.' Alison keek een beetje nerveus in mijn richting.

'Is dat een probleem? Ik dacht dat jullie het wel goed zouden vinden. Iedereen maakt toch altijd veel te veel eten met Thanksgiving.'
'Als het een bezwaar is, dan ga ik weer,' zei KC haastig. 'Ik wil niemand tot last zijn.'
'Nee, natuurlijk niet,' hoorde ik mezelf zeggen. 'Denise heeft gelijk. We hebben meer dan genoeg te eten. En we kunnen je toch niet zomaar op straat zetten, zeker niet met Thanksgiving.' Het was niet zozeer edelmoedigheid van me als wel de plotselinge ingeving dat Josh zich misschien meer op zijn gemak zou voelen wanneer hij niet de enige man was.
'Ik zal er even een bord bij zetten.' Alison verdween in de eetkamer terwijl ik Denise en KC naar de zithoek loodste.
'Wat kan ik jullie inschenken?' zei ik gastvrij.
'Wodka?' vroeg Denise.
'Bier?' vroeg KC.
Ik had het geen van beide, dus ze namen genoegen met witte wijn. We gingen met onze drankjes in de woonkamer zitten – Alison en ik beperkten ons voorlopig tot water – en probeerden enigszins ongemakkelijk een gesprek gaande te houden. Anders dan Alison had gezegd, kon ik Denise niet bijster intelligent vinden, noch grappig, en KC zei niet veel, maar kon je erg ontmoedigend aanstaren, alsof hij dwars door je heen keek. De avond zou een ramp worden, dacht ik, en bijna wenste ik dat Josh zou afbellen.
'Waar hebben jullie elkaar leren kennen?' vroeg Alison.
'In de galerie.' Denise haalde haar schouders op en keek naar het grote schilderij met een uitbundige bos roze en rode pioenrozen boven de bank. 'Leuk schilderij.'
'Dank je wel.'
'Meestal hou ik niet van dat soort kunst. Je weet wel, bloemen, fruit, zulke dingen.'
'Stillevens,' zei ik.
'Precies. Meestal vind ik het niks. Ik hou van kunst met een beetje spanning, begrijp je wel? Maar dit is leuk. Waar heb je het gekocht?'
'Het is van mijn moeder geweest.'
'O. Geweest. Dus je hebt het geërfd na haar dood?' Denise leek totaal niet in de gaten te hebben dat het haar misschien wel niks aanging. 'Samen met het huis en alles wat ze verder nog had?'
Ik zei niets, omdat ik niet goed wist wat ik moest zeggen.

'Ik probeer Terry zover te krijgen dat ze dat schilderij koopt met die vrouw op het strand. Je weet wel, met die grote zonnehoed,' zei Alison haastig, alsof ze zich bewust was van mijn ongemak.
'Ben je enig kind?' hield Denise vol, zonder op Alisons opmerking in te gaan.
'Ja, helaas wel.'
'Wees blij!' zei Denise prompt. 'Ik heb twee zussen, maar we haten elkaar als de zwarte dood. En Alison en haar broer praten niet eens meer met elkaar. En jij, KC? Heb jij broers of zussen die je niet kunt uitstaan?'
'Een van elk.'
'En waar zijn ze vanavond?' vroeg ik.
'In Houston, neem ik aan.'
'Ik wist niet dat je uit Texas kwam,' zei Denise. 'Ik heb altijd al naar Texas gewild.'
'Zo te horen kennen jullie elkaar nog niet zo lang,' merkte ik op.
'We hebben elkaar gisteravond ontmoet.' Denise giechelde. Het kinderlijke geluid klonk vreemd misplaatst uit haar donkerpaars gestifte mond. 'Ik had hem al een paar keer in de galerie gezien, maar we zijn gisteravond pas met elkaar in gesprek geraakt.'
'Ik dacht al dat je me bekend voorkwam!' riep Alison plotseling. 'Je was maandag in de galerie, en je vroeg naar dat beeldje van die kikker.'
KC keek alsof hij zich enigszins in verlegenheid gebracht voelde. 'Ik probeerde jou te versieren,' gaf hij lachend toe.
'Dat is helemaal fraai!' zei Denise. 'En toen het niks werd, heb je het maar bij mij geprobeerd?'
'Ja, maar dat wil nog niet zeggen dat ik niet van je hou,' zei KC met een sluwe grijns.
Denise lachte. 'Is hij niet schattig? Ik vind hem zó schattig.' Ze boog zich naar hem toe en liet haar lange nagels over zijn magere dijbeen gaan. 'Het probleem met kunst is dat het allemaal is gebaseerd op een leugen,' vervolgde ze in één adem, met haar blik weer op het schilderij met de bloemen gericht. 'Vinden jullie ook niet?'
'Ik weet niet goed wat je bedoelt,' zei ik.
'Neem nou deze bloemen,' zei Denise. 'Of de vrouw met de hoed op het strand. Heb je in het echt óóit zulke grote, schitterende bloemen gezien? Of zulk roze zand? Dat bestaat gewoon niet.'

'Het bestaat in de verbeelding van de kunstenaar,' protesteerde ik.
'Precies! Dat is precies wat ik bedoel'
'Het feit dat kunst een subjectieve waarneming is, maakt het nog niet tot een leugen. Soms is de interpretatie van een artiest veel echter dan de werkelijkheid. De kunstenaar dwingt je zijn onderwerp te zien in een nieuw en ander licht, om tot een diepere waarheid te komen.'
Denise wuifde mijn theorieën nonchalant weg, zodat de wijn in haar glas gevaarlijk dicht onder de rand klotste. 'Kunstenaars vervormen dingen, ze maken ze groter, mooier of ze laten iets weg.' Ze haalde haar schouders op. 'Dat maakt ze in mijn ogen tot leugenaars.'
'Heb je iets tegen leugenaars?' vroeg KC.
Ik hoorde een auto het tuinpad op rijden, gevolgd door het geluid van voetstappen, en ik was al opgestaan toen de bel ging. Toen ik naar de deur liep, zag ik de blik van verwachting op Alisons gezicht.
'Je ziet er geweldig uit.' Ze stak in een bemoedigend gebaar twee duimen omhoog.
Lachend deed ik de deur open, en toen moest ik houvast zoeken tegen de deurpost, uit angst dat mijn benen het zouden begeven en ik in de grote potplant rechts van me zou belanden. Josh Wylie droeg een blauw zijden overhemd en had een fles Dom Pérignon onder zijn arm. Al met al zag hij er zo geweldig uit dat ik me moest beheersen om hem niet om de hals te vallen. Rustig aan, zei ik tegen mezelf. Je bent veertig, geen veertien. Diep ademhalen en je ontspannen.
'Ben ik te laat?' vroeg Josh toen ik de deur achter hem dichtdeed en opnieuw als aan de grond genageld bleef staan.
'Helemaal niet. Het kon niet beter. Ik bedoel, je bent precies op tijd,' zei ik haastig. Ik liet de deurpost los en pakte de fles Dom Pérignon van hem aan. 'Dat was toch niet nodig geweest. Je hebt al zulke prachtige bloemen gestuurd.'
'O, champagne!' Denise stond plotseling naast me en nam de fles van me over. 'Ik ben Denise en ik ben dol op champagne.' Ze stak Josh haar vrije hand toe.
'Denise Nickson, Josh Wylie,' stelde ik hen aan elkaar voor. 'Denise is Alisons collega in de galerie.'

Vanaf de bank stak Alison haar hand op.
'De galerie is van mijn tante,' legde Denise uit. 'Dus eigenlijk ben ik een soort mede-eigenaar. Dit is mijn vriend KC.'
'Aangenaam kennis met je te maken, Casey.'
'KC,' verbeterden we hem in koor.
'Dat staat voor Kenneth Charles,' zei deze.
'Maar er is niemand die hem zo noemt,' vulde Alison aan.
'Je wordt er zeker doodmoe van om dat elke keer te moeten uitleggen?' zei Josh. Ik glimlachte, omdat ik hetzelfde had gedacht.
Wat kan ik zeggen over die avond?
Mijn aanvankelijke reserves verdwenen al snel dankzij de uitbundig vloeiende champagne en het goedmoedige gekibbel van mijn gasten. Ondanks het verschil in leeftijd en belangstellingen vormden we een levendig, interessant gezelschap. Het eten was heerlijk, er werd ontspannen gekletst, en iedereen voelde zich op zijn gemak en had het naar zijn zin.
'Wat doet een investeringsadviseur precies?' vroeg Denise op een gegeven moment aan Josh. De veenbessensaus aan haar vork concurreerde met het koppige paars van haar lippenstift. 'En zeg niet dat hij mensen adviseert over hun investeringen.'
'Ik ben bang dat ik er niet veel méér over kan zeggen,' protesteerde Josh.
'Geef je Terry ook advies over haar investeringen?' vroeg KC.
Ik lachte. 'Dan zou ik toch eerst geld moeten hebben om te investeren.'
'Kom nou toch! Ik weet zeker dat je geld genoeg hebt,' protesteerde Denise. 'Je hebt een baan, een eigen huis en je verhuurt je tuinhuis. Bovendien heb je vast en zeker ook een aardige oudedagsvoorziening.'
'Maar die gaat pas in wanneer ik met pensioen ga.' Een licht gevoel van onbehagen begon aan me te knagen. Hoe was het gesprek ineens op mijn financiën terechtgekomen?
'En jij, KC?' vroeg Josh. 'Wat doe jij voor werk?'
'Ik ben computerprogrammeur.' KC schepte nog een portie kalkoen op, met een grote schep zoete aardappelen.
'Ook zo'n baan die ik nooit zal begrijpen,' zei Denise. 'Heb jij een computer, Terry?'
'Nee,' zei ik. 'Ik heb er nooit een nodig gehad.'

'Hoe kan een mens in 's hemelsnaam zonder e-mail?'
'Je zou ervan opkijken waar ik allemaal zonder kan.' Ik keek naar mijn handen in mijn schoot en deed krampachtig mijn best me niet voor te stellen hoe Josh me tegen de muur van mijn slaapkamer drukte, terwijl zijn vingers gretig mijn blouse losknoopten.
'Heb je geen familieleden aan de andere kant van het land met wie je in contact wilt blijven?' vroeg Denise.
Ik schudde mijn hoofd en zag dat KC naar voren leunde en me met zijn koude ogen doordringend aankeek. Slangenogen, dacht ik huiverend.
'Oké, jongens, het is Thanksgiving. Waar zijn we allemaal dankbaar voor?' vroeg Alison plotseling. 'Iedereen moet drie dingen noemen.'
'Hè nee,' zei Denise kreunend. 'Het lijkt *Oprah* wel.'
'Jij eerst, KC,' vervolgde Alison. 'Drie dingen waar je dankbaar voor bent.'
KC hief zijn glas. 'Lekker eten. Lekkere champagne.' Hij glimlachte, en de blik in zijn slangenogen ging heen en weer tussen Alison en Denise. 'En slechte vrouwen.'
Ze begonnen te lachen.
'Denise?'
Denise trok een gezicht alsof ze dit spelletje ver beneden haar waardigheid vond, maar meedeed omdat ze geen spelbreker wilde zijn. 'Eens even denken. Ik ben dankbaar dat de galerie vandaag gesloten was en dat ik niet hoefde te werken. Ik ben dankbaar dat mijn tante bij haar dochter in New York is, zodat ik Thanksgiving niet met haar hoef door te brengen. En...' Ze keek mij aan. 'Ik ben dankbaar dat je echt zo'n goede kok bent als Alison had gezegd.'
'Daar ben ik het roerend mee eens.' Josh hief zijn glas om te toosten.
'Oké, Josh,' zei Alison. 'Jouw beurt.'
Josh zweeg even, alsof hij diep nadacht. 'Ik ben dankbaar voor mijn kinderen. Ik ben dankbaar voor de geweldige zorg die mijn moeder ontvangt. En daarvoor, en voor vanavond, ben ik onze lieftallige gastvrouw heel erg dankbaar. Dank je wel, Terry Painter. Je bent een geschenk uit de hemel.'
'Dank je wel,' fluisterde ik. Er brandden tranen achter mijn oogleden.
'Ik ben ook dankbaar voor Terry,' zei Alison, en mijn wangen begonnen te gloeien. 'Ik ben haar dankbaar omdat ze me een plek

heeft gegeven om te wonen, en omdat ze me zo gastvrij in haar leven heeft opgenomen. Bovendien ben ik dankbaar dat mijn instinct me zei hierheen te gaan. En ten slotte ben ik dankbaar voor de kans om een nieuwe start te maken.'

'Ben je niet een beetje jong voor een nieuwe start?' vroeg Josh.

'Jouw beurt.' Alison keerde zich blozend naar mij.

'Ik ben dankbaar dat ik gezond ben,' begon ik.

Denise kreunde. 'Dat is net zoiets als wensen dat er vrede op aarde komt.'

'En ik ben dankbaar voor al jullie lieve woorden,' zei ik zonder op haar opmerking in te gaan. Ik keek van Alison naar Josh en toen weer naar Alison. 'En ik ben dankbaar voor nieuwe vrienden en nieuwe kansen. Ik vind dat ik erg heb geboft.'

'Wij zijn de bofferds,' zei Alison.

'Is er hier iemand die in God gelooft?' vroeg Denise plotseling.

Ineens praatte iedereen door elkaar, en ging het gesprek van filosofisch naar pedant naar ronduit krankzinnig, en weer terug. Het verbaasde me van Alison niet dat ze in God bleek te geloven, maar van Denise wél. KC was atheïst en Josh agnost. Zelf had ik er altijd naar verlangd om een gelovig mens te zijn, en op mooie dagen was ik dat ook.

Vandaag, besloot ik misschien wat voortijdig, was zo'n mooie dag.

10

Om tien uur kondigde Josh aan dat hij ervandoor moest, terug naar Miami.

Hij had gelijk. Het werd tijd om de zitting op te heffen. We hadden mijn zelfgemaakte pompoentaart tot op de laatste kruimel verorberd, alle champagne was op en ook de fles Baileys was schoon leeg. Alison had de tafel afgeruimd, de afwas gedaan en was vervolgens spontaan met een spelletje hints begonnen, dat ze glansrijk had gewonnen. 'Ik ben erg goed in spelletjes,' had ze trots verklaard.

'Ik loop met je mee naar je auto,' zei ik tegen Josh. Terwijl ik opstond van de bank en hem volgde naar deur, voelde ik een lichte druk op mijn maag, alsof ik een por in mijn buik had gehad.

'Leuk je ontmoet te hebben, Josh,' riep Denise hem na.

'Tot gauw, hoop ik,' zei Alison.

KC zei niets, maar knikte vluchtig. Misschien was dat zijn manier om afscheid te nemen, dacht ik, of misschien was hij gewoon dronken en niet tot méér in staat.

Er was verder niemand die aanstalten maakte om te vertrekken. Josh en ik waren duidelijk de enigen die gevoel voor timing hadden. Warme lucht omhulde ons als een lome minnaar toen we naar buiten stapten en opkeken naar de met sterren bezaaide hemel. De avondlucht was doorweven met de geur van de oceaan, als zilveren draden in een donker tapijt. De geur hing als een kostbaar parfum in de lucht. 'Wat een schitterende avond,' zei ik toen ik naast Josh naar zijn auto liep.

'Het was in alle opzichten een heerlijke avond.'

'Ik ben zo blij dat je kon komen.'

'Ik ook.' Hij keek de lege straat af. 'Heb je zin om een eindje te lopen? Een klein stukje maar, tot de hoek,' voegde hij eraan toe toen hij zag dat ik aarzelde.

Ik weet eigenlijk niet waar die aarzeling vandaan kwam. Ik wilde

niets liever dan nog zo lang mogelijk met Josh samen zijn. Waarschijnlijk vond ik het geen prettig idee om mijn andere gasten te lang alleen te laten. 'Ja, leuk,' hoorde ik mezelf zeggen, zonder acht te slaan op mijn bedenkingen. Ik regelde mijn stappen naar de zijne en voelde een schok door me heen gaan – als een kleine, maar krachtige elektrische lading – toen onze armen langs elkaar streken.
'Ik heb de hele avond gehoopt op een paar minuten alleen met je,' zei Josh.
'Hoezo? Wil je het over je moeder hebben?'
Hij lachte en bleef staan. 'Denk je nou echt dat ik alleen met je wil zijn om het over mijn moeder te hebben?'
Ik sloeg mijn ogen neer en keek naar de stoep, bang dat mijn gedachten op mijn voorhoofd te lezen stonden. Hij legde zijn hand onder mijn kin, en terwijl ik mijn ogen naar hem ophief, werden de schokken die door me heen gingen steeds heviger. Hij bracht zijn gezicht naar het mijne. Als hij nog dichterbij komt, wordt hij geëlektrokuteerd, dacht ik.
'Ik zou je dolgraag willen kussen,' zei hij.
Er ontsnapte een diepe zucht aan mijn lippen, terwijl hij zich nog dichter naar me toe boog. Mijn hart bonsde tegen mijn ribben, als een baby die trappelt in de baarmoeder. Alleen was het niet mijn hart, besefte ik geschrokken. Het was mijn maag. En het was geen passie. Het was pijn! O nee, ik zou toch niet gaan overgeven? Ik stelde me voor dat hij me zou kussen en vol afschuw zou terugdeinzen wanneer ik de inhoud van mijn maag over hem heen gooide. Dat zou garant staan voor een gedenkwaardige avond, besloot ik, terwijl hij zijn lippen voorzichtig op de mijne drukte.
'Lekker,' fluisterde hij, en hij kuste mijn angsten weg, terwijl hij zijn armen als een beschermende mantel om me heen sloeg.
Onmiddellijk ontspande ik me. Ga weer met me mee naar binnen, wilde ik vragen. Ga mee terug, dan zeggen we tegen de anderen dat ze naar huis moeten. Blijf vannacht bij me. Laten we vrijen, de hele nacht. Je kunt ook morgenochtend terug naar Miami.
Maar dat zei ik natuurlijk niet. In plaats daarvan kuste ik hem telkens weer en grijnsde ik als een idioot, totdat duidelijk werd dat hij me niet nog eens zou kussen. We draaiden ons om en liepen hand in hand terug naar zijn auto. Allerlei gedachten schoten door mijn hoofd, en ik had nog altijd het gevoel alsof mijn maag in

brand stond. Het maakt niet uit hoe oud je bent, dacht ik. Veertien of veertig. Als het om de liefde gaat, doet leeftijd er niet toe.

'Nogmaals bedankt voor de heerlijke avond,' zei Josh toen we bij zijn auto stonden.

'En jij bedankt voor de champagne en de rozen.'

'Ik ben blij dat ze in de smaak vielen.'

'Ze zijn prachtig.'

'Jij ook.'

Hij kuste me weer, deze keer op mijn wang, zodat zijn wimpers langs mijn huid streken, als de vleugels van een vlinder. 'Ik zie je volgende week,' zei hij toen hij in zijn auto stapte.

Ik keek hem zwijgend na terwijl hij achteruit de straat op reed en koers zette naar Atlantic Avenue. Bij het stopbord op de hoek wuifde hij zonder om te kijken, alsof hij wist dat ik hem stond na te kijken. Ik zwaaide terug, maar hij was al om de hoek verdwenen.

Het duurde even voordat ik me weer kon bewegen. De eerlijkheid gebiedt me te zeggen dat het zowel door de tinteling op mijn lippen en mijn wang als door de hernieuwde krampen in mijn ingewanden kwam dat ik als aan de grond genageld stond. Te veel eten en te veel opwinding voor een oud mens zoals ik, besloot ik toen ik eindelijk weer een voet voor de andere kon zetten. Ik liep naar binnen, vastbesloten om te zeggen dat het feest voorbij was, maar mijn woonkamer lag er verlaten bij. Waren ze allemaal vertrokken in de tijd dat ik Josh had uitgelaten?

Op dat moment klonk er zorgeloos gelach vanaf de bovenverdieping, dat als een rubber bal tegen de muren leek te weerkaatsen. Wat deden ze boven? vroeg ik me af. Even was ik de pijn in mijn maag vergeten. 'Alison,' riep ik onder aan de trap.

Onmiddellijk werd haar hoofd zichtbaar boven de balustrade rond de overloop. 'Is Josh vertrokken?'

'Wat doen jullie daarboven?' zei ik, zonder op haar vraag in te gaan. Plotseling verscheen het hoofd van Denise naast dat van Alison. 'Het is mijn schuld. Ik heb om een rondleiding gevraagd.'

'Er valt niet veel te zien.' Ik keek toe terwijl de twee jonge vrouwen de trap af kwamen, op de voet gevolgd door KC, als een speelse golden retriever die naar hun hielen hapte. 'Het lijkt wel een poppenhuis,' verkondigde Denise.

'Het spijt me,' fluisterde Alison in mijn oor. 'Ze was de trap al op voordat ik haar kon tegenhouden.'
De ergernis die ik voelde werd naar de achtergrond gedrongen door een scherpe steek in mijn maag. Met een van pijn vertrokken gezicht greep ik naar mijn zij.
'Is er iets?' vroeg Alison.
Ik schudde mijn hoofd. 'Dat tweede stuk taart had ik beter niet kunnen nemen,' mompelde ik, in de hoop dat ze het daarbij zou laten.
'Oké, jongens,' zei Alison prompt. 'Het feest is voorbij. Tijd om op te stappen.'
We namen afscheid bij de voordeur. Alison kuste me op mijn wang, ik geloof dat Denise me omhelsde en KC mompelde iets wat erop neerkwam dat hij niet helemaal stevig meer op zijn benen stond. Hij had het nog niet gezegd of hij viel bijna in de grote, witte oleander die rechts naast de voordeur stond. Toen waren ze verdwenen, en op het geritsel van de bladeren na was het doodstil in huis.

Tot mijn verbazing kostte het me geen moeite om in slaap te vallen. Mijn maag leek tot rust te komen zodra iedereen weg was, dus ik schreef mijn klachten toe aan alle opwinding: het uitgebreide diner, een huis vol nieuwe mensen, mijn eerste, echte kus sinds tijden... *Josh, Josh, Josh.* 'Wat een man!' zei ik met de stem van Alison. En nog eens, terwijl ik haar in gedachten in haar handen zag klappen en op en neer springen van blijdschap. 'Wat een man!'
Toen ben ik blijkbaar in slaap gevallen, want het volgende wat ik weet, is dat ik droomde. Wilde dromen. Krankzinnige dromen. Dromen waarin ik hulpeloos in een kringetje door het huis rende, op zoek naar Alison, om haar te waarschuwen dat er gevaar dreigde. Wat dat gevaar was, wist ik niet. Op een gegeven moment liep ik de trap op toen KC zich vanuit de schaduwen op me stortte – zijn lange benen gestrekt – en me in karatestijl in mijn maag trapte.
Hijgend schoot ik overeind, met mijn handen op mijn maag, en ik haalde de badkamer maar amper. Gebogen over de wc gaf ik herhaalde malen heftig over. Maar zelfs een lege maag bracht geen verlichting. Ik ging op de tegels zitten. Mijn hoofd tolde, pijnlijke

krampen schoten door mijn lijf als ballen in een flipperkast. Zou het soms blindedarmontsteking zijn, vroeg ik me af. Dat was buitengewoon onwaarschijnlijk. Het lag meer voor de hand dat ik gewoon te veel gegeten had, of misschien was het zelfs voedselvergiftiging. Zouden mijn gasten ook ziek zijn geworden?
O hemel, Arme Josh. Ik werkte me overeind en kroop langzaam op handen en knieën naar het raam van mijn slaapkamer, met mijn rug gekromd als een beverige oude vrouw. Bij het raam gekomen trok ik de vitrage opzij. Tot mijn verrassing brandde er nog licht in het tuinhuisje. Ik keek op de wekker naast mijn bed. Bijna drie uur. Alison was nooit zo laat op. Was ze ook ziek? Ik trok mijn badjas aan en liep voorzichtig de trap af.
Nadat ik de keukendeur van het slot had gedaan, liep ik op mijn tenen naar buiten. Het gras voelde koel aan onder mijn blote voeten. Een plotselinge aanval van misselijkheid werd me bijna te veel, en ik ademde wanhopig de frisse lucht in tot de aanval verdween. Nadat ik mijn longen een paar keer goed vol had gezogen, vervolgde ik mijn weg naar het tuinhuis. Op dat moment hoorde ik daarbinnen gelach. Dus Alison was niet ziek. En ze was ook niet alleen.
Opgelucht liep ik terug naar mijn keukendeur. Alison had nergens last van, en de rest van mijn gasten blijkbaar ook niet. Mijn reputatie als kok was gered, dacht ik, en ik zou er misschien om hebben gelachen als een nieuwe aanval van krampen me niet had gedwongen naar de gootsteen te rennen. Tientallen geverfde ogen keken vanaf de planken boven mijn hoofd afkeurend toe. De meedogenloze, starre blikken van de porseleinen vrouwtjes gaven stilzwijgend hun oordeel. *Het is je eigen schuld,* schreeuwden ze door mokkend getuite, geverfde lippen. *Dat zal je leren om het zo naar je zin te hebben.*
Ik was halverwege de trap naar boven toen de telefoon ging.
Wie belt er in 's hemelsnaam nog zo laat? vroeg ik me af. Zo snel als mijn maag dat toestond liep ik verder. Alison? Had ze me in de tuin gezien? Nog altijd met pijn in mijn maag bukte ik me naar de telefoon naast mijn bed. Hij ging net voor de vijfde keer over toen ik opnam. 'Hallo?'
'Fijne avond gehad?' vroeg de stem.
Het was Alison niet. Het was een man. 'Met wie spreek ik?'

'Ik heb een boodschap voor je van Erica Hollander.'
'Wat!'
'Ze zegt dat je beter op moet passen.'
'Met wie spreek ik?' De verbinding werd verbroken. 'Hallo? Hallo?' Ik gooide de hoorn op de haak, te woedend om iets te zeggen, te zwak om het te proberen. Met trillende handen en bonzend hart liet ik me in bed vallen. Aan de ene kant wilde ik die stem zo snel mogelijk vergeten, aan de andere kant piekerde ik me suf waar ik hem van kende. En wat betekende die vreemde boodschap? Van slapen was geen sprake meer. De rest van de nacht lag ik te draaien en te woelen. Nu eens had ik het te warm, dan weer te koud. Ik lag met mijn tanden te klapperen, en het volgende moment stond het zweet op mijn voorhoofd. Mijn handen trokken de dekens tot aan mijn kin, mijn voeten schopten ze boos van me af. Zo lag ik uren te kijken hoe het maanlicht door de vitrage scheen en de duisternis langzaam oplichtte en plaatsmaakte voor een nieuwe dag. Telkens wanneer ik even dreigde in te dutten, hoorde ik een niet helemaal onbekende stem in mijn oor fluisteren: *Ik heb een boodschap voor je van Erica Hollander. Ze zegt dat je beter op moet passen.*
Tegen achten dwong ik mezelf op te staan. Ik voelde me nog altijd zwak en misselijk, maar mijn maag was tenminste tot rust gekomen. Mijn voorhoofd voelde een beetje warm, en ik had ook nog last van trillende handen. Ik besloot een pot thee te zetten en misschien een geroosterde boterham te eten, hoewel mijn maag in opstand kwam alleen al bij de gedachte aan eten. Misschien alleen een kop thee, besloot ik, op het punt om naar beneden te gaan toen ik buiten stemmen hoorde.
Ik schuifelde naar het raam en schoof de gordijnen weg, maar ik zorgde ervoor dat ik niet gezien zou worden. Alison stond in de deuropening van het tuinhuisje met Denise te praten. Ze hadden nog dezelfde kleren aan als de vorige avond. Denise was voornamelijk aan het woord, en hoewel ik niet kon verstaan wat ze zei, zag ik aan Alisons gezicht dat ze aandachtig luisterde.
'Kom op, slaapkop,' riep Denise plotseling over Alisons schouder. 'In de benen! We moeten naar huis.'
Even later verscheen KC in de deuropening. Zijn overhemd hing open en zijn spijkerbroek was gevaarlijk laag op zijn magere heu-

pen gezakt, waardoor de lijn donker haar die vanaf zijn blote borst over zijn buik onder de gesp van zijn zwart leren riem verdween duidelijk zichtbaar was. Zijn korte bruine haar was ongekamd, zijn ogen stonden slaperig en zijn hele verschijning was net zo slordig en nonchalant als de sigaret die tussen zijn mond bungelde.
Ik zag dat hij de peuk in een bed met roze en witte vlijtige liesjes gooide, waarop hij zich naar Alison boog en iets in haar oor fluisterde. Zijn vingers speelden met het gouden kettinkje om haar hals, terwijl hij haastig een blik op mijn slaapkamerraam wierp. Had hij het over mij? vroeg ik me af, me nog altijd zorgvuldig verborgen houdend. Wist hij dat ik stond te kijken?
Alison duwde hem speels opzij en zwaaide hen na toen Denise en hij langs de zijkant van het huis naar de straat slenterden. Ik volgde hen met mijn ogen tot ze in de schaduw van een grote boom verdwenen. Toen ik weer naar het huisje keek, zag ik dat Alison naar me stond te kijken, met een merkwaardige uitdrukking op haar gezicht. Ze wuifde en gebaarde dat ze naar me toe kwam. Even later stond ze bij de keukendeur, opmerkelijk fris en uitgerust voor iemand die de hele nacht op was geweest.
'Is alles goed met je?' vroeg ze zodra ze me zag.
'Ik was gisteravond niet lekker,' zei ik, en ik liet me op een keukenstoel vallen.
'Niet lekker? Heb je overgegeven?'
'Ja.'
'Jasses! Wat vreselijk! Ik vind niets zo erg als overgeven.'
'Ik kan ook niet zeggen dat ik er dol op ben.'
'Er zijn mensen die beweren dat je je beter voelt als je je maag eenmaal hebt omgekeerd. Nou, ik niet. Ik ben nog liever wekenlang zo ziek als een hond dan dat ik overgeef. Daarom vond ik het ook altijd zo komisch wanneer mensen dachten dat ik boulimia had. Alsof ik ooit mijn vinger in mijn keel zou steken! Ik moet er niet aan denken!'
Ik kon het uitroepteken bijna zien.
'Ik herinner me nog toen ik klein was... Toen ben ik een keer misselijk geworden van te veel snoep,' vervolgde ze. 'Sindsdien vroeg ik mijn moeder elke avond bij het naar bed gaan of ik niet misselijk zou worden. Dan rolde ze met haar ogen en zei ze dat ik natúúrlijk niet weer misselijk zou worden. Maar ik had geen rust tot ze

het beloofde. Elke avond weer. En dan ging ik nóg met mijn tanden op elkaar slapen.'
'Je geloofde je eigen moeder niet?'
Alison haalde haar schouders op en liet haar blik door de keuken gaan. 'Wil je een kop thee?'
'Heerlijk.'
Ze ging meteen aan de slag. Ze vulde de ketel met water, deed een theezakje in een mok en haalde melk uit de koelkast. 'Je hebt waarschijnlijk te veel champagne gedronken,' merkte ze op, met haar blik op de ketel gericht.
'Met kijken krijg je het niet aan de kook,' zei ik.
'Wat?'
'Met kijken krijg je het niet aan de kook. Een van de aforismen van mijn moeder.'
'Aforismen? Fijn woord. Klinkt lekker. Wat betekent het? Een soort gezegde?'
'Zoiets, ja.'
Alison wendde gehoorzaam haar blik van de ketel en keek naar het raam. 'Dus je hebt me zien praten met Denise en KC.' Het was een constatering, geen vraag.
Ik knikte, maar zei niets.
'Ze wilden het huisje zien.' Ze zweeg even en keek naar haar blote voeten. 'We raakten aan de praat, en voordat ik wist wat er gebeurde, lag Denise in mijn bed en KC voor dood op de grond.' De ketel begon te fluiten. Alison schrok even, toen begon ze lachen. 'Je moeder had blijkbaar gelijk. Ik moest hem met rust laten.'
'Moeder weet het altijd beter.' Ik koos mijn volgende woorden zorgvuldig. 'Heb je je familie gebeld om ze een gezellige Thanksgiving te wensen?'
'Nee.' Alison schonk een kop thee voor me in. 'Daar ben ik nog niet helemaal aan toe. Hier, drink op. Dan voel je je meteen een stuk beter.'
'Ik hoop het,' zei ik en nam aarzelend een slok.
'En, heb je het naar je zin gehad gisteravond? Behalve dat overgeven dan?'
Ik lachte en begreep dat ze het verder niet over haar familie wilde hebben. Althans, niet op dit moment. 'Ik heb een heerlijke avond gehad.'

'Volgens mij vindt Josh je echt leuk.'
'Denk je?'
'Ik kon het zien aan de manier waarop hij naar je keek. Hij vindt je bijzonder.'
'Hij is erg aardig.' Ik nam nog een slok thee, maar schrok toen ik mijn tong brandde.
'Voorzichtig!' Alisons waarschuwing kwam te laat. 'Hij is gloeiend heet.'
'En, wat ga jij doen vandaag? Naar het strand met je vrienden?'
'Geen denken aan. Ik blijf hier, om zeker te weten dat alles goed met je gaat.'
'Nee! Dat wil ik niet.'
Alison trok een stoel bij en zette die nadrukkelijk naast de mijne. 'Jij hebt ook voor mij gezorgd toen ik ziek was.'
'Ja, maar...'
'Geen gemaar.' Ze glimlachte. 'Mijn besluit staat vast. Ik ga nergens heen.'

Niet lang nadat ik mijn thee ophad, werd ik opnieuw misselijk. Mijn maag kwam weer in opstand, maar verder dan wat droge, pijnlijke oprispingen kwam ik niet. Tot mijn verrassing bleek Alison een uitstekende verpleegster te zijn. Ze legde een koel kompres op mijn voorhoofd en week niet van mijn zijde tot ik weer veilig in bed lag. 'Je moet proberen te slapen,' hoor ik haar nog zeggen, terwijl ze over mijn haar streek. 'Probeer wat te slapen...'
Of het nu kwam doordat ik uitgeput was, door het geluid van haar stem of door de aanraking van haar hand, ik weet het niet, maar ik sliep binnen een paar minuten. Deze keer werd ik niet gekweld door dromen. Ik sliep heel vast en werd pas uren later wakker. Toen ik mijn ogen opendeed, was het bijna middag.
Ik ging rechtop zitten en draaide met mijn hoofd om het stijve gevoel in mijn nek kwijt te raken. Toen hoorde ik een zachte stem in de andere slaapkamer. Het was Alison, besefte ik. 'Ik bel niet om ruzie te maken,' hoorde ik haar zeggen. Ik liet me uit bed glijden en schuifelde naar de deur, met mijn hand tegen de muur om houvast te hebben.
'Alles verloopt precies volgens plan,' vervolgde ze toen ik de gang in liep. 'Je zult erop moeten vertrouwen dat ik weet wat ik doe.'

Blijkbaar had ik geluid gemaakt, want ze draaide zich plotseling naar me om en werd lijkbleek.
'Terry! Hoe lang sta je daar al? Is alles goed met je?' De woorden tuimelden bijna over elkaar heen, als zand uit een kapotte zandloper. 'Ik moet ophangen,' zei ze in haar mobiele telefoon en stopte hem zonder antwoord af te wachten in de zak van haar witte korte broek. Toen sprong ze overeind en loodste me naar de bank, waar ze zo dicht naast me kwam zitten dat onze knieën elkaar raakten.
'Dat was mijn broer.' Ze klopte op de telefoon in haar zak. 'Ik besloot dat je gelijk had; dat ik mijn familie moest bellen om ze een gezellig Thanksgivingweekend te wensen, zodat ze weten dat het goed met me gaat. Dat was wel het minste wat ik kon doen.'
'En hoe verliep het gesprek?'
'Ongeveer zoals ik had verwacht. Maar hoe is het met jou? Je ziet er een stuk beter uit.'
'Ik voel me ook beter,' zei ik zonder veel overtuiging. Waar had Alison het met haar broer over gehad? Wat ging er precies volgens plan? 'Wat heb jij de hele ochtend gedaan?' vroeg ik in plaats daarvan.
'Ik ben eerst naar huis gegaan, om te douchen en me te verkleden. En toen...' Er verscheen een brede grijns op haar gezicht, en even vergat ik mijn zorgen. 'Toen heb ik dit gevonden.' Ze pakte een groot, in leer gebonden fotoalbum van het kussen naast haar en legde het op haar schoot. 'Je vindt het toch niet erg? Ik zocht iets te lezen, en toen kwam ik het toevallig tegen.' Ze sloeg het open. 'Zijn dit je ouders?'
Ik staarde naar een oude zwartwitfoto van een glimlachend jong stel bij een zwembad. Mijn vaders magere benen staken uit een donkere, veel te wijde zwembroek. Hij droeg instappers en een strohoed. Mijn moeder zat naast hem in een zedig gebloemd badpak. Ze hield haar handen preuts gevouwen in haar schoot. Haar haar had ze hoog opgestoken en haar kleine gezicht ging bijna helemaal schuil achter een grote, witte zonnebril. Ik vroeg me af hoe lang het geleden was dat ik deze foto's voor het laatst had bekeken. Het album zat weggestopt achter de boeken op de bovenste plank. Het was dus erg onwaarschijnlijk dat Alison het toevallig was tegengekomen. 'Ja, dat zijn mijn ouders.' Ik streek een onzichtbare haar uit het gezicht van mijn moeder en voelde hoe ze mijn hand wegsloeg. 'Dat was nog voor hun trouwen.'

Terwijl Alison de bladzijden omsloeg, zag ik mijn ouders geleidelijk aan volwassen worden; van verlegen jonge minnaars tot schuchtere pasgetrouwden en ten slotte nerveuze ouders. 'Deze vind ik het leukst.' Alison wees naar een foto van mijn moeder die een baby met verdrietige ogen tegen haar wang drukte. 'Kijk toch eens hoe schattig je was.'
'Schattig! Hoe kom je erbij? Moet je die wallen onder mijn ogen zien!' Ik schudde ontsteld mijn hoofd. 'Volgens mijn moeder heb ik geen nacht doorgeslapen tot ik drie was. En ik heb tot mijn zevende in mijn broek geplast. Geen wonder dat ze niet méér kinderen hebben genomen.'
Alison lachte en bestudeerde de foto's een voor een aandachtig. 'Wie ben jij?' vroeg ze plotseling, wijzend naar een grote foto met een heleboel kleine kinderen die in keurige rijtjes stonden opgesteld, als viooltjes in een tuin. Hij was gemaakt in het laatste jaar van de kleuterschool.
Ik wees naar een klein meisje in een witte jurk dat vanaf de achterste rij met gefronste wenkbrauwen in de camera keek.
'Je ziet er niet uit alsof je erg gelukkig bent.'
'Ach, ik heb het nooit leuk gevonden om op de foto te gaan.'
'Meen je dat nou? Ik vind het heerlijk! O, moet je deze eens zien! Ben jij dat?' Alison wees naar een klein meisje in een geruite trui dat met gefronste wenkbrauwen naast de juffrouw van de derde klas stond.
'Ja, dat ben ik.'
'Moet je je gezicht zien.' Alison lachte. 'Je kijkt op elke foto hetzelfde, zelfs als tiener. Wie is Roger Stillman?'
'Wie?'
'Roger Stillman. Staat hij ergens op een foto?'
'Nee. Hij zat een paar klassen hoger dan ik,' hielp ik haar herinneren.
'Jammer. Ik had graag willen weten hoe hij eruitzag. Wat is er van hem geworden, denk je?'
'Ik heb geen idee.'
'Heb je nooit zin om gewoon de telefoon te pakken en hem te bellen? "Roger Stillman? Hallo, je spreekt met Terry Painter. Ken je me nog?"'
'Nee, nooit,' zei ik, feller dan de bedoeling was.

'Denk je dat hij nog in Baltimore woont?'
Ik haalde onverschillig mijn schouders op en bladerde naar de volgende bladzijde, met een kleurenfoto van mijn ouders op het gazon in de voortuin van hun eerste huis in Delray Beach. Ze zagen er een beetje stijf uit, alsof ze toen al wisten dat ze het niet gemakkelijk zouden krijgen. 'Zou je nog een kopje thee voor me willen maken?' vroeg ik.
'Natuurlijk. Met het grootste plezier.' Alison kwam overeind. 'Wil je er misschien geroosterd brood bij, met jam?'
'Welja, waarom niet.'
'Zo mag ik het horen.'
Ik legde mijn hoofd tegen het bordeauxrode fluweel van de bank, sloot mijn ogen en hoorde in gedachten weer Alisons stem. *Alles verloopt precies volgens plan*, zei ze spinnend. Toen hoorde ik een andere stem: *Ik heb een boodschap voor je van Erica Hollander*, fluisterde de onbekende in mijn oor. *Ze zegt dat je beter op moet passen.*
Maar ik was te moe, te zwak om te luisteren.

11

De weken tussen Thanksgiving en Kerstmis had ik het erg druk, zowel thuis als in het ziekenhuis. In de vijf jaar sinds de dood van mijn moeder had ik nooit echt veel werk van Kerstmis gemaakt of mijn huis versierd. Sterker nog, ik had altijd geprobeerd de feestdagen zo veel mogelijk te negeren en had vaak overgewerkt of me vrijwillig aangemeld voor de nachtdienst. Alison was echter vastbesloten daar verandering in te brengen.

'Hoezo, je moet werken op Eerste Kerstdag?' jammerde ze.

'Ach, het is gewoon een dag zoals alle andere.'

'Nee, dat is het niet. Het is Kerstmis. Kun je niet met iemand ruilen?'

Ik schudde mijn hoofd. Het liep tegen het eind van de middag. Ik was in de tuin aan het werk en Alison liep rusteloos te ijsberen op het grasveld achter me.

'Maar dat is verschrikkelijk!' protesteerde ze. Ze klonk alsof ze achttien was in plaats van achtentwintig, en zo zag ze er ook uit. 'Ik had eigenlijk gehoopt dat we kerst samen konden vieren.'

'Dan doen we dat op kerstavond.'

Haar gezicht klaarde onmiddellijk op. 'Ja! Er zijn een heleboel gezinnen die op kerstavond de cadeautjes al openmaken. Mag ik met je mee als je een boom gaat kopen?'

'Een boom?' Ik kon me niet herinneren wanneer ik voor het laatst een kerstboom had gehad.

'Ja, natuurlijk! Je moet toch een boom hebben! Wat is Kerstmis zonder boom? En we kopen versiering en kleine, witte lichtjes. Ik betaal. Dat is wel het minste wat ik kan doen. O, het wordt geweldig. Gaan we samen een boom kopen?'

Hoe kon ik nee zeggen? In de weken sinds ik ziek was geweest, was Alison een vast – en steeds welkomer – onderdeel van mijn leven geworden. We belden elkaar regelmatig vanaf ons werk, we aten twee of drie keer in de week samen en af en toe gingen we naar de film of we maakten een strandwandeling. Hoe druk onze agenda's ook waren, Alison vond altijd tijd om samen te zijn. En hoewel ik mijn reserves had gehad ten aanzien van huurders in het algemeen en Alison in het bijzonder, liet ze geen spaan heel van mijn angstige vermoedens. Ik stond machteloos, besefte ik toen we een paar dagen later over Military Trail reden, met een grote spar half uit de achterbak van mijn auto. In slechts enkele maanden was Alison erin geslaagd een cruciale rol in mijn leven te gaan spelen, en ondanks het feit dat we twaalf jaar in leeftijd scheelden, was ze waarschijnlijk de meest intieme vriendin die ik ooit had gehad.

'Is het niet de allermooiste boom van de hele wereld?' vroeg ze toen we de laatste zachtroze strikken aan de lange, scherpe takken hadden gehangen. We deden een stap naar achteren om ons werk te bewonderen.

'Absoluut. Het is de allermooiste boom van de hele wereld,' viel ik haar bij, en ze sloeg haar armen om me heen.

'Dit wordt de fijnste kerst die ik ooit heb gehad,' verklaarde Alison toen kerstavond met rasse schreden naderde en ze nog een cadeautje toevoegde aan de groeiende stapel onder de boom, die ze in de hoek van de woonkamer had gezet.

'Volgens mij heeft ze heimwee,' vertrouwde ik Margot toe op mijn werk. 'Je zou mijn huis eens moeten zien Alles is versierd, overal hangen takjes hulst en ik kan nauwelijks een voet verzetten zonder tegen een kerstman te stoten. Ze heeft die gekke dingen overal neergezet.'

'Zo te horen is ze hard bezig de boel over te nemen,' zei Margot lachend. 'Ik ben benieuwd hoe lang het duurt voordat zij in jouw huis trekt en jij weer genoegen moet nemen met het huisje in de tuin.' Ze pakte een patiëntenkaart en nam de telefoon op.

'Volgens mij heeft ze gewoon heimwee,' herhaalde ik, een beetje geërgerd over Margots opmerking, ook al wist ik niet goed waarom.

Margot hield me de hoorn voor. 'Het is voor jou.'

'Met Terry Painter,' zei ik, denkend dat het Alison was. Had ze gevoeld dat we het over haar hadden?

'Terry, je spreekt met Josh.'

Een gevoel van moedeloosheid overviel me.

'Ik vind het echt heel vervelend dat ik wéér moet afzeggen,' zei hij, terwijl ik mijn kin op mijn borst liet zakken en in gedachten met hem meepraatte. 'Er is iets tussengekomen. Ik kan helaas niet met je lunchen. Het spijt me ontzettend.'
'Mij ook,' zei ik naar waarheid. Dit was al de derde keer in drie weken dat Josh een lunchafspraak afzegde. Behalve een paar vluchtige gesprekjes wanneer hij bij zijn moeder langskwam, hadden we elkaar sinds Thanksgiving niet meer gesproken.
'Zullen we dan vanavond uit eten gaan?' vroeg hij tot mijn verrassing. 'Ik moet toch die kant uit, en ik heb iets voor je.'
'O?'
'Ja, het is tenslotte bijna Kerstmis. Gewoon een klein blijk van mijn waardering. Omdat je zo goed voor mijn moeder zorgt,' voegde hij er haastig aan toe. 'Zal ik je om zeven uur oppikken?'
'Prima.'
'Oké, dan ben ik er om zeven uur.' Hij hing op zonder gedag te zeggen.
'O, je zou je eigen tevreden gezicht eens moeten zien,' zei Margot met een plagerige knipoog.
Ik zei niets, want in gedachten was ik al bij de avond die voor me lag. Wat kon mij het schelen dat Josh drie lunchafspraken had afgezegd? Eén keer 's avonds uit eten stond gelijk aan drie keer lunchen. En dat niet alleen, hij had ook nog een cadeautje voor me – een klein blijk van waardering, had hij gezegd. *Omdat je zo goed voor mijn moeder zorgt*. Ik probeerde me voor te stellen wat het zou zijn. Een lekker luchtje? Een paar mooie zeepjes? Misschien een zijden sjaal of een kleine broche? Nee, het was nog veel te vroeg voor sieraden. Onze relatie – als je een paar kussen en diverse afgezegde lunchafspraken een relatie kon noemen – was nog erg pril. Het zou niet gepast zijn wanneer hij me nu al zou overladen met overdreven grote cadeaus, hoorde ik mijn moeder zeggen. Maar dat deed er niet toe. Wat Josh me ook gaf, het was allemaal geweldig. Ik vroeg me af wat ik voor hem zou kopen, en besloot Myra om advies te vragen. Haar toestand was de laatste paar weken verslechterd, en daardoor was ze een beetje depressief. Iets wat ik heel goed begreep. Misschien zou het nieuwtje dat ik met haar zoon uit eten ging haar opvrolijken. Maar Myra sliep toen ik haar kamer binnen kwam, dus nadat ik haar infuus had gecontro-

leerd en haar dekens had rechtgetrokken, vertrok ik weer. 'Ik ga vanavond uit eten met je zoon,' zei ik vanuit de deuropening. 'Wens me maar sterkte.'
Het enige antwoord dat ik kreeg, was het zachte gefluit waarmee Myra uitademde. Ik deed de deur dicht en liep de gang op, waar ik bijna omver werd gelopen door een verpleeghulp. 'Wat is er aan de hand?' riep ik hem na toen hij naar het eind van de gang rende.
'De patiënt op kamer 423 is bijgekomen,' riep hij opgewonden terug.
'Sheena O'Connor?' vroeg ik, maar hij was al om de hoek verdwenen. 'Mijn god, het is niet te geloven.'
Ik haastte me naar kamer 423. Het was er stampvol doktoren en ander medisch personeel. Iedereen was met iets bezig, gejaagd en overdreven geconcentreerd en zorgvuldig, zodat het deed denken aan een videoband die tegelijkertijd te snel en in slow motion werd afgedraaid. Ik ving een glimp op van de bleke jonge vrouw die het rustpunt vormde in het oog van de storm. Ze zat rechtop in bed, nog altijd met tientallen slangen aan allerlei apparatuur verbonden. Gedurende een fractie van een seconde kruisten onze blikken elkaar, terwijl ik aanstalten maakte om achteruit de kamer te verlaten.
'Niet weggaan!' klonk haar zachte, maar doordringende stem.
Ik verstijfde toen iedereen zich naar me omdraaide.
'Ik ken u,' zei het meisje. 'U hebt voor me gezongen. Dat was u toch?'
'Heb je dat gehoord?' Ik liep naar het bed en de artsen en verpleegsters die om haar heen stonden gingen voor me opzij.
'Ja, ik heb het gehoord,' zei Sheena zacht. Ze zakte terug in de kussens en haar grote, donkere ogen vielen dicht.
'Het is een wonder,' fluisterde een gedempte stem in een hoek van de kamer.
'Heeft iemand haar familie al gewaarschuwd?' vroeg een ander.
'Haar ouders zijn onderweg.'
'Moeten we de politie bellen?'
'Die hebben we ook al ingelicht.'
'Het is een wonder,' zei weer iemand anders. 'Een echt kerstwonder.'

Ik kon niet wachten om het nieuws van Sheena's wonderbaarlijke herstel aan Alison te vertellen, dus ik besloot even langs te gaan bij de galerie. Misschien kon ze me dan meteen helpen met het uitkiezen van een cadeautje voor Josh; iets *gepasts*, dacht ik, euforisch en licht in mijn hoofd, terwijl ik parkeerde langs Atlantic Avenue waar net een plekje vrijkwam. Alweer een wonder!
Ik zag Alison nergens toen ik de galerie in kwam. En Denise was er ook niet. De ruimte lag er verlaten bij. Niet bepaald klantvriendelijk, dacht ik. Toen ik om me heen keek, zag ik dat het schilderij van de vrouw met de breedgerande hoed was verdwenen. Ik voelde een steek van spijt. Alison had gelijk gehad: het zou schitterend in mijn woonkamer hebben gestaan. Wat zonde dat ik niet naar haar had geluisterd toen ik de kans had. Blijkbaar was iemand anders besluitvaardiger geweest dan ik.
Mijn leven was een aaneenschakeling van gemiste kansen, dacht ik somber, maar ik besloot meteen dat daar verandering in zou komen.
Te beginnen met vanavond.
Te beginnen met Josh.
'Hallo!' riep ik. 'Alison?'
'Kan ik u helpen?'
Ik draaide me om en zag een aantrekkelijke vrouw van ongeveer mijn leeftijd naar me toe komen. Haar hoge hakken tikten op de hardhouten vloer.
'Neemt u me niet kwalijk, ik was op kantoor bezig. Staat u al lang te wachten?'
'Nee, ik kom net binnen.'
Ze glimlachte, hoewel de huid rond haar mond zo strak was getrokken dat ik moeilijk kon zien of ze blij was of pijn had. In een reflex bracht ik mijn hand naar mijn wang en legde ik mijn vingers op de fijne lijntjes rond mijn ogen. 'Zoekt u iets speciaals?' vroeg de vrouw.
'Eerlijk gezegd zoek ik iemand die hier werkt. Alison Simms.'
De mond van de vrouw vormde nu een strakke, rechte lijn. 'Alison werkt hier niet meer,' zei ze kortaf.
'O?'
'Ze is vorige week vertrokken.'
'Vertrokken? Waarom?'

'Ik heb haar helaas moeten ontslaan.'
'U hebt haar moeten ontslaan?' herhaalde ik, als een soort papegaai. 'Waarom?'
'Misschien kunt u dat beter aan haar vragen.'
Alison had het er met geen woord over gehad. Ze had wel gezegd dat ze niet meer gebeld mocht worden op haar werk. Dat haar bazin dat niet prettig vond. Lieve hemel, zou het door mij komen dat ze haar baan was kwijtgeraakt? 'En dat is vorige week gebeurd?' hoorde ik mezelf vragen. Het duizelde me.
'Kan ik u verder nog ergens mee helpen?' vroeg Fern Lorelli, duidelijk gretig om het over iets anders te hebben.
Ik mompelde iets over een kerstcadeautje voor een vriend, en uiteindelijk kocht ik een mooie, echt mannelijke balpen waarvan ik dacht dat hij bij Josh in de smaak zou vallen. Maar ik was er met mijn hoofd niet bij. Waarom was Alison ontslagen? En wat belangrijker was, waarom had ze niets gezegd? Ik besloot het haar meteen te vragen zodra ik thuiskwam.
Toen ik uit mijn auto stapte, hoorde ik binnen mijn telefoon gaan. Haastig liep ik naar binnen. De kerstklokken die Alison aan de voordeur had gehangen, rinkelden terwijl ik naar de keuken rende en de hoorn van de haak griste. Het zakje met mijn nieuwe aankoop liet ik op het aanrecht vallen, naast drie kerstmannetjes die er verbaasd en nieuwsgierig naar keken. 'Hallo?'
Een zachte mannenstem glibberde als een slang door de telefoonlijn. 'Heb je iets leuks voor mij gekocht?'
De adem stokte in mijn keel en ik keek nerveus naar het achterraam. Had iemand me gevolgd? Werd ik in de gaten gehouden? Maar waarom, vroeg ik me af, terwijl ik mijn armen beschermend over elkaar sloeg, alsof ik spiernaakt in de keuken stond. 'Met wie spreek ik? Wat wil je van me?'
Het enige antwoord was een kwaadaardig gegrinnik, gevolgd door stilte en het vertrouwde signaal dat aangaf dat hij had opgehangen.
'Verdomme!' Ik hing op en keek op de nummermelder. Maar de beller had zijn nummer geblokkeerd. Ik gooide de hoorn op de haak.
Bijna onmiddellijk ging de telefoon opnieuw.
'Luister eens, ik weet niet wat je bezielt,' zei ik nijdig. 'Maar als je niet ophoudt me lastig te vallen, bel ik de politie.'
'Terry?'

'Josh!'
'Ik besef dat ik een paar lunchafspraken heb afgezegd, maar vind je het echt nodig om de politie erbij te halen?'
'Sorry. Ik krijg al een tijdje anonieme telefoontjes... Nou ja, het doet er niet toe.' Ik zuchtte en probeerde de gedachte aan andere stemmen uit mijn hoofd te zetten.
'Heb je een zware dag achter de rug?'
'Nee, helemaal niet.' Ik was onmiddellijk afgeleid. 'Sterker nog, het was een geweldige dag.' Even vroeg ik me af waarom hij belde. Ongetwijfeld niet om te vragen hoe mijn dag was geweest. 'Herinner je je Sheena O'Connor nog? Ze is vanmiddag bijgekomen uit haar coma,' ratelde ik door, bijna bang om hem aan het woord te laten. 'Het was ongelooflijk. Iedereen heeft het over een kerstwonder.'
'Ik kan me voorstellen hoe opwindend dat moet zijn geweest.'
'Het was gewoon verbijsterend. En het fijnste is dat ze me heeft horen zingen terwijl ze in coma lag. Hoe vind je dat? Is het niet ongelooflijk?' Ik besefte dat ik net als Alison klonk met al mijn superlatieven. 'Ik zal je vanavond het hele verhaal in geuren en kleuren vertellen.'
Er volgde een verschrikkelijke stilte. Voor de tweede keer die dag zonk de moed me in de schoenen en had ik het gevoel dat mijn geluk aan scherven viel, met zoveel geweld dat de vloer onder mijn voeten leek te beven.
'Ik voel me echt een ongelooflijke hufter,' zei Josh.
'Wat is er dan?' Ik deed de eerste de beste la open en liet het tasje van Galerie Lorelli erin vallen. Het was duidelijk dat ik Josh Wylie die avond niet zou zien.
'Het gaat om Jillian,' zei hij, verwijzend naar zijn dochter. 'Ze voelde zich niet zo lekker toen ze uit school kwam.'
'Heeft ze koorts?'
'Volgens mij niet, maar ik vind het gewoon niet prettig om haar nu alleen te laten. Het spijt me ontzettend. Ik vind het zo erg dat ik je dit moet aandoen. Twee keer op één dag! Misschien zou je toch de politie moeten bellen.'
'Ach, zoiets kan gebeuren,' zei ik opgewekt en ramde de la dicht, zodat de drie kerstmannen als dominostenen omvielen.
'Ik vind het echt afschuwelijk.'
'Nou, ik weet zeker dat je het goedmaakt,' waagde ik dapper.

'Reken maar. Zodra ik terug ben uit Californië.'
'Uit Californië? Ga je weg?'
'Ja, het is maar voor een paar weken. De kinderen hebben nichtjes en neefjes in San Francisco. We vertrekken overmorgen en we komen drie januari terug.'
Daar gaat oud en nieuw, dacht ik.
'Ik hoop dat je geen al te grote hekel aan me hebt.'
'Welnee, zoiets kan gebeuren.'
'Ik beloof je dat ik het goedmaak.'
'Veel plezier in Californië,' zei ik. 'En wens Jillian beterschap van me.'
'Dat zal ik doen.'
'Tot volgend jaar,' zei ik opgewekt, toen hing ik haastig op, voordat ik in snikken uitbarstte. 'Verdomme!' vloekte ik. 'Verdomme! Verdomme! Verdomme!'
Er werd op de keukendeur getikt. Verschrikt hield ik mijn adem in, en met betraande ogen liep ik naar de deur. 'Sorry,' zei Alison boven het gerinkel van de kerstklokken uit. 'Ik wilde je niet laten schrikken.'
Ik ving een glimp op van roodblonde krullen, een witte korte broek en lange, bruine benen, voordat ik me afwendde.
'Terry? Wat is er?'
'Waarom heb je me niet verteld dat je bent ontslagen?' Ik veegde met de rug van mijn hand over mijn ogen en weigerde haar aan te kijken.
Ik vóélde bijna dat alle kleur uit haar gezicht verdween. 'Wat?'
'Ik ben vanmiddag bij de galerie geweest. En daar sprak ik Fern Lorelli.'
'O.'
'Ze zei dat ze je helaas had moeten ontslaan.'
Het bleef even stil. 'Wat zei ze nog meer?' zei Alison ten slotte.
'Niet veel.'
'Heeft ze niet gezegd waarom?'
Ik veegde de laatste tranen uit mijn ogen en draaide me naar haar om. Alison keek onmiddellijk naar de grond. 'Ze zei dat ik dat maar aan jou moest vragen.'
Alison knikte, nog altijd niet in staat om me aan te kijken. 'Ik wilde het je vertellen.'

'Maar dat heb je niet gedaan.'
'Nee, ik had willen wachten tot ik ander werk had gevonden, omdat ik niet wilde dat je je zorgen zou maken over de huur. Bovendien wilde ik onze Kerstmis niet bederven.'
'Waarom ben je ontslagen?'
Langzaam sloeg Alison haar blik op. 'Ik heb niets verkeerds gedaan,' zei ze smekend. 'Blijkbaar ontbrak er geld uit de kassa, de cijfers klopten niet... Ik zweer je dat ik er niets mee te maken had.'
'Het was gewoon gemakkelijker om jou te ontslaan dan haar nichtje ter verantwoording te roepen,' zei ik ten slotte, en ik moest me beheersen om er niet aan toe te voegen: *Ik heb je nog zo gewaarschuwd.*
'Je hoeft je geen zorgen te maken. Echt niet. Ik heb geld genoeg.'
'Ik maak me geen zorgen over geld.'
'Wat is er dan? Maak je je zorgen over mij? Dat hoeft ook niet,' zei ze, voordat ik iets kon zeggen. 'Het spijt me dat ik niets heb gezegd. Ik zal in het vervolg altijd eerlijk tegen je zijn. Dat beloof ik. Wees alsjeblieft niet boos op me.'
'Ik ben niet boos.'
'Echt niet?'
Ik schudde mijn hoofd. Het was nog waar ook, besefte ik. Als ik al boos was op iemand, dan was het op mezelf. Omdat ik zo'n vervloekte dwaas was.
'Ik heb een geweldig idee!' riep Alison en rende de kamer uit.
Even later hoorde ik haar rommelen tussen de pakjes onder de kerstboom, en weer even later was ze terug met een fleurig, enigszins slordig ingepakt cadeautje. Ze hield het me voor. 'We maken onze cadeautjes toch al voor de kerst open, dus dan maakt het niet uit als je er nu al een uitpakt. Let maar niet op het papier. Ik heb ooit een cursus geschenkverpakkingen gedaan, maar dat zou je niet zeggen. Toe dan. Maak open. Ik weet zeker dat je je dan beter voelt.'
'Wat is het?'
'Dat weet je pas als je het openmaakt.'
Ik scheurde het papier van de bruine kartonnen doos en maakte hem open. Vanonder een dikke laag bubbeltjesplastic keken twee grote, donkere ogen me aan. Langzaam en zorgvuldig wikkelde ik het plastic van de vaas. Het porseleinen vrouwtje had een ingewikkeld, blond kapsel, een grote blauwe strik in haar hals en namaakdiamantjes in haar oren. 'Ze is prachtig. Hoe kom je eraan?'

'Van de rommelmarkt bij Woolbright. Is ze niet geweldig? Oké, ik weet dat je het rommel vindt, maar ik kon de verleiding niet weerstaan. Toen ik haar zag, beschouwde ik dat meteen als een soort teken.'

'Een teken?'

'Ja, alsof het de bedoeling was dat ik haar zou vinden en aan jou zou geven. Alsof het voorbestemd was.' Ze draaide verlegen met haar ogen. 'Ik bedoel... de andere vazen zijn van je moeder. Deze is... deze is helemaal van jou. Je eerstgeborene, om het zo maar eens te zeggen. Hoe vind je haar?'

'Ik vind haar prachtig.'

Alison slaakte een kreet van verrukking. 'Ze is puntgaaf. Moet je eens naar die wimpers kijken.'

'Ze is volmaakt.' Ik draaide het porseleinen hoofd in mijn handen rond. 'Dank je wel.'

'Voel je je al een beetje beter?'

'Een stuk beter.'

'Waar ga je haar neerzetten?' Alison keek naar de vijf planken met vrouwengezichten.

'Ze is heel bijzonder, dus ik denk dat ik haar in mijn slaapkamer zet.'

Alison straalde alsof ik haar het grootst denkbare compliment had gegeven. 'Oké. Dus ik zie je straks nog?'

'Ja, tot straks.' De kerstklokken rinkelden toen de keukendeur achter haar in het slot viel. Ik slenterde naar de eetkamer en keek glimlachend naar de kersttakken die Alison boven op de kast had gelegd, naar de kerstman met zijn ronde appelwangetjes op tafel en naar het rendier van papier-maché tegen de muur.

De woonkamer zag er net zo uit: nog meer kerstmannen, nog meer rendieren en minstens tien kerstkabouters. Elk leeg plekje was opgevuld met kerstversiering. En ten slotte de boom zelf: een grote spar met de geur van het bos. De takken waren versierd met roze strikken en witte lampjes, en eronder lag een enorme berg cadeautjes. Alleen al door ernaar te kijken voelde ik me beter. En dat had ik allemaal aan Alison te danken, besefte ik, terwijl ik de porseleinen vaas in mijn armen wiegde alsof het inderdaad mijn eerstgeboren kind was.

Alison was het ware kerstwonder, besloot ik.

Ik leek wel gek om te lopen mokken omdat een vent me had laten zitten! *Denk liever aan alles wat je hebt om dankbaar voor te zijn! Noem drie dingen*, hoorde ik Alison zeggen.

'Mijn gezondheid,' zei ik nadenkend, en toen kreunde ik. 'Het wonderbaarlijke herstel van Sheena O'Connor.' God, ze had me horen zingen! Ze had me echt horen zingen! 'Alison,' fluisterde ik ten slotte, en toen nog eens, maar nu krachtig en met luide stem: 'Alison.'

Vervuld van berouw keek ik naar het porseleinen vrouwengezicht in mijn armen. Ik was geen haar beter dan Fern Lorelli, dacht ik vol afschuw. Ik had Alison als zondebok gebruikt en al mijn boosheid en teleurstelling over wat een ander me had aangedaan op haar afgereageerd.

Hoe had ik haar kunnen laten weggaan zonder haar ook iets te geven? Ik bukte me, pakte een klein pakje in zilverpapier onder de boom vandaan en liep ermee naar de keuken. Daar zette ik de porseleinen vaas op tafel, naast het peper-en-zoutstel in de vorm van twee kerstmannetjes dat Alison had gekocht. Het gerinkel van kerstklokken achtervolgde me over het tuinpad naar de deur van haar huisje.

Net toen ik wilde kloppen, hoorde ik stemmen.

'Ik heb je gezegd dat je dit aan mij over moest laten,' zei Alison woedend, en zo hard dat ik het buiten kon verstaan.

'Ik wil je alleen maar helpen.'

'Ik heb je hulp niet nodig. Ik weet wat ik doe.'

'Sinds wanneer weet je dat?'

Toen ik me omdraaide en wilde weglopen, streek mijn schouder per ongeluk langs de kerstklokken aan de bronzen klopper. Bijna onmiddellijk ging de deur open en keek ik in het vragende gezicht van Alison. 'Terry!'

In een reflex hield ik haar het cadeautje voor. 'Ik kwam je alleen maar even dit brengen.'

'O, wat lief van je.' Ze keek over haar schouder naar binnen. 'Dat had je niet hoeven doen.'

'Dat weet ik, maar ik dacht...' Wat dacht ik? 'Heb je bezoek?' vroeg ik abrupt.

Er viel een gespannen stilte. Toen verscheen er als bij toverslag een knappe jongeman achter Alison. Hij was aanzienlijk langer dan zij en had een lichte huid, donkere krullen en de verontrustend blauwe ogen van een Siamese kat. Onder de korte mouwen van zijn zwarte T-shirt, dat strak om zijn borst spande, waren duidelijk zijn goed ontwikkelde spierballen te zien.

'Ja, ik ben het bezoek.' Hij reikte glimlachend om Alison heen en stak zijn hand uit.

'Terry,' zei Alison, met haar blik op de grond gericht. Het was de tweede keer die middag dat ze me niet recht durfde aan te kijken, besefte ik. 'Mag ik je even voorstellen? Dit is Lance Palmay, mijn broer.'

12

'Aangenaam,' zei Lance, terwijl hij me verrassend voorzichtig de hand schudde.
'Ik heb hem gebeld na Thanksgiving, weet je nog wel?' vroeg Alison.
Ik knikte en herinnerde me het eenzijdige gesprek dat ik had afgeluisterd op de ochtend dat ik zo ziek was geweest.
Alles verloopt precies volgens plan. Je zult erop moeten vertrouwen dat ik weet wat ik doe.
'Lance heeft besloten het vliegtuig te nemen om met eigen ogen te zien hoe ik me red.'
'En zo te zien redt ze zich prima,' verklaarde Lance.
'Daarom kwam ik bij je langs; om je te vertellen over Lance,' legde Alison uit. Ze gebaarde uitnodigend om me binnen te laten. 'Maar we dwaalden af en...'
Ik weet niet precies wat ik had verwacht toen ik het tuinhuisje binnen stapte – een met engelenhaar bedekt wonderland, een waar leger aan speelgoedfiguren, een nabootsing van de Noordpool? Tot mijn verbazing was er in het huisje echter weinig van Kerstmis te merken. Op de glazen tafel voor de donkerpaarse tweezitsbank stond een grote, rode kaars met wat hulsttakken eromheen, en in de schommelstoel lag een eenzame kerstman op zijn buik. Dat was alles. 'Wil je iets drinken?' bood Alison aan.
Ik schudde mijn hoofd en keek toe hoe Lance zich in de grote, gebloemde stoel liet vallen. Hij voelt zich hier wel erg thuis, dacht ik en schraapte mijn keel om niets te laten merken. 'Wanneer ben je aangekomen?'
'Ik ben om half een op Fort Lauderdale geland.' Hij keek glimlachend naar Alison. 'Ik heb op het vliegveld een auto gehuurd. Een witte Lincoln Town Car maar liefst! Hij staat aan de overkant. Je moet hem hebben gezien. Ik verraste die ouwe slaapkop hier toen ze uit bed kwam.'

Alison kneep haar ogen tot spleetjes, en ik zag dat haar schouders verkrampten.
'Waar logeer je?' vroeg ik.
Alison en haar broer keken elkaar gespannen aan.
'Daar hadden we het net over...' begon Alison.
'Ik dacht dat ik voor die paar dagen misschien wel hier kon blijven,' zei Lance, alsof het besluit al genomen was.
'Hier?' herhaalde ik, niet wetend wat ik anders moest zeggen.
'Als je daar bezwaar tegen hebt...' begon Alison haastig.
'Waarom zou ze daar bezwaar tegen hebben?' Lance keek me strak aan.
'Maar... waar moet je dan slapen?' De bank was veel te kort voor de lange benen van een voormalig basketballer, het tweepersoonsbed te smal voor broer en zus.
'Dit is een lekkere stoel.' Lance sloeg op de enorme armleuning. 'En ik kan altijd een kussen op de grond gooien.'
'Vind je het goed?' vroeg Alison aan mij. 'Want als je het niet goedvindt, kan Lance ook naar een motel.'
'In deze tijd van het jaar? Zonder reservering? Daar zou ik maar niet op rekenen.'
'Ik wil niet dat jij je er niet prettig bij voelt,' zei Alison.
'Nee, dat zouden we niet willen,' viel Lance haar bij. 'Als je het verveldend vindt wanneer ik hier logeer, in welk opzicht dan ook...'
'Het gaat me om jóúw gemak.'
'O, maak je over mij geen zorgen.'
'Ik betaal natuurlijk extra,' bood Alison aan.
'Doe niet zo gek. Daar gaat het niet om.'
'Terry heeft slechte ervaringen met haar vorige huurder,' vertelde Alison aan haar broer.
'O, wat dan?'
'Dat is een lang verhaal.' Ik schudde mijn hoofd. 'Oké, vooruit dan maar. Het is voor een paar dagen, zei je?'
'Absoluut.' Alison knikte heftig.
'Kerstmis... hooguit tot nieuwjaar,' zei Lance, waarmee hij de paar dagen moeiteloos oprekte tot tien.
'Tja...'
'Mag ik dan nu mijn cadeautje openmaken?' vroeg Alison ongeduldig. Zonder mijn antwoord af te wachten, rukte ze het zilver-

kleurige papier eraf. Haar ogen werden groot van verrukking toen ze zag wat erin zat. 'Een portefeuille! O, dat is geweldig. Precies wat ik nodig had. Hoe wist je dat?'
Ik lachte en dacht aan het losse geld dat voortdurend uit haar tas dwarrelde.
'We voelen elkaar perfect aan, vind je ook niet?' Alison draaide de honingbruine, leren portefeuille om in haar handen en streelde de gladde zijkanten. 'Het is ongelooflijk.'
'Het is een prachtige portefeuille,' zei Lance. 'Terry heeft duidelijk een onberispelijke smaak.'
Bedoelde hij het sarcastisch? Ik twijfelde.
'Ik moet ervandoor,' zei ik en draaide me om naar de deur.
'Je gaat toch wel mee uit eten vanavond?' vroeg Alison.
'Ik denk het niet. Eerlijk gezegd heb ik niet zoveel trek. Gaan jullie maar samen. Jullie hebben vast en zeker heel wat bij te praten.'
'Oké,' stemde Alison met tegenzin in. 'Maar alleen als je belooft dat we morgen samen op stap gaan.'
'Morgen?'
'Ik weet dat je morgen vrij hebt, en ik wil Lance Delray laten zien.'
'Daar heb je mij toch niet bij nodig?'
'Natuurlijk wel. Hè, toe! Het is niet hetzelfde zonder jou.'
'Je weet dat protesteren geen zin heeft,' zei Lance lachend.
Hij had gelijk, en we wisten het allemaal.
'Je moet mee,' hield Alison vol. 'Alsjeblieft. Het wordt vast een heerlijke dag. Alsjeblieft! Zeg dat je er ten minste over zult denken.'
'Oké, ik zal erover denken.'

Uiteindelijk ging ik natuurlijk mee. Ik had tenslotte geen keus. Het is zinloos om te zeggen dat ik gevaarlijk naïef was, zelfs roekeloos; dat ik mezelf voor de gek hield door te blijven denken dat alles goed zou komen, dat Alison en haar broer waren wie ze beweerden te zijn. Dat heb ik ook allemaal al tegen mezelf gezegd, en nog veel meer. Maar ik bleef mijn twijfels wegredeneren. Ik overtuigde mezelf ervan dat Alison oprecht was geweest in haar beweegredenen om me niet te vertellen dat ze was ontslagen, en dat ze natuurlijk niets te maken had gehad met het geld dat uit de kassa van de galerie ontbrak.

En dat gesprek dan, dat ik voor de deur van het tuinhuisje had afgeluisterd?
Ik heb je gezegd dat je dit aan mij over moest laten.
Waar ging dat over?
Ik kom je alleen maar helpen.
Ik heb je hulp niet nodig. Ik weet wat ik doe.
Wat had dat te betekenen?
Niets, verzekerde ik mezelf die avond. Alison en haar broer hadden het over van alles en nog wat kunnen hebben. Waarschijnlijk leed ik aan arrogantie of paranoia door te denken dat ze het over mij hadden. Niet alles ging over mij, zou mijn moeder hebben gezegd. En wat Alison en haar broer hadden besproken, was mijn zaak niet.
Ik heb je gezegd dat je dit aan mij over moest laten.
Waar ging dat over?
Ik was te moe om te proberen erachter te komen. En bovendien wílde ik er niet eens achterkomen. Ik wilde niet geloven dat Alison iets anders was dan de mooie vrijbuiter die kleur had gegeven aan mijn saaie bestaan. Waarom zou ik denken dat ze verborgen beweegredenen had of duistere plannen koesterde? Waarom kon het bezoek van haar broer niet net zo onverwacht en spontaan zijn als ze beweerden?
Dus ik nam bewust het besluit om geen aandacht te schenken aan de alarmbellen die als gekken afgingen in mijn hoofd – als de kerstklokken die Alison aan onze deuren had gehangen. Ik verdrong de stem van mijn instinct en zei tegen mezelf dat Lance Palmay over een paar dagen alweer weg zou zijn. Sterker nog, ik mopperde op mezelf omdat ik zo wantrouwend, zo overspannen gereageerd had. Toen liep ik met een pot thee naar de woonkamer, waar ik met een nieuw boek op de bank ging zitten. De witte lampjes in de kerstboom knipoogden naar me, de geur van dennennaalden concurreerde met die van witte oleander. Ik nam een slok van de kalmerende, hete thee, las een paar bladzijden, las ze opnieuw toen bleek dat er geen letter tot me was doorgedrongen, en dommelde langzaam in slaap. Het boek gleed uit mijn handen op de grond, terwijl schimmen uit het verleden zich losmaakten uit de schaduwen en verre stemmen in mijn oren fluisterden.
In mijn droom kuste ik Roger Stillman op de achterbank van zijn oude, rode Thunderbird, terwijl zijn handen onder mijn trui en

mijn rok verdwenen. Een steeds luider gekreun ontsnapte aan zijn keel toen hij triomfantelijk mijn slipje over mijn heupen naar beneden schoof en boven op me klom. 'Heb je een condoom?' vroeg ik, maar het volgende moment voelde ik een verscheurende pijn toen hij ruw bij me binnendrong. Ik schreeuwde het uit en sperde mijn ogen wijd open, die ik tijdens het grootste deel van onze vrijpartij stijf dicht had gehouden. Toen zag ik de politieman die door het raampje van de auto staarde. Het licht van zijn zaklantaarn viel op de donkere haren op Rogers blote billen. Ik gilde het uit, maar Roger bleef doorstoten, als een hond tegen een menselijk scheenbeen. Een willekeurig been, van een willekeurig mens, besefte ik, terwijl ik hem van me af duwde en hem voor mijn ogen zag veranderen in Lance Palmay, de broer van Alison.
'Wilt u alstublieft even uitstappen?' vroeg de politieman, waarop Roger/Lance glimlachend gehoorzaamde.
Ik worstelde met mijn kleren en probeerde mijn rok over mijn slip te trekken, die gedraaid om mijn knieën zat. Maar de politieman klom al op de achterbank en nam Rogers positie in, waarbij hij zijn zaklantaarn op me gericht hield, zodat ik zijn gezicht niet kon zien, terwijl hij zijn grote penis in mijn mond duwde. 'Je bent een stout meisje geweest,' zei hij met de sussende bariton van Josh Wylie. 'Ik zal het aan je moeder moeten vertellen.'
'O nee! Doet u dat alstublieft niet,' smeekte ik, terwijl zijn monsterlijk grote penis mijn lippen uit elkaar duwde. 'Zeg alstublieft niets tegen mijn moeder.'
'Wat mag hij niet zeggen?' vroeg mijn moeder, die plotseling naast me op de achterbank zat.
Op dat moment werd ik wakker.
'Nou, dat was nog eens genieten,' mompelde ik. Mijn hart bonsde in mijn keel. Het was donker in de kamer, op de flikkerende witte lampjes van de kerstboom na. Een blik op mijn horloge vertelde me dat ik uren had geslapen, hetgeen betekende dat ik waarschijnlijk de halve nacht wakker zou liggen. Ik legde mijn hoofd in mijn nek en liet het loom van mijn ene naar mijn andere schouder rollen, terwijl ik wachtte tot mijn hartslag weer normaal werd. Tot mijn schaamte én tot mijn verrassing merkte ik dat de droom me had opgewonden. Ondanks alle merkwaardigheden. Ondanks mijn moeder.

Of misschien wel juist door mijn moeder.
Het verbaasde me dat ik over Roger Stillman had gedroomd. Ik geloof niet dat ik ooit eerder over hem had gedroomd, zelfs niet in het vuur van onze relatie, voorzover datgene wat er tussen ons was geweest die naam verdiende. En waar kwam die overstap naar de broer van Alison ineens vandaan? Oké, ze waren allebei lang en knap, maar dat was ook de enige overeenkomst. Toch had mijn onderbewustzijn duidelijk een intuïtief verband gelegd, een diepere connectie gevoeld, ook al begreep mijn bewustzijn, mijn nuchtere verstand niet wat die connectie zou kunnen zijn.
Ik veegde een paar zweetdruppels uit mijn hals, masseerde mijn schouders en liet mijn hand langs mijn borsten strijken, precies zoals Roger Stillman dat had gedaan. Bij de herinnering aan zijn hand onder mijn blouse, aan zijn vingers die de sluiting van mijn beha hadden losgemaakt, werden mijn tepels hard. Ik voelde hoe mijn naakte borsten snakten naar zijn handen, naar zijn vingers die mijn gewillige vlees kneedden, naar zijn mond die aan mijn tepels zoog, wild en gretig als een uitgehongerd kind.
Ik herinnerde me de nauwelijks verholen weerzin van mijn moeder, elke keer als ze naar mijn steeds rijpere lichaam keek; alsof de groei van mijn borsten een welbewuste daad van opstandigheid was waarvoor ik me zou moeten schamen.
'Ga weg, moeder,' fluisterde ik en leunde achterover op de bank, denkend aan Roger en hoe onhandig hij de rits van mijn broek had opengemaakt voordat hij zijn hand in mijn slipje had laten glijden. Plotseling moest ik denken aan de handen van Josh, en ik stelde me voor dat het zijn vingers waren in plaats van die van Roger, terwijl ze mijn intiemste plekje streelden voordat ze bij me binnendrongen. Ik schreeuwde het uit. Mijn vingers waren niet in staat mijn fantasie te verwezenlijken en me de ontlading te geven waar mijn lichaam naar snakte. Ik ging op mijn buik liggen en drukte mijn onderlichaam tegen de rand van de bank. De zachte kussens smoorden mijn beschaamde kreten, terwijl een reeks wilde samentrekkingen mijn lichaam deed schokken.
Onmiddellijk werd ik overspoeld door de schaamte van mijn moeder.
Ik werkte me haastig overeind en keek om me heen, half en half verwachtend dat mijn moeder in een van de Queen-Annestoelen

naar me zat te kijken zoals ze in mijn droom naar me had gekeken. Maar tot mijn opluchting was de kamer vrij van geesten.
Ik liep naar het raam en keek naar buiten. Grote palmbladeren dansten in de schaduwen van een hoge straatlantaarn. Ik duwde mijn hoofd tegen het glas en vouwde krampachtig mijn handen achter mijn rug. Aan de overkant van de straat zag ik vluchtig iets bewegen; een schaduw waar eerder niets was geweest. Stond daar iemand? Grote god! Had iemand me gezien?
Er is altijd iemand die kijkt, klonk de waarschuwende stem van mijn moeder, terwijl ik naar de voordeur rende, hem openrukte en naar buiten staarde, de duisternis in.
Bettye McCoy en haar stompzinnige hondjes kwamen net de hoek om. Ik zag ze aankomen, maar zij konden mij niet zien in de donkere opening van mijn voordeur. Bettye droeg een strakke spijkerbroek en een kort rood truitje met bijpassende rode schoenen met hoge hakken. In haar haar droeg ze een rode haarband. Een soort middelbare, chirurgisch opgevulde Alice in Wonderland, dacht ik wreed. Haar hakjes tikten op het plaveisel, terwijl ze zich door haar twee hondjes liet meesleuren. Natuurlijk stopten de mormels om de paar seconden om aan een struik of een boom te snuffelen, en ze tilden herhaaldelijk hun poot op om hun territorium af te bakenen. Doe toch gewoon wat je moet doen en loop door, dacht ik en keek met groeiende ontsteltenis hoe een van de honden plotseling in het rond draaide, zijn rug kromde en midden op de stoep ging zitten poepen, vlak voor mijn tuinpad. Ik verwachtte dat Bettye McCoy de uitwerpselen in een plastic zakje zou opscheppen, maar in plaats daarvan stopte ze het lege zakje gniffelend in haar spijkerbroek en liep ze door.
Ik reageerde zonder nadenken. 'Pardon!' Ik rende het tuinpad af en bleef staan bij het keurige bergje uitwerpselen. 'Pardon!' riep ik nogmaals, toen Bettye McCoy deed alsof ze niets hoorde.
Haar honden begonnen te blaffen en aan hun riem te trekken. 'Neem me niet kwalijk.' Betty McCoy draaide zich met tegenzin om. 'Had je het tegen mij?'
'Tegen wie zou ik het anders moeten hebben? Er is hier verder niemand.'
'Kan ik iets voor je doen?' Bettye McCoy trok minachtend een wenkbrauw op.

'Ja, de rommel van je honden opruimen.'
'Dat doe ik altijd.'
'Deze keer niet.' Ik wees naar het bergje hondenpoep aan mijn voeten.
'Dat is niet van mijn honden.'
Ik kon mijn oren niet geloven. 'Hoe durf je dat te zeggen? Ik heb het hem zelf zien doen!' Ik wees naar de kleinste van de twee witte honden, die eruitzag alsof hij zich elk moment kon verhangen aan zijn eigen riem.
'Het is niet van Corky,' hield Bettye McCoy vol. 'Corky heeft het niet gedaan.'
'Ik stond in de deur! Ik heb het zien gebeuren!'
'Corky heeft het niet gedaan.'
'Waarom geef je het niet gewoon toe? Ruim die troep op en behandel me niet als een idioot.'
'Je bént een idioot,' mompelde Bettye McCoy, maar wel zo hard dat ik het kon horen.
Ik kon mijn oren niet geloven. 'Wat zei je?'
'Ik zei dat je een idioot bent,' herhaalde Bettye McCoy onbeschaamd. 'Eerst jaag je mijn arme Cedric met een bezem uit je tuin en nu beschuldig je Corky ervan dat hij op je stoep heeft gepoept. Weet je wat vrouwen zoals jij nodig hebben?'
'Nee, ik ben razend nieuwsgierig.'
'Zorg dat je een vent krijgt en hou op je frustraties af te reageren op mijn honden!'
'Zorg dat ze uit mijn tuin blijven, of ik vermoord ze!'
Onze stemmen weerkaatsten tegen de bomen en echoden door de bladeren. Vanuit mijn ooghoeken zag ik Alison en haar broer aan komen lopen.
'Terry!' Alison rende naar me toe.
'Wat is er aan de hand?' vroeg Lance, die probeerde zijn verbijstering in bedwang te houden.
'Ze is gek!' schreeuwde Bettye McCoy, die zich al een paar stappen had teruggetrokken.
'Ze ruimt de troep van haar hond niet op.' Terwijl ik het zei, besefte ik hoe zielig het klonk.
'Is dit van haar hond?' Lance wees naar de hondenpoep waar hij bijna in had getrapt.

Ik knikte en zag tot mijn schrik dat hij de poep met zijn blote hand oppakte en met verbijsterende nauwkeurigheid naar het hoofd van Bettye McCoy slingerde. De poep spetterde tegen haar blonde haar en bleef als modder aan haar achterhoofd plakken.
Bettye McCoy bleef staan, trok haar schouders op en draaide zich naar ons om. Haar mond viel open en haar gezicht moet net zo verbijsterd hebben gestaan als het mijne.
'Ik zou mijn mond maar dichtdoen als ik u was,' waarschuwde Lance. 'Misschien komt er wel meer.'
'Jullie zijn allemaal gek,' stamelde Bettye McCoy. Ze deinsde achteruit en raakte verstrikt in de riemen van haar honden, zodat ze bijna haar evenwicht verloor. Toen barstte ze in snikken uit. 'Allemaal!'
We keken toe hoe ze zich loswikkelde uit de hondenriemen. Een klodder poep viel uit haar haar op haar schouder, en van daar op de grond, precies op de punt van een van haar rode schoentjes. Met een laatste verontwaardigde gil schopte ze haar schoenen uit, nam een keffende hond onder elke arm en rende de straat uit.
'Denk je dat ze de politie belt?' vroeg Alison.
'Nee, ik denk niet dat ze het risico zal nemen dat dit verhaal de ronde doet.' Ik keek naar Lance, die grijnsde als de spreekwoordelijke kat die van de melk heeft gesnoept. Hoe was het mogelijk? Hij had met zijn blote handen een hondendrol opgeraapt en naar mijn kwelgeest geslingerd! Mijn held, dacht ik lachend. 'Dank je wel.'
'Graag gedaan.'
We liepen zwijgend het tuinpad op. 'Hoe was het eten?' vroeg ik voordat ik naar binnen ging.
'Niet half zo opwindend als wat er hier te beleven viel,' zei Alison. 'Ik kan je ook geen moment alleen laten. Trouwens, heb je al een besluit genomen over morgen?'
Ik glimlachte, toen begon ik te lachen. 'Hoe laat moet ik klaarstaan?'

13

Lance tikte de volgende dag om tien over twaalf op mijn keukenraam. Hij was helemaal in het zwart gekleed en ik in het wit, dus we zagen eruit als pionnen op een schaakbord. 'Jullie hadden toch elf uur gezegd?' Ik probeerde niet als mijn moeder te klinken.
'We hebben ons verslapen,' zei hij zonder zich te verontschuldigen. 'Ben je klaar?'
'Waar is Alison?'
'Nog in bed. Migraine.'
'Nee toch! Is ze erg beroerd?'
'Valt mee.'
Een verbale minimalist, concludeerde ik terwijl hij zijn blikken door mijn keuken liet gaan. 'Ik kan beter even bij haar gaan kijken.'
'Hoeft niet.' Lance pakte mijn slappe, rieten tas van de keukentafel en hing die om mijn schouder. 'Ik heb instructies om met je te gaan lunchen. Zodra ze weer op haar benen kan staan, komt Alison naar ons toe.'
'Ik vind toch dat ik even bij haar moet gaan kijken,' protesteerde ik, eraan denkend hoe ziek Alison bij haar laatste migraineaanval was geweest. Maar Lance loodste me de deur al uit, weg van het tuinhuisje, langs de zijkant van het huis. 'Ze redt zich wel.' Hij gaf een kneepje in mijn arm toen we eenmaal op straat stonden. 'Maak je toch niet zoveel zorgen.'
'Ik vind het gewoon geen prettig gevoel om haar alleen te laten.'
'Zo'n drama is het nu ook weer niet. Bovendien geeft ons dat de gelegenheid om elkaar beter te leren kennen.'
Ik keek de zonovergoten straat uit. Onder de hoge bomen lagen schaduwen als donkere plassen. De hitte sloeg in golven van het plaveisel, als de branding van de oceaan. Een paar huizen verderop stond een kleine zilverreiger – roerloos als een stenen beeld – op het keurig onderhouden gazon. 'Heb je al bedacht waar je heen wilt?'

'Wat dacht je van de Everglades?'
'Wát?'
'Geintje! Bovendien, ik ben niet zo'n natuurliefhebber. Ik wilde eigenlijk naar Elwood's. Daar kunnen we te voet naartoe en we hoeven ons geen zorgen te maken over slangen.'
'Daar zou ik maar niet zo zeker van zijn.' Elwood's was een verbouwd tankstation; een geliefd verzamelpunt voor motorfanaten, gespecialiseerd in barbecuegerechten en Elvis-souvenirs. Het lag aan Atlantic Avenue, een eind voorbij Galerie Lorelli. 'Hoe kom je daar zo bij?'
'Alison heeft het me gisteravond aangewezen. Ik vond het er wel boeiend uitzien.'
Ik haalde mijn schouders op en dacht aan mijn laatste bezoek aan Elwood's. Toen was ik samen met Erica Hollander geweest. Het lag vóór op mijn tong om een alternatief voor te stellen, maar ik verwierp de gedachte. Instinctief wist ik dat het zinloos zou zijn te proberen Alisons broer op andere gedachten te brengen. Net zo zinloos als dat bij Alison zelf was. Blijkbaar zat het in de familie. Als ze eenmaal iets in hun hoofd hadden, was er geen praten tegen.
'Het is erg warm voor december,' zei ik luchtig, terwijl we begonnen te lopen. De hitte wikkelde zich rond mijn schouders als een prikkerige sjaal. Lance reageerde niet. Zijn ogen schoten rusteloos van de ene kant van de straat naar de andere, alsof hij verwachtte dat er elk moment vanachter een keurig gesnoeide haag iemand op onze nek kon springen. 'Zoek je iets?'
'Wat voor boom is dat?' vroeg hij plotseling. Zijn vinger streek langs de punt van mijn neus toen hij wees naar een korte, gedrongen palmboom in de voortuin van mijn buren. 'Het lijkt wel alsof hij vol met lullen hangt.'
'Wát?'
Lance rende het grasveld op, ging naast de boom op zijn hurken zitten en wees naar de vele uitstulpingen van verschillende lengte die aan de stam hingen. 'Kijk nou eens goed. Het zijn toch net besneden lullen?'
'Je bent gek.' Ik rolde met mijn ogen en keek met tegenzin naar de boom. 'Lieve hemel, je hebt gelijk.'
Lance begon zo hard te lachen dat de reiger verschrikt zijn vleu-

gels uitsloeg en sierlijk opvloog, als een reusachtig papieren vliegtuig. 'Is de natuur niet geweldig?'
'En menselijk,' zei ik fluisterend. 'Wist je dat er ook een plant bestaat die ze "slaapkamergeluk" noemen?' liet ik er tot mijn eigen verbijstering op volgen.
'Wat?'
'Je hebt me wel gehoord.'
'Je maakt zeker een geintje?'
'Nee, het is echt waar. Je denkt toch niet dat ik zoiets verzin?'
'Slaapkamergeluk?'
Lance schudde zijn hoofd, pakte me bij mijn elleboog en trok me de straat weer op. 'Kom mee,' zei hij lachend. 'Ik krijg honger van dat soort praatjes.'

'Je had het hier twintig jaar geleden moeten zien,' zei ik tussen twee happen van mijn hamburger door. 'De helft van de winkels stond leeg, het was droevig gesteld met het onderwijs en de interraciale betrekkingen waren een chaos. Zo ongeveer de enige bedrijfstak die het goed deed, was de drugshandel.'
'Echt waar?' Het was voor het eerst sinds ik aan mijn verbale rondleiding door Delray was begonnen, dat Lance zich oprecht geïnteresseerd toonde. 'En hoe doet de drugshandel het tegenwoordig?' Hij keek belangstellend naar de rij motoren die voor het terras geparkeerd stonden. 'Ik bedoel, waar ga je heen als je iets in die richting wilt aanschaffen?'
'Naar de gevangenis,' zei ik.
Ondanks zichzelf moest hij glimlachen. 'Aandoenlijk. Je bent aandoenlijk.'
Nu was het mijn beurt om te glimlachen. Ik had mezelf nog nooit *aandoenlijk* horen noemen, en het was ook geen term die ik zelf zou hebben uitgekozen.
We keken allebei naar een man van middelbare leeftijd met een rafelige, grijze paardenstaart tot halverwege de rug van zijn zwart leren jack. Het kostte hem de grootste moeite om zich met zijn dikke buik tussen twee stoelen door te wringen. Opa als snelheidsduivel, dacht ik, terwijl ik nog een hap van mijn hamburger nam en me afvroeg hoe iemand in deze hitte leer kon dragen. 'De stad is inmiddels natuurlijk volledig veranderd.'

'En wat heeft er voor die verandering gezorgd?'
Ik zweeg even, aarzelend tussen het lange en het korte antwoord. Uiteindelijk koos ik voor het korte. 'Geld.'
Lance lachte. 'Natuurlijk! Alles in het leven draait om geld.'
'Ik dacht dat liefde de belangrijkste motivatie was.'
'Dat komt omdat je hopeloos romantisch bent.'
'Is dat zo?'
'Ja, niet dan?'
'Misschien wel,' gaf ik toe. Ik voelde me plotseling ongemakkelijk onder zijn indringende blik. 'Misschien ben ik wel romantisch.'
'Hópeloos romantisch.' Hij reikte over de tafel en streek teder maar zelfverzekerd een paar zweterige haren uit mijn gezicht, alsof hij een behabandje van mijn schouder schoof.
Ik sloeg mijn ogen neer, me nog altijd bewust van zijn aanraking, hoewel hij zijn hand alweer had teruggetrokken. 'En jij?'
Hij bracht een dik met saus bedekte sparerib naar zijn mond en scheurde met één beheerste ruk het vlees eraf. 'Ach...' Hij knipoogde. 'Ik ben dol op geld. Of mag ik dat niet zeggen?'
Ik nam een slok bier en hield het ijskoude glas tegen mijn hals, terwijl ik geen acht probeerde te slaan op het zweet dat de diepe v-hals van mijn witte T-shirt in sijpelde.
'Zo hé! Moet je die eens zien!' riep Lance uit. Zijn aandacht was getrokken door twee glanzende zwarte motoren met chromen treeplanken die voor het restaurant stilhielden. 'Zijn ze niet schitterend?'
'Harley-Davidsons?' Het was het enige merk dat ik kon bedenken, en ik deed mijn best geïnteresseerd te klinken.
Lance schudde zijn hoofd. 'Yamaha 750 cc Viragos.' Hij floot goedkeurend.
'Je hebt blijkbaar verstand van motoren.'
'Ach, een beetje.' Hij bracht nog een sparerib naar zijn mond en stroopte langzaam en zorgvuldig het vlees eraf.
Ik dacht aan Alison. Ze zou in een oogwenk met haar spareribs klaar zijn geweest. 'Misschien moeten we Alison even bellen. Om te vragen hoe het met haar is.'
Lance klopte op zijn mobiele telefoon die naast zijn bord lag. 'Ze heeft mijn nummer.'
'We zijn al meer dan een uur weg.'

'Ze belt wel.'
Ik wreef over mijn nek en voelde dat mijn vingers werden bedekt met een dikke laag zweet. 'Hebben jullie je thuis erg veel zorgen over haar gemaakt?'
Hij haalde zijn schouders op. 'Dat valt wel mee. We weten inmiddels wel zo ongeveer wat we kunnen verwachten.'
'En dat is?'
'Dat is dat Alison precies doet wat ze in haar hoofd heeft. Het heeft geen enkele zin om tegen haar in te gaan of te proberen haar op andere gedachten te brengen.'
'Maar blijkbaar was je wel zo bezorgd dat je op het vliegtuig bent gestapt om te kijken of het goed met haar ging.'
'Ja. Ik wilde het gewoon zeker weten. Ze is tenslotte zomaar op de bonnefooi naar Florida gegaan, zonder dat ze hier ook maar een sterveling kent...'
'Je vergeet Rita Bishop.'
'Wie?'
'Rita Bishop.' Ik vroeg me af of ik me de naam goed herinnerde. Lance leek in verwarring gebracht, maar dat probeerde hij te verbergen door nog een sparerib te lijf te gaan. 'O, natuurlijk! Rita. Wat is er eigenlijk van haar geworden?'
Ik besefte dat ik had vergeten navraag te doen bij de administratie. 'Geen idee. Alison kon haar niet vinden.'
'Typisch iets voor Alison.' Lance slaakte een diepe zucht. 'Het is bloedheet,' zei hij, alsof hij dat nu pas merkte.
'Ik vind het roerend dat je je zoveel zorgen maakt om je zusje. Eerlijk gezegd dacht ik dat jullie niet zo'n hechte band hadden.'
'Hecht genoeg om me zorgen te maken.' Hij haalde zijn schouders op – een gebaar dat me steeds vertrouwder werd. 'Wat moet ik ervan zeggen? Misschien ben ik uiteindelijk toch ook een romanticus.'
Ik glimlachte ondanks mezelf, want ik vond het sympathiek van hem dat hij zich zorgen maakte om Alison. 'Wat fijn dat je vrij kon nemen van je werk.'
'Dat is geen probleem wanneer je eigen baas bent.'
'Wat voor werk doe je eigenlijk?' Ik probeerde me te herinneren of Alison daar ooit iets over had gezegd.
Lance leek verrast door mijn vraag. Hij kuchte en streek met zijn

hand door zijn haar. 'Ik ben systeemanalist,' zei hij ten slotte, zo zacht dat ik hem bijna niet hoorde.
Nu was het mijn beurt om verrast te zijn. 'En ik dacht dat je op Brown had gestudeerd? Daar word je toch geen systeemanalist?'
'Eh... Brown?'
'Ja, Alison zei dat je summa cum laude bent afgestudeerd.'
Hij lachte en kuchte opnieuw. 'O, dat is al zo lang geleden. Ik heb sindsdien niet stilgezeten.' Hij pakte zijn glas, dronk het leeg en draaide zich om, op zoek naar de ober. 'Wil jij er ook nog een?'
'Ik heb nog,' zei ik met een blik op mijn halfvolle glas.
'Ober! Nog een bier,' riep Lance naar een kale, zwaar getatoeëerde ober die verveeld onderuithing tegen de muur van het restaurant. FEAR stond er in grote letters op zijn rechteronderarm, NO MAN op de andere. Alleraardigst, dacht ik, en mijn blik viel op een man die met een biertje aan een hoektafeltje zat. Hij had een rode bandana om zijn voorhoofd, als een bloederig stuk verbandgaas. Zijn lange, eeltige vingers speelden met zijn donkere, haveloze baard. Hij zat naar me te staren, besefte ik, en het drong ineens tot me door dat hij me op een verontrustende manier bekend voorkwam. Krampachtig probeerde ik me te herinneren of – en zo ja wanneer – ik hem eerder had gezien. 'Hoe is je hamburger?' Lance sloeg een zoemend insect weg en kneep zijn ogen tot spleetjes tegen de zon.
'Lekker.'
'Lekker? Meer niet? Mijn spareribs waren fantastisch. Ik denk er hard over nog een portie te bestellen.'
Ik keek naar zijn lege bord. 'Meen je dat serieus?'
'Ik ben altijd heel serieus over wat ik in mijn mond stop.' Hij likte een druppel saus van zijn bovenlip. Flirtte hij met me? Of begon de hitte op mijn hersens te slaan? *Je had ook een hoed op moeten zetten*, kon ik mijn moeder bijna horen zeggen.
Ik wendde mijn blik af en keek weer in de richting van de man met de rode bandana. Hij hield zijn hoofd schuin en hief zijn bierglas in een stilzwijgende toost, alsof hij had geweten dat ik opnieuw zijn kant uit zou kijken. Waar had ik hem eerder gezien?
'Vertel eens, wat vind je van mijn kleine zusje?' vroeg Lance toen de ober naar ons toe kwam met zijn bier. Lance hapte in de brede schuimkraag en kauwde erop.
'Ik mag haar erg graag.'

'Heeft ze een vriendje?'
'Niet dat ik weet.
'Wat heeft ze je over haar ex verteld?'
'Alleen dat het huwelijk een vergissing was.'
Lance schudde lachend zijn hoofd.
'Vind jij van niet?'
'Ach, het leek me een aardige vent. Maar wie ben ik om daarover te oordelen? Tenslotte was ik niet met hem getrouwd. Alleen ben ik bang dat Alison niet altijd weet wat goed voor haar is,' voegde hij eraan toe. Bij het passeren van een donkere wolk gleed er even een schaduw over zijn gezicht.
'Dat ben ik niet met je eens.'
'Ik ken Alison waarschijnlijk beter dan jij.'
'Misschien,' gaf ik toe, en ik besloot het over iets anders te hebben. 'En hoe zit het met jou? Is er ergens een jeugdige schoonheid die op je wacht?'
'Niet echt.' Er verscheen een lome glimlach om zijn mond. 'Bovendien val ik op oudere vrouwen.'
Ik lachte. 'Kom eens langs in het ziekenhuis, zou ik zeggen. Dan zal ik je aan een paar van mijn patiënten voorstellen.'
Lance gooide zijn hoofd achterover en goot de helft van zijn bier in zijn keel. 'Zeg, wat heb ik gehoord?' zei hij toen, alsof we het nooit over zijn seksuele voorkeuren hadden gehad. 'Wat is dat voor figuur die hier elke donderdagavond optreedt?'
Ik keek naar de grote kartonnen Elvis-lookalike die de gasten bij de deur begroette in klassieke karatehouding en Las-Vegasuitmonstering: lange bakkebaarden, een wit pak bezet met glittersteentjes en een wijde cape. 'Geloof het of niet, hij werkt bij de plaatselijke politie.'
'Is het wat?'
'Hij is heel goed.' Ik had hem gehoord toen ik hier met Erica was geweest. Geschokt hield ik mijn adem in, want ik besefte plotseling waar ik de man met de rode bandana van kende. Ik had hem met Erica Hollander gezien. Mijn blik vloog naar het tafeltje in de hoek, maar de man was verdwenen.
'Is er iets?' Lance gebaarde naar de ober om nog een halve portie spareribs en twee biertjes te komen brengen. Blijkbaar gingen we voorlopig nog niet weg.

'Wil je me even verontschuldigen?' Ik was al opgestaan en zette koers naar de toiletten achter in het restaurant voordat hij iets kon zeggen. Ik snakte naar koud water in mijn gezicht. De hitte begon me te veel te worden.

Binnen was het aangenaam donker, en weliswaar niet echt koud, maar toch aanzienlijk koeler dan buiten. Ik liep langs de bar en keek naar de krukken, gemaakt van onderdelen van het voormalige pompstation. De meeste mensen aten buiten, maar binnen stonden een paar houten tafeltjes met kunstleren stoelen voor wie er de voorkeur aan gaf niet te zien wat hij at. Elwood's werd ook wel het 'spekparadijs' genoemd, en terwijl ik langs de zoveelste motorrijder met een dikke buik kwam, vroeg ik me af of dat sloeg op de kaart of op de clientèle.

Eenmaal in de wc's probeerde ik mezelf te overtuigen dat ik spoken zag; dat de hitte en mijn veel te levendige verbeelding me parten speelden. De man met de rode bandana en de rafelige geitensik was gewoon een maar al te bekend stereotype. Iemand die ik nooit eerder had gezien, en zeker niet met Erica.

Maar terwijl ik uit alle macht probeerde te geloven dat ik aan waanideeën leed, wist ik dat ik mezelf voor de gek hield. Ik wist dat ik hem wel degelijk eerder had gezien, samen met Erica; niet één keer, maar diverse keren. En niet alleen hier, besefte ik, bestookt door een reeks lang verdrongen beelden, maar ook veel dichter bij huis. Mijn hoofd tolde, maar ik wist het zeker. Ik had hem diverse ochtenden uit mijn tuinhuisje zien komen, met zijn arm rond het middel van Erica Hollander. Zoals ik ook diverse avonden het onmiskenbare geluid had gehoord van een motor die de donkere straat uit reed. Betekende het feit dat hij terug was dat voor Erica hetzelfde gold?

Ik gooide water in mijn nek en bette een paar druppels achter mijn oren, alsof het parfum was. Ondertussen keek ik naar mezelf in de smerige spiegel boven de wastafel. Het was mijn moeder die terugstaarde. 'O, nee,' zei ik hardop, toen ik besefte hoezeer haar gelaatstrekken de mijne begonnen te verdringen.

Het enige wat ik miste, waren ogen in mijn achterhoofd, dacht ik spijtig. *Je hoeft niet te proberen me voor de gek te houden,* had ze me ooit gewaarschuwd, toen ik nog heel klein was. *Ik zie alles. Ik heb ogen in mijn achterhoofd.* Ze had me er de stuipen mee op het lijf gejaagd.

Jammer dat ik die niet heb geërfd, dacht ik, terwijl ik terugliep naar het terras. Ons tafeltje was leeg, en ik keek om me heen, op zoek naar Lance.
De eerste die ik zag, was de man met de rode bandana. Hij stond bij de rij motorfietsen die langs de stoep geparkeerd waren, met zijn hand op het stalen stuur van een motor. Lance en hij waren in een ernstig gesprek gewikkeld. De man met de rode bandana boog zich naar voren en fluisterde Lance iets in zijn oor, toen stapte hij op zijn motor en reed hij achteruit de straat op. Terwijl hij dat deed, groette hij me met een nauwelijks waarneembaar knikje. Lance stond onbeweeglijk – even roerloos als de kartonnen Elvis-lookalike – met zijn vuisten langs zijn lichaam gebald.
'Waar ging dat over?' vroeg ik toen hij terugkwam naar ons tafeltje.
'Waar ging wat over?'
'Wat moest je met die man?'
'Hoezo?'
'Waar ken je hem van?'
'Ik ken hem niet.' Lance kneep zijn ogen tot spleetjes tegen de zon.
'Je stond toch met hem te praten?'
'Ach, ik ben nu eenmaal een sociaal mens.'
'Probeer niet een spelletje met me te spelen, Lance.'
'Wat voor spelletje?' Lance leunde achterover in zijn stoel en ging met zijn tong langs zijn onderlip.
'Hoor eens, die man met wie je stond te praten deugt niet. Hij was bevriend met mijn vorige huurster, en volgens mij valt hij me lastig met anonieme telefoontjes.' Terwijl ik het zei, wist ik dat het waar was.
'Dus je weet het niet zeker?' Lance keek me geamuseerd aan.
'Nee, ik weet het niet zeker.' Ik begon onmiddellijk weer te twijfelen aan mijn intuïtie.
'Schat, het spijt me, maar ik heb geen idee waar je het over hebt.'
'Waarom stond je met hem te praten?'
'Wat doet het ertoe?'
'Waar hadden jullie het over?' drong ik aan en ik begon van frustratie steeds harder te praten.
'Rustig maar,' zei Lance zacht. Hij stak zijn hand uit en begon mijn arm te strelen. 'Er is geen reden om van streek te raken. Het had

niets te betekenen. Ik heb hem gewoon verteld dat ik zijn motor erg mooi vond. Dat is alles. Gaat het wel goed met je?'
Ik knikte, alweer half verzoend, en schaamde me bijna voor mijn uitbarsting.
Lance pakte zijn mobiele telefoon. 'Tijd om Alison te bellen.'

14

Een paar minuten nadat Lance Allison had gebeld, stond ze naast ons tafeltje bij Elwood's. De migraine was gezakt, zei ze dankbaar. In haar blauwe zonnejurk zag ze er stralend uit. 'Die pillen zijn een geschenk uit de hemel,' verzekerde ze me meerdere malen, terwijl ze gretig een portie spareribs met friet naar binnen werkte. Ik verbaasde me over de sierlijkheid waarmee ze dat deed. Net zoals het me verbaasde dat de migraineaanval blijkbaar geen invloed had op haar eetlust. Sterker nog, ze leek er beter aan toe dan ik. 'Is alles goed met je?' vroeg ze toen Lance betaalde.
'Met mij? Ik voel me prima.'
'Je bent zo stil.'
'Terry denkt dat ze een vent heeft gezien die iets met haar vorige huurster te maken had,' merkte Lance op.
'Echt waar? Wie dan?'
Ik schudde mijn hoofd. 'De hitte zal me wel parten hebben gespeeld. Ik geloof eigenlijk niet dat hij het was,' zei ik aarzelend, er inmiddels bijna van overtuigd dat ik me had vergist.
'Het is inderdaad bloedheet.' Alison liet haar blik over het terras gaan, dat nog altijd vol zat, hoewel het inmiddels drie uur was. 'Waar gaan we nu heen?'
Ik stelde het Morikami Museum en de Japanse tuinen voor. Dat leek me rustgevend en interessant. Alison was echter niet in de stemming voor musea, en Lance herhaalde zijn bewering dat hij niet zo'n natuurmens was. Dus in plaats daarvan wandelden we een eind langs de Intracoastal Waterway en maakte we een boottochtje met de *Ramblin' Rose II*. Tegen de avondschemering gingen we op de muur langs het kanaal zitten kijken naar de brug die openging om een kleine stoet schitterende jachten door te laten die op weg waren naar de Bahama's.
'Wisten jullie dat alligators razendsnel zijn?' vroeg Alison plotseling, toen we over Seventh Avenue naar huis liepen. 'En dat je zig-

zag moet lopen als je er ooit een achter je aan hebt? Het schijnt dat alligators alleen in een rechte lijn kunnen lopen.'
'Ik zal het onthouden,' zei ik.
'Wat is eigenlijk het verschil tussen een alligator en een krokodil?' vroeg Lance.
'Krokodillen zijn een stuk gemener,' zei Alison met een allerliefste glimlach. Ze strekte haar armen naar de hemel, alsof ze naar de volle maan reikte die boven ons hoofd hing. 'Ik rammel van de honger.'
'Je hebt net gegeten!' riep ik uit.
'Dat is alweer uren geleden. Ik rammel. Kom op, laten we naar Boston's gaan.'
'Ik doe mee,' zei Lance.
'Gaan jullie maar. Ik ben doodmoe.'
'Hè, Terry, kom op, je kunt ons nu niet in de steek laten,' zei Alison teleurgesteld.
'Het spijt me, maar ik moet morgen heel vroeg op. Waar ik behoefte aan heb, is een kop kruidenthee, een kalmerend bubbelbad en mijn heerlijke bed.'
'Laat Terry maar,' zei Lance zachtjes tegen zijn zus.
'Heb je het naar je zin gehad?' Alison keek me vol verwachting aan, waarbij de volle, gele maan zich spiegelde in haar bijna kinderlijk gretige ogen. 'Drie woorden.'
'Ja,' antwoordde ik naar waarheid, terwijl ik het laatste restje bezorgdheid over de man met de rode bandana verdrong. Ik had de hele middag mijn best gedaan om hem te vergeten, maar hij bleef voortdurend voor mijn geestesoog verschijnen. 'Ja. Ja. Ja,' zei ik uit de grond van mijn hart.
Alison sloeg haar armen om me heen en omhelsde me uitbundig, waarbij haar haar tegen mijn wang kietelde en tussen mijn lippen kroop. *'See you later, alligator.'* Ze drukte een kus op mijn voorhoofd.
'In a while, crocodile,' antwoordde ik en keek hen na tot ze de hoek om liepen en werden opgeslokt door de duisternis. Ik hoorde Alison lachen en vroeg me vluchtig af wat er zo grappig was. De echo van haar lach achtervolgde me op weg naar huis en weerkaatste pijnlijk tegen mijn rug.
Wat is eigenlijk het verschil tussen een alligator en een krokodil?, had Lance gevraagd.

Een krokodil is een stuk gemener, had Alison geantwoord.

Mijn huis was in duisternis gehuld. Normaliter laat ik altijd een lamp branden, maar Lance had me zo snel naar buiten geloodst dat ik dat blijkbaar had vergeten. Voorzichtig liep ik verder, terwijl ik probeerde de duisternis te doordringen, voor het geval dat Bettye McCoy met haar hondengebroed de buurt weer onveilig had gemaakt. Ten slotte liep ik zigzaggend naar mijn voordeur, want je kon tenslotte nooit weten of er geen hongere alligator in mijn tuin verzeild was geraakt.

Ik voelde me opgelucht en dwaas tegelijk – dwaas opgelucht? – toen ik de sleutel in het slot stak en het licht aandeed. Mijn blik gleed over de bank, de Queen-Annestoelen, het schilderij met de pioenrozen aan de muur naast het raam, de kerstboom in de hoek, de stapel cadeautjes eronder, de indrukwekkende stoet kerstmannen, rendieren en kabouters die Alison met zoveel liefde had neergezet.

'Vrolijk kerstfeest, allemaal!' Ik deed de deur achter me dicht en liep naar de keuken. 'Vooral jullie, lieve dames,' begroette ik de vijfenzestig porseleinen gezichten die me onverschillig opnamen. 'Ik vertrouw erop dat jullie braaf zijn geweest terwijl ik weg was.' Ik vulde de ketel met water, maakte een kop gember-perzikenthee en liep ermee de trap op naar de badkamer. Daar liet ik het bad vollopen en trok ik mijn kleren uit. Toen ik me ten slotte in het water liet zakken, leunde ik met mijn hoofd tegen het koude emaille terwijl het naar jasmijn geurende schuim me bedekte als een deken.

Ineens herinnerde ik me weer hoe mijn moeder me als klein meisje in de badkuip had gevonden, in kleermakerszit. Het water klotste tegen de binnenkant van mijn dijen en ik giechelde, met de overgave waartoe alleen kleine kinderen in staat zijn. Het pak slaag dat ik die avond kreeg, was erger dan al die andere keren; deels omdat ik drijfnat was, en deels omdat ik geen idee had waarvoor ik werd gestraft. Ik smééksmte mijn moeder me te vertellen wat ik verkeerd had gedaan, maar ze hield haar mond stijf dicht. Tot op de dag van vandaag kan ik het brandende gevoel terughalen van haar handen op mijn blote billen, als de steek van honderden kleine wespen. Mijn natte huid werkte als een vergrootglas op de pijn en de vernedering die ik voelde. Maar wat ik me vooral herinner, is het geluid van die klappen op mijn blote billen; klappen die werden

weerkaatst door de muren van de badkamer. Ook nu nog zijn er avonden waarop ik dat geluid hoor zodra ik mijn ogen dichtdoe om te gaan slapen.
Ik schudde mijn hoofd om de nare gedachten van me af te zetten en liet me onderuit zakken in bad, zodat het water zich boven mijn hoofd sloot en mijn haar als zeewier om me heen dreef. Onmiddellijk doemde er een ander onaangenaam beeld op achter mijn gesloten oogleden: drie grijs-met-witte poesjes; verlaten zwerfkatjes die ik rillend in een hoek van de garage had aangetroffen, schurftig en klaaglijk miauwend en 'ongetwijfeld onder de wormen' zoals mijn moeder had gezegd. Ze had ze zonder pardon van me afgepakt en verdronken in een emmer in de achtertuin.
Ik probeerde tevergeefs het beeld van die katjes te verdringen, terwijl het water zich als een lijkwade over mijn gezicht sloot. Wat was er toch met me? Waarom moest ik ineens zo vaak aan mijn moeder denken?
Sinds de komst van Alison leek het wel alsof mijn moeder niet alleen weer bezit had genomen van haar huis, maar ook van mijn gedachten. Het kwam waarschijnlijk door alle vragen die Alison stelde, door de foto's die we samen hadden bekeken. Daardoor had ik zulke vreemde dromen en ging ik in gedachten ongewild terug in de tijd. Ik had in geen jaren meer aan die vervloekte katjes gedacht. Waarom dan nu ineens wel? Ik had immers vrede gesloten met mijn moeder, tijdens die lange, gruwelijke weken van haar ziekte. Ze had me om vergeving gesmeekt en ik had haar die geschonken.
Mijn moeder was een indrukwekkende persoonlijkheid geweest, hoewel ik nog altijd niet precies zou kunnen zeggen waar dat door kwam. In elk geval niet door haar postuur, want ze was amper een meter vijfenvijftig. Sterker nog, door haar in verhouding veel te zware borsten had ze wel iets van een duif en was ze een bijna komische verschijning. Bovendien had ze een weinig opvallend, weinig karakteristiek gezicht.
Volgens mij was het vooral haar houding waardoor ze opviel: haar kaarsrechte rug, haar trotse schouders en haar koppig geheven hoofd, waardoor haar omhoogwijzende neus altijd op je leek neer te kijken.
Die houding sijpelde door in alle facetten van haar persoonlijk-

heid. Ze hield er heel stellige opvattingen op na, zelfs wanneer het ging om dingen waar ze niets van wist. Ze was driftig en had een vlijmscherpe tong. Ik had al jong geleerd dat het geen enkele zin had om mijn visie te geven. Het enige wat ertoe deed, was de hare. Mijn vader werd zelden iets gevraagd. Als hij al een eigen mening had, dan hield hij die vóór zich. Ik wist al heel jong dat ik op hem niet hoefde te rekenen, en in dat opzicht heeft hij me nooit teleurgesteld. Mocht hij ooit ergens spijt van hebben gehad, dan heeft hij die spijt meegenomen in zijn graf. Na de dood van mijn vader werd mijn moeder zelfs nog wreder, nog driftiger. Bij de minste of geringste provocatie kreeg ik de wind van voren. *Je bent een stom wicht, een onnozele gans!* riep ze wanneer ik iets erg doms had gedaan.

Later, toen haar kaarsrechte rug krom werd van ouderdom en haar scherpe tong inboette door lichamelijke zwakte, werd ze geleidelijk aan minder indrukwekkend, minder gelijkhebberig, minder geneigd tot venijnige woedeaanvallen. Of misschien werd ze gewoon letterlijk minder. Na haar beroerte kromp mijn moeder letterlijk tot de helft van haar eerdere afmetingen.

En er gebeurde iets heel vreemds.

Met dat minder worden, werd ze gelijk ook meer, zoals de architect Mies van der Rohe zou kunnen hebben gezegd. Er was meer ruimte voor tolerantie, voor dankbaarheid, voor kwetsbaarheid. Haar schaduw kromp tot bijna menselijke afmetingen.

Je weet toch dat ik het allemaal voor jouw bestwil heb gedaan, zei ze vaak in die laatste maanden van haar leven.

Dat weet ik, zei ik dan. *Natuurlijk weet ik dat.*

Het is nooit mijn bedoeling geweest om wreed te zijn.

Dat weet ik.

Het komt door de manier waarop ik zelf ben grootgebracht. Mijn moeder behandelde me net zo als ik jou altijd heb behandeld.

Je bent een goede moeder voor me geweest, zei ik.

Ik heb veel fouten gemaakt.

We maken allemaal fouten.

Kun je me vergeven?

Natuurlijk vergeef ik je. Ik kuste de schilferige, droge huid van haar voorhoofd. *Je bent mijn moeder. Ik hou van je.*

Ik ook van jou, fluisterde ze.

Of misschien fluisterde ze dat ook wel niet. Misschien wilde ik gewoon zo verschrikkelijk graag dat ze het zou zeggen, dat ik het me heb verbeeld.
Waarom kwam ze nu terug om me te achtervolgen?
Ik schoot met mijn hoofd uit het water en voelde de zeepbelletjes uit elkaar spatten op mijn huid. Probeerde ze me soms iets te vertellen? Probeerde ze me vanuit het graf te waarschuwen, te beschermen, zoals ze dat tijdens haar leven nooit had gedaan? Maar waartegen zou ze me moeten beschermen?
Ik trok met mijn tenen de stop uit het bad en luisterde naar het gegorgel van het wegstromende water. Het duurde even voordat ik me bewust werd van andere geluiden, en toen weer even voordat ik besefte wat die geluiden waren. Kerstklokken, besefte ik, een deur die beneden open- en dichtging. Ik had het gevoel alsof mijn hart met de laatste schuimresten mee de afvoer in werd gezogen.
Er was iemand in huis.
Zachtjes stapte ik uit de badkuip. Toen trok ik mijn badjas aan en stak ik mijn hand uit om de deur van de badkamer op slot te doen. Maar het slot was al bijna een jaar kapot, en veel meer dan een bot wegwerpscheermes had ik niet om me mee te verdedigen. Als ik niet zo doodsbang was geweest, had ik om de situatie kunnen lachen.
'Hallo! Is daar iemand?' Ik gluurde om de hoek van de badkamer en liep de gang in. 'Alison? Ben jij dat?' Ik wachtte op antwoord, en mijn voeten lieten natte afdrukken achter op de hardhouten vloer terwijl ik me naar de bovenkant van de trap waagde. 'Alison? Lance? Zijn jullie daar?'
Niets.
Kon ik me vergist hebben?
Haastig inspecteerde ik de slaapkamers. Toen liep ik heel zachtjes de trap af. Bij elke stap die ik zette, verwachtte ik dat iemand zich vanuit de schemering op me zou storten. Maar er gebeurde niets, en in de woonkamer trof ik alles aan zoals ik het had achtergelaten. Er was niets van zijn plek, niets overhoop gehaald. Ik voelde aan de knop van de voordeur en slaakte een diepe zucht van verlichting toen die op slot bleek te zitten. 'Hallo?' riep ik opnieuw, terwijl ik naar de keuken liep. 'Is daar iemand?' De keuken lag er net zo verlaten bij als de rest van het huis. 'Dus het is al zover dat

ik dingen hoor die er niet zijn,' mompelde ik, terwijl ik mijn schouders ontspande en naar de achterdeur reikte. Hij zwaaide open bij mijn aanraking.
'O, nee!' Met stijgende afschuw deed ik een stap naar achteren, terwijl de warme avondlucht de keuken binnendrong. 'Rustig blijven.' Ik had tenslotte het hele huis gecontroleerd en niets gevonden.
Je hebt niet in de kasten gekeken, hoorde ik Alison zeggen. *En ook niet onder het bed.*
Je bent een stom wicht, een onnozele gans! droeg mijn moeder haar steentje bij.
'Er bestaan geen enge mannen die onder je bed kruipen,' zei ik hardop tegen Alison en mijn moeder. Het was heel goed mogelijk dat ik had vergeten de achterdeur op slot te doen. Ik dacht aan Lance die zonder een woord van spijt een uur te laat bij me had aangeklopt, mijn tas om mijn schouder had gehangen en me naar buiten had geloodst, met zijn hand op mijn arm. Ik had geen licht aan gelaten en de keukendeur niet op slot gedaan.
'Ik heb de deur niet op slot gedaan!' zei ik tegen de rijen vrouwengezichten. 'Ik heb de deur niet op slot gedaan,' herhaalde ik, terwijl ik hem alsnog op slot deed en moest lachen om mijn eigen dwaasheid. 'En er bestaan geen enge mannen die onder je bed kruipen.'
Op dat moment ging de telefoon.
'Weet je wel hoe gevaarlijk het is om je achterdeur open te laten?' vroeg de stem voordat ik de kans kreeg iets te zeggen. 'Je weet tenslotte nooit wie er langskomt.'
Ik draaide me met een ruk om, en mijn hand schoot naar het aanrecht en botste tegen het messenblok. Ik trok het grootste mes uit de gleuf en zwaaide ermee als met een vlag. 'Met wie spreek ik?'
'Droom zacht, Terry. En pas goed op jezelf.'
'Hallo? Verdomme! Hallo? Met wie spreek ik?' Ik smeet de hoorn op de haak, pakte hem onmiddellijk weer op en toetste het alarmnummer in.
'Met de alarmcentrale,' zei een vrouwenstem nadat ik minutenlang in de wacht was gezet. 'Voor welke spoedeisende hulp belt u?'
'Nou, het is niet echt spoedeisend,' krabbelde ik terug.
'U hebt de alarmcentrale gebeld. Als het geen spoedgeval is, moet u contact opnemen met de plaatselijke politie.'
'Ja, eh... ik weet het niet zeker.'

'Is het wel of geen spoedgeval?'
'Nee,' gaf ik toe en liet het mes zakken.
'Neemt u dan alstublieft contact op met de plaatselijke politie.'
'Dat zal ik doen. Dank u wel.'
Maar... dat deed ik niet. Wat had ik moeten zeggen? Dat ik vermoedde dat er iemand had ingebroken, maar dat ik de achterdeur open had laten staan en dat er niets gestolen was? Dat ik een vaag dreigtelefoontje had ontvangen, dat bij nader inzien misschien eerder bezorgd dan bedreigend was geweest. *Weet je wel hoe gevaarlijk het is om je deur open te laten? Je weet tenslotte nooit wie er langskomt. Droom zacht, en pas goed op jezelf.*
Daar zou de politie natuurlijk onmiddellijk op afkomen!
Ik legde de hoorn op de haak, liet me op een keukenstoel vallen, en vroeg me af wat me te doen stond. Moest ik toch de politie bellen en hun spot – of erger nog, hun onverschilligheid – riskeren? Had ik maar iets concreters, iets om aan te tonen dat ik niet zomaar een eenzame vrouw van middelbare leeftijd was met te veel fantasie en te weinig om handen. Wist ik maar wie die stem aan de andere kant van de lijn was.
Ik luisterde de woorden in gedachten opnieuw af, als een grammofoonplaat. *Droom zacht, Terry. En pas goed op jezelf.* Maar hoewel de stem me beslist bekend voorkwam, kon ik niet met zekerheid zeggen of hij toebehoorde aan Erica's motorvriend, de man met wie ik Lance had zien praten bij Elwood's. De ernstige uitdrukking op hun gezicht had duidelijk verraden dat het om meer dan een gemeenschappelijke belangstelling voor motoren ging. Bestond er een connectie tussen de twee mannen? Tussen Lance en Erica? Tussen Erica en Alison?
Was het geen toeval dat de telefoontjes waren begonnen op het moment dat Alison in mijn leven was gekomen?
Wat was er in godsnaam aan de hand?
En toen zag ik hem.
Hij stond voor het keukenraam, met zijn voorhoofd tegen de ruit gedrukt. Uit zijn rode bandana leek bloed op het glas te sijpelen.
'O, mijn god.'
Net zo plotseling als hij was verschenen, was hij ook weer weg, geabsorbeerd door de nacht, als inkt door een stuk vloeipapier.
Had er echt iemand in mijn tuin gestaan?

Ik rende naar het raam en tuurde naar buiten, de duisternis in.
Ik zag niets.
Niemand.
In de keukenla ging ik op zoek naar de reservesleutels van het tuinhuisje. *Je bent een stom wicht, een onnozele gans*, klonk de afkeurende stem van mijn moeder, en voor één keer moest ik haar gelijk geven. Ik had behoefte aan antwoorden, en het was heel goed mogelijk dat ik die zou vinden in Alisons dagboek. Waarschijnlijk had ik nog minstens een halfuur de tijd voordat Alison en haar broer thuiskwamen. Dat was meer dan genoeg, als ik snel te werk ging.
Met de sleutels stijf in mijn hand geklemd duwde ik de deur open en liep ik naar buiten. De avondlucht sloot zich als een paar pantoffels om mijn blote voeten.
'Je lijkt wel gek. Wat bezielt je?' mompelde ik terwijl ik de deur achter me dichttrok en naar het tuinhuisje liep, mijn hand uitgestrekt, naar het slot. Ik was bijna bij de deur toen ik achter me een tak hoorde breken.
Hijgend van schrik draaide ik me om.
'Hallo,' klonk een stem vanuit de duisternis. Langzaam en als bij toverslag werd de gedaante van een man zichtbaar. Hij stapte welbewust naar voren, in het licht van de maan. Hij was lang, mager en gladgeschoren; zonder rafelige baard, zonder rode bandana.
'Ken je me nog?'
'KC,' fluisterde ik.
'Staat voor Kenneth Charles, maar er is niemand... Nou ja, de rest weet je.'
'Wat doe jij hier?'
'Ik kom voor Alison.'
'Ze is er niet.'
'O? En wat doe jij dan hier?'
Ik liet de sleutel van het huisje in de zak van mijn badjas glijden en vroeg me af of hij hem had gezien. 'Ik dacht dat ik iets hoorde. Ik wilde even kijken of alles in orde was.' Ik vroeg me af waarom ik de moeite nam verantwoording af te leggen tegenover iemand die ik nauwelijks kende.
'Waarschijnlijk heb je mij gehoord.'
'Heb jij me soms net gebeld?' vroeg ik, feller dan mijn bedoeling was.

KC haalde een mobiele telefoon uit zijn zak. 'Had ik je moeten bellen?' vroeg hij met een lome glimlach.
'Dat is geen antwoord op mijn vraag.'
'Nee, ik heb je niet gebeld.' Hij kneep zijn ogen tot spleetjes. 'Is alles goed met je?'
'Prima. Hoezo?'
'Je lijkt een beetje gespannen.'
'Welnee.' Ik gaapte geforceerd. 'Ik ben alleen een beetje moe. Het was een drukke dag.' Ik sloeg mijn ogen neer en merkte dat mijn badjas was opengevallen. Haastig trok ik hem dicht, zonder acht te slaan op KC's brede grijns. 'Ik zal tegen Alison zeggen dat je langs bent geweest.'
'Als je het goedvindt, wacht ik tot ze terugkomt.'
'Zoals je wilt.' Ik wilde weglopen.
'Terry?' riep hij me na.
Ik bleef staan en draaide me om.
'Nogmaals bedankt voor dat heerlijke etentje met Thanksgiving.'
'Ik ben blij dat je het lekker vond.'
'Je komt tegenwoordig niet vaak meer iemand tegen die bereid is zijn huis open te stellen voor vreemden.'
Of iemand die zo stom is, hoorde ik mijn moeder zeggen. De sleutel van het huisje woog als lood in mijn zak. 'Ik heb het graag gedaan.'
Opnieuw draaide ik me om.
'Terry?' riep hij nogmaals.
Weer bleef ik staan, maar deze keer draaide ik me niet om.
'Pas goed op jezelf,' zei hij, terwijl ik mijn huis binnenging en de deur achter me op slot deed.

15

'Vrolijk kerstfeest!' Alison klapte kinderlijk blij in haar handen en sprong op uit haar stoel toen de klok middernacht sloeg.
'Vrolijk kerstfeest!' Lance tikte met zijn glas eierpunch tegen dat van Alison, en toen tegen het mijne.
'God zegene ons, ieder van ons.' Ik nam een slokje van het dikke brouwsel, waaruit een krachtige geur van nootmuskaat opsteeg. We hadden een gezellige avond achter de rug, met lekker eten en plezierige gesprekken. Alleen wij drietjes. Zonder ongenode gasten. Zonder verschijningen voor het raam. Zonder onverwachte telefoontjes. Ik had bij Alison naar KC geïnformeerd. Ze beweerde dat ze sinds Thanksgiving niets meer van hem had gezien of gehoord. Toen ik haar vertelde dat ik hem in de tuin was tegengekomen, had ze haar schouders opgehaald. 'Merkwaardig. Ik vraag me af wat hij kwam doen,' had ze gezegd. Ten slotte was ik tot de conclusie gekomen dat ik waarschijnlijk veel te veel achter het hele incident had gezocht en had ik het verdrongen.
'Waar is dat van?' vroeg Alison nu.
'Wat?'
'Wat je net zei. "God zegene ons, ieder van ons." Het klinkt zo bekend.'
'Charles Dickens,' zei ik. '*A Christmas Carol.*'
'Klopt,' zei Lance. 'We hebben de film gezien, weet je nog wel? Met Bill Murray.'
'Je zou het boek moeten lezen.'
Lance haalde onverschillig zijn schouders op. 'Ik lees niet zoveel.'
'Waarom niet?'
'Ach, het kan me niet echt boeien.'
'Lance heeft meer dan genoeg gelezen in zijn jaren op Brown,' legde Alison haastig uit.
'Wat boeit je dan wél?' drong ik aan.

Lance keek over de tafel heen naar zijn zus. Toen richtte hij zijn aandacht weer op mij. 'Jíj.'
'O?'
'Dat meen ik echt.'
Ik lachte. 'Je neemt me in de maling.'
'Integendeel. Ik vind je fascinerend.'
Nu was het mijn beurt om naar Alison te kijken. Ze leek haar adem in te houden. 'En wat is precies de reden dat je me zo fascinerend vindt?'
Hij schudde zijn hoofd. 'Ik weet het niet precies. Wat zeggen ze ook alweer over stille wateren en diepe gronden?'
Nu was ik het die mijn adem inhield. 'Gewoon, dat stille wateren diepe gronden hebben.'
'Ik ben razend nieuwsgierig naar wat die diepe gronden te bieden hebben.' Lance nam nog een slok eierpunch. De zachtgele crème tekende een smalle snor op zijn bovenlip. Hij likte hem loom weg en keek me indringend aan.
'Ik lees ook lang niet zoveel als ik zou moeten,' zei Alison, in een krampachtige poging het gesprek op een ander onderwerp te brengen.
'Je leest helemáál niet.'
Er kwam een blos van verlegenheid op haar wangen, die nu bijna dezelfde kleur hadden als haar trui. 'Misschien kun jij me een paar goede boeken adviseren, Terry. Om weer een begin te maken.'
'Natuurlijk. Maar eerlijk gezegd lees ik ook lang niet zoveel als ik zou moeten.'
'Ja, we zouden allemaal meer moeten lezen,' viel Alison me bij.
'Er zijn een heleboel dingen die we zouden moeten doen,' zei Lance cryptisch.
'Noem er eens drie,' zei ik, en Alison glimlachte, maar het was een aarzelende glimlach, alsof ze bang was voor wat haar broer zou gaan zeggen.
'We zouden moeten ophouden met dingen uitstellen. Want van uitstel komt afstel,' zei Lance.
'Afstel,' herhaalde Alison geforceerd vrolijk. 'Fijn woord.'
'Waar heb je het over?' vroeg ik.
Lance ging er niet op in. 'We zouden moeten ophouden met spelletjes spelen.'

'Wat voor spelletjes?' vroeg ik, terwijl ik zag dat de glimlach op Alisons gezicht bevroor.
'We zouden moeten doorpakken of ermee kappen.' Lance dronk zijn glas eierpunch leeg en gooide zijn servet op tafel, alsof hij zijn zus uitdaagde tot een duel.
'Mis ik iets?'
Alison sprong overeind. 'Over pakken gesproken, mogen we nu de cadeautjes openmaken?' Ze stond al in de woonkamer, bij de boom, voordat ik iets kon zeggen.
'Eerst deze.' Ze hield me een klein zakje voor toen ik kwam aanlopen. 'Van mij. Het is maar een kleinigheidje. Maar ik vind dat we met de kleine cadeautjes moeten beginnen, en de mooiste voor het laatst bewaren.' Voorzichtig haalde ik een stukje kristal te voorschijn, gewikkeld in vloeipapier. 'Het is een presse-papier. Ik vond hem zo schitterend.'
'Dat is hij ook. Dank je wel.' Ik ging naast Alison op de grond zitten, in gedachten nog altijd bij het abrupt afgebroken gesprek – uitstel, afstel? spelletjes? – terwijl mijn vingers over het gekartelde, roze kristal gleden. 'Ik vind hem prachtig.'
'Echt waar?'
'Ja, echt waar.' Ik gebaarde naar een vierkant doosje in rood-met-groen papier. 'Jouw beurt.'
Gretig begon ze het papier eraf te trekken. 'Wat is het?'
'Dat zie je vanzelf als je het openmaakt.'
'O, wat spannend! Vinden jullie het ook niet spannend?' Alison scheurde het laatste stuk papier los en maakte het doosje open. 'Kijk nou eens. Lance, moet je zien. Nagellak. Zes fantastische kleuren.'
'Ik ben met stomheid geslagen,' declameerde Lance dramatisch vanaf de bank.
'Vanilla Milkshake, Mango Madness, Wildflower... Geweldig.'
'Ik hoop dat je er veel plezier van hebt.'
'We doen nóg een keer een dagje beautyfarm.'
'Dat klinkt goed,' zei Lance. 'Mag ik ook meedoen?'
'Alleen als we je tenen met Mango Madness mogen lakken,' zei ik.
'Graag. Jij mag elk stukje van mijn lijf verven.' Lance liet zich van de bank glijden en kwam bij ons op de grond zitten. 'Ligt er ook iets voor mij bij?'
Alison begon overdreven te zoeken onder de boom. 'Nee, ik ben

bang van niet. O, wacht eens. Ja, toch. Alsjeblieft.' Ze haalde een langwerpige doos te voorschijn, verpakt in goudkleurig papier. 'Het is een golfshirt,' zei ze al voordat hij het had uitgepakt. 'Extra large. Volgens de verkoper vielen ze klein. Wat denk je? Is het de goede maat?'
Lance hield het beige-met-zwarte golfshirt voor het marineblauwe dat hij droeg. 'Ziet er goed uit. Wat vind jij, Terry?'
'Ik vind dat je zus een uitstekende smaak heeft.'
Lance begon te lachen. 'Dat is voor het eerst dat ze daarvan wordt beschuldigd.'
'Erg grappig.' Alison wees naar het logo op de dunne, soepele stof. 'Dat zijn golftee's, voor het geval je dat nog niet had gezien.'
'Blijkbaar moet ik nog maar een poosje blijven,' zei Lance opgewekt. 'En golflessen nemen.'
Alison keek weer naar de pakjes onder de boom. 'Hier is er een voor Terry.' Ze las het etiket en keek haar broer wantrouwend aan. 'Van Lance!' zei ze verrast. 'Je hebt me helemaal niet verteld dat je een cadeautje voor Terry ging kopen.'
'Wat denk je nou? Dat ik een soort holbewoner ben, zonder enige opvoeding?'
Ik begon met trillende handen het pakje open te maken, want ik had er niet aan gedacht iets voor hem te kopen. Het was een lange, lila nachtjapon met een uitdagend laag uitgesneden kanten lijfje.
'Allemensen,' zei Alison.
'Hij is van zijde.'
'Dat zie ik. Hij is prachtig. Maar dat kan ik echt niet aannemen,' zei ik met de stem van mijn moeder.
Totaal ongepast, hoorde ik haar instemmen.
'Waarom niet? Natuurlijk wel. Trek hem eens aan, dan kunnen we zien hoe hij staat.' Lance liet zijn vingers onder de lange spleet in de zijnaad glijden. Ik huiverde, alsof hij zijn hand op mijn been had gelegd.
'Ik vind dat je hem moet bewaren tot Josh terugkomt,' zei Alison, met haar blik nog altijd op haar broer gericht.
'Josh?' Lance ging geïnteresseerd rechtop zitten. 'Het is voor het eerst dat ik die naam hoor.'
'Josh is een vriend van Terry.'
'Het klinkt als meer dan een vriend.'

'Zijn moeder is een van mijn patiënten,' legde ik uit. Ik had geen zin om het met de broer van Alison over Josh te hebben. Wat zou hij nu doen? vroeg ik me af. Het was in Californië drie uur vroeger dan aan de oostkust. Waarschijnlijk zat hij ergens te dineren met zijn familie, of misschien deed hij nog een paar laatste kerstinkopen. Zou hij me missen? Sterker nog, zou hij eigenlijk wel aan me denken?
'Wat heeft zijn moeder?'
Ik stelde me Myra Wyie voor, in diepe slaap in haar smalle ziekenhuisbed. 'Je kunt beter vragen wat ze niet heeft,' zei ik verdrietig.
Lance haalde zijn schouders op. 'Dus ze heeft haar uiterste houdbaarheidsdatum overschreden?'
'Wat?'
'Lance vindt dat mensen een uiterste houdbaarheidsdatum zouden moeten hebben. Je weet wel, net als zuivelproducten.'
Ik lachte ondanks mezelf.
'Heb je nooit overwogen om bij sommige patiënten de stekker eruit te trekken?'
'Wat?'
'Volgens mij zou je de meesten een dienst bewijzen. Trouwens, jezelf ook.'
'Het spijt me, maar ik kan je niet volgen.'
'Ach, ik denk gewoon hardop en ik wed dat sommige van die eenzame ouwe stumpers behoorlijk aan je gehecht raken. Waar of niet?'
Ik knikte, en vroeg me af waar hij heen wilde.
'En sommigen hebben waarschijnlijk een aardig spaarcentje,' vervolgde Lance. 'Het moet een koud kunstje zijn om ervoor te zorgen dat ze jou in hun testament vernoemen. Als je een beetje je best doet, geven ze je alles wat ze hebben. Tenslotte ben je hun zorgende engel. Je wacht even, lang genoeg om geen wantrouwen te wekken, en dan help je de natuur een handje. Je weet wel, een verdwaalde luchtbel in hun infuus; een extra dosis slaapmiddel. Nou ja, ik hoef jou niets te vertellen. Jij bent de verpleegster, dus je weet precies wat je moet doen. Waar of niet?'
Ik zocht naar de vertrouwde ondeugende twinkeling in zijn ogen, maar ze stonden koud en gevoelloos, als de ogen van een dode. Méénde hij het?
'Waar of niet, Terry?' drong hij aan. 'Wat vind je ervan? Het lijkt mij een goed plan.'

'Volgens mij zijn zulke plannen er de oorzaak van dat onze gevangenissen overvol zitten.'
'Lance maakt maar een grapje,' zei Alison.
'O ja?' vroeg hij.
'Is geld echt zo belangrijk voor je?'
'Het is behoorlijk belangrijk, ja.'
'Zo belangrijk dat je zelfs bereid zou zijn tot moord?'
'Dat hangt ervan af.'
'Lance maakt maar een grapje,' zei Alison haastig. 'Zo is het wel genoeg, Lance. Terry begrijpt jouw gevoel voor humor niet.'
'Volgens mij begrijpt ze het heel goed.'
'Ik ben weer aan de beurt.' Alison trok zo wild een cadeautje onder de boom vandaan dat ze hem bijna omverstootte. 'O, van Denise.'
'Waar zit Denise eigenlijk?' vroeg ik, net zo gretig als Alison om het over iets anders te hebben.
'Bij haar ouders in het noorden. Maar ze is terug voor oud en nieuw. Trouwens, het wordt tijd om plannen te gaan maken voor oudejaarsavond.'
'Dan werk ik,' zei ik.
'Dat meen je niet!'
'Ik vrees van wel.'
'Maar het is het begin van een nieuw jaar. Dan hoor je niet te werken. Dat dóé je gewoon niet!'
Ik lachte. 'Maak je cadeautje nou maar open.'
Alison pakte het zwijgend uit. Het waren oorbellen. Roze, in de vorm van een hart. Ik kon niet nalaten me af te vragen of Denise ze had betaald of weer een greep had gedaan in de voorraad van haar tante. Alison zei niets. Ze deed het kartonnen doosje dicht en zette het op de grond.
'Vind je ze niet mooi?'
'Ja, ze zijn erg leuk.'
'Arme Alison. Ze is helemaal van streek omdat je geen oud en nieuw met ons viert.'
'Ik ben alleen teleurgesteld.'
'Dat hoeft toch niet. Het is gewoon een avond zoals alle andere,' zei ik, maar dat geloofde ik zelf niet. Tenslotte was ik net zo teleurgesteld geweest als Alison toen Josh had gezegd dat hij de stad uit zou zijn. 'O, ik bedenk ineens dat ik heb vergeten het cadeautje

voor Lance onder de boom te leggen.' Ik krabbelde overeind, rende naar de keuken en haalde het zakje met de balpen uit de la. Wat kon mij het schelen? Ik zou wel iets anders voor Josh kopen, iets persoonlijkers. Gewapend met mijn cadeautje liep ik terug naar de woonkamer.

'Wat bezielt je?' hoorde ik Alison nijdig fluisteren.

'Maak je toch niet zo druk,' zei Lance.

'Waar ben je op uit?'

'Ik probeer gewoon een beetje lol met haar te maken.'

'Dat bevalt me anders helemaal niet.'

'Rustig nou maar.'

'Ik waarschuw je...'

'Is dat een ultimatum? Want jij en ik weten allebei wat er gebeurt als je me een ultimatum stelt.'

'Hier is het!' riep ik, al voordat ik de kamer weer binnenkwam.

Lance reikte over de rugleuning van de bank om het zakje van me aan te pakken. 'Precies wat ik zocht,' zei hij zonder een zweem van ironie toen hij de dikke, zwarte pen uit het vloeipapier wikkelde. 'Dank je wel, Terry. Ik ben diep geroerd.' Hij stond op, liep om de bank heen en stak zijn hand uit.

Nietsvermoedend legde ik de mijne erin, maar plotseling trok hij me naar zich toe. Zijn gezicht was zo dicht bij het mijne, dat ik zijn adem op mijn tong proefde. Ik wendde mijn gezicht af, maar blijkbaar had hij die reactie verwacht, want hij volgde de beweging en drukte zijn lippen recht op de mijne. 'W-wat doe je?' Ik probeerde te glimlachen, maar deinsde achteruit, nog altijd met de smaak van zijn lippen op de mijne.

Hij keek me verrast en niet-begrijpend aan. Dacht hij soms dat ik hem niet doorhad? 'Het is een schitterende pen,' zei hij.

'Oké, jongens!' riep Alison. 'Er zijn nog een heleboel pakjes. Ik ben aan de beurt.'

'Jij bent altijd aan de beurt.' Lance ging weer op de bank zitten.

Alison haalde een honkbalpet met het logo van de Houston Astros uit een zak, zonder op het kaartje te kijken. 'Van KC. Lief hè?' Ze zette de pet op. 'Hij kwam vanmiddag langs,' zei ze, voordat ik iets kon vragen. 'En toen zei hij dat hij laatst ook al aan de deur was geweest om me mijn kerstcadeautje te brengen. Maar ik was niet thuis,' legde ze uit. 'Dat was die avond toen jij hem in de tuin tegenkwam.'

Ik knikte, ook al kon ik me niet herinneren dat hij toen een cadeautje bij zich had gehad. 'Wat weet je eigenlijk van hem?' vroeg ik zo nonchalant mogelijk.
'Niet veel. Hoezo?'
'Ik ben gewoon nieuwsgierig.'
'Hij denkt dat je hem niet mag.'
'Dat is ook zo.'
'Hoe komt dat?'
'Ik vertrouw hem niet.'
'Het leek me een aardige kerel,' zei Lance.
'Ik vind hem ook aardig,' viel Alison hem bij.
'Noem drie dingen die je leuk aan hem vindt,' daagde ik haar uit.
Alison glimlachte. 'Eens even denken. Zijn accent...'
In gedachten hoorde ik KC's stuitende, licht nasale Texaanse accent.
'Zijn ogen.'
Ik vond dat hij afschuwelijke ogen had en zag zijn lachende gezicht weer voor me, die avond in mijn donkere achtertuin.
'En ik vind het leuk dat hij een cadeautje voor me heeft gekocht.'
'Noem jij eens drie dingen die je leuk vindt aan *míj*.' Lance wendde zich plotseling tot mij.
'Eerlijk gezegd weet ik niet of er wel iets is wat ik leuk aan je vind.'
Hij begon te lachen, maar het was waar, en volgens mij wist hij dat.
'Natuurlijk wel,' drong hij echter aan. 'Denk nou eens even goed na.'
'Ik kan niks bedenken.'
'Je krijgt pas weer een cadeautje als je iets weet.'
'Oké' Ik zwichtte. 'Ik vind het leuk dat je Bettye McCoy met hondenpoep hebt bekogeld.'
Hij lachte weer. 'Dus je houdt wel van een vent met een beetje lef in zijn donder.'
'Ik geloof niet dat ze dat bedoelt,' zei Alison.
'Wat vind je nog meer leuk?' vroeg Lance, zonder acht te slaan op zijn zus.
'Je hebt een goede smaak als het om nachtkleding gaat,' gaf ik toe.
In de donkere spiegel van het raam zag ik mijn moeder haar hoofd schudden.
'Je vindt dat ik lekker smaak,' vertaalde Lance, met een twinkeling in zijn blauwe ogen.

Ik schudde mijn hoofd, maar ging er niet op in. 'Ik vind je riem leuk,' zei ik ten slotte.
'Je vindt mijn riem leuk?'
'Ja.'
Lance Palmay keek naar de zwarte leren riem die met een grote, zilveren gesp om zijn slanke middel sloot. 'Dus dit vind jij een leuke riem,' herhaalde hij verbaasd. 'Heeft iemand je ooit verteld dat je een uitzonderlijke vrouw bent, Terry Painter?'
Er werd niet veel meer gezegd tijdens het openmaken van de rest van de cadeautjes: een T-shirt van mij voor Alison, een fotoalbum van Alison voor mij, bioscoopkaartjes, een doos zandkoekjes, een reiswekkertje en een paar pluizige roze pantoffels. 'Dit is het laatste.' Ik haalde een klein pakje met een grote witte strik onder de boom vandaan.
'Wat is het?' Alison leek bijna bang om het open te maken.
'Ik hoop dat je het mooi vindt.' Gespannen keek ik toe hoe ze voorzichtig de strik verwijderde en het papier loswikkelde. 'Ik vond het tijd worden dat je een ketting van jezelf had,' zei ik toen ze het deksel van het doosje nam en het dunne gouden kettinkje met haar naam omhooghield.
Er kwamen tranen in Alisons ogen die al snel over haar wangen stroomden. Zwijgend haalde ze het kettinkje met het gouden hartje van haar hals en verving ze het door het nieuwe. 'Het is prachtig. Ik doe het nooit meer af.'
Ik lachte, maar zelf had ik ook tranen in mijn ogen.
Plotseling stond Alison op en haalde ze een langwerpig, dun pak in donkergroen papier achter de boom vandaan. 'Voor jou.' Ze legde het op mijn schoot.
Ik wist al wat het was voordat ik het had uitgepakt. 'Dit is veel te duur,' fluisterde ik toen ik ten slotte naar het schilderij van de vrouw met de breedgerande hoed op het strand van roze zand staarde. 'Dit is echt een veel te duur cadeau.'
'Je vindt het toch mooi?'
'Natuurlijk vind ik het mooi. Ik vind het práchtig. Maar het is veel te duur.'
'Ik heb personeelskorting gekregen. Dat was voordat ik de zak kreeg.'
We begonnen allebei te lachen, nog altijd met tranen in onze ogen.

'Dan nog...'
'Ik wil er niets meer over horen. Het hóórt hier. Hier!' Alison wees naar de lege muur achter de bank. 'Lance zal het voor je ophangen. Hij is erg handig.'
'Je weet niet half hóé handig,' zei Lance veelbetekenend terwijl hij overeind kwam.
'Lance!'
Maar ik hoorde amper wat ze zeiden. 'Niemand heeft ooit zoiets voor me gedaan,' fluisterde ik. Wat ik nog aan bedenkingen had, aan onbeantwoorde vragen, aan twijfels, was op dat moment vergeten.
'Voor mij ook niet.' Alison streek over het gouden kettinkje om haar hals en strekte haar armen naar me uit.
'Pas maar op,' zei Lance. 'Straks word ik nog jaloers.'
Alison negeerde hem en sloeg haar armen zo stijf om me heen dat ik amper lucht kreeg. Ik voelde haar tranen op mijn wangen, haar hart dat tegen het mijne sloeg, en ik had niet kunnen zeggen waar zij ophield en ik begon.
'Vrolijk kerstfeest, Terry,' zei ze huilend.
'Vrolijk kerstfeest, Alison.'

16

'Vrolijk kerstfeest,' riep ik de volgende morgen, toen ik de deur van Myra Wylies kamer openduwde.
Het was even over achten. Myra lag in bed, met haar hoofd naar het raam. Ze verroerde zich niet, ook niet toen ik de deur achter me dichtdeed en voorzichtig en met ingehouden adem naar het bed liep. Ik was die ochtend al twee keer bij haar geweest, maar beide keren had ik haar in diepe slaap aangetroffen. Ik had haar niet wakker gemaakt. Hoe vaak gebeurde het nog dat ze zo lekker sliep?
Ik herinnerde me dat de laatste maanden van mijn moeder gekenmerkt waren geweest door een extreme rusteloosheid. Ze had nachtenlang liggen woelen en amper een oog dichtgedaan. Als het kerstfeest iets van rust en vrede in Myra Wylies gekwelde bestaan had weten te brengen, wie was ik dan om haar te storen?
Alleen was er vanochtend iets in haar houding, iets in de manier waarop haar schouders afhingen en haar hoofd op het kussen lag, wat me ongerust maakte. 'Myra?' Ik reikte naar de broodmagere hand onder de lakens en wenste vurig dat ik nog een pols zou voelen.
'Maak je geen zorgen,' zei ze duidelijk verstaanbaar, maar met een doffe klank in haar stem, alsof die met schuurpapier wreed van zijn natuurlijke glans was ontdaan. 'Ik ben nog niet dood.'
Lance vindt dat mensen een uiterste houdbaarheidsdatum zouden moeten hebben, hoorde ik Alison zeggen.
Toen ik me naar de andere kant van het bed haastte, zag ik meteen dat ze had gehuild. 'Myra! Wat is er? Heb je pijn? Is er iets gebeurd? Wat is er?'
'Er is niets.'
'Dat is niet waar, je bent van streek. Ik zie het aan je. Wat is er gebeurd?'
Ze haalde haar schouders op. Het vluchtige gebaar verstoorde haar broze evenwicht, zodat haar zwakke lichaam begon te schok-

ken door een reeks krampachtige stuiptrekkingen. Ik pakte een glas water van het nachtkastje, stopte het rietje tussen haar lippen en keek toe hoe ze de lauwe vloeistof opzoog.
'Wil je dat ik de dokter bel?'
Myra schudde haar hoofd, maar zei niets.
'Wat is er? Je weet toch dat je mij alles kunt vertellen?'
'Ik ben gewoon een dwaze oude vrouw,' zei Myra, en voor het eerst sinds ik de kamer was binnengekomen, keek ze me aan. Ze probeerde te glimlachen, maar het resultaat was een nieuwe stuiptrekking, waardoor haar kaak begon te trillen als bij de pop van een buikspreker.
'Nee, dat ben je niet.' Ik streek wat fijne haren – weinig meer dan dunne draden – uit haar gezicht. 'Volgens mij heb je gewoon een beetje met jezelf te doen, dat is alles.'
'Ik ben een dwaze oude vrouw.'
'Ik heb een cadeautje voor je.' Onmiddellijk zag ik haar ogen oplichten in kinderlijke verrukking. We zijn nooit te oud voor cadeautjes, dacht ik, terwijl ik een klein pakje uit de zak van mijn uniform haalde.
Ze worstelde even met de verpakking, toen gaf ze het op. 'Doe jij het maar,' zei ze ongeduldig en hield me het cadeautje voor. Ik scheurde het papier eraf, zodat er een paar kleurige rood-met-groene kerstsokken te voorschijn kwam.
'Dan blijven je voeten lekker warm.'
Ze legde een hand op haar hart, dolgelukkig, alsof ik haar de kroonjuwelen had gegeven. 'Wil jij ze me aantrekken?'
'Met plezier.' Ik tilde de onderkant van haar lakens op. Haar voeten waren steenkoud. 'Hoe voelt dat?' vroeg ik, terwijl ik eerst de ene en toen de andere sok aantrok.
'Verrukkelijk. Echt verrukkelijk!'
'Vrolijk kerstfeest, Myra.'
Er gleed een schaduw over haar gezicht. 'Ik heb niets voor jou.'
'Dat had ik ook niet verwacht.'
De schaduw verdween net zo snel als hij was gekomen, en haar ogen begonnen te schitteren. 'Misschien heb ik wel wat geld in mijn tas.' Ze knikte naar de tafel aan het voeteneind van het bed. 'Pak maar zoveel als je wilt. Dan kun je iets leuks voor jezelf kopen.'

Ik wed dat sommige van die eenzame ouwe stumpers behoorlijk aan je gehecht raken, hoorde ik Lance zeggen. *Het moet een koud kunstje zijn om ervoor te zorgen dat ze je in hun testament vernoemen. Als je een beetje je best doet, geven ze je alles wat ze hebben.*
Hij had gelijk, besefte ik op dat moment. Het zou me geen enkele moeite kosten.
En als ik hun geld eenmaal had, wat dan? Werd ik dan geacht al mijn bezittingen over te doen aan Alison? Was dat het plan?
Was ik die eenzame ouwe stumper over wie hij het had gehad? Was ik het doelwit?
Waarom niet? Ik had een huis, een tuinhuis en een pensioenverzekering.
Lijkt me een goed plan, hoorde ik Lance zeggen.
Alles verloopt precies volgens plan, had Alison op de dag na Thanksgiving tegen haar broer gezegd, in dat telefoongesprek dat ik had afgeluisterd.
Wat bezielde me, vroeg ik me ongeduldig af. Waar kwamen die gedachten vandaan? Ik had me toch vast voorgenomen om al deze onzin van me af te zetten?
'Terry,' hoorde ik Myra zeggen. 'Terry, kindje, wat is er?'
Ik schrok op uit mijn gedachten. 'Neem me niet kwalijk. Zei je iets?'
'Ik vroeg of je mijn tas uit de la wilt pakken.'
'Myra, Josh heeft je tas al maanden geleden mee naar huis genomen. Weet je dat niet meer?'
Ze schudde haar hoofd en begon opnieuw te huilen.
'Je mist Josh, hè? Dáárom ben je zo verdrietig.'
Myra begroef haar gezicht in haar kussen.
'Ik mis hem ook.' Ik probeerde opgewekt en vrolijk te klinken. 'Maar hij is terug voor je het weet.'
Ze knikte.
Ik keek op mijn horloge. 'Het is in Californië pas vijf uur 's ochtends. Ik weet zeker dat hij je belt zodra hij wakker is.'
'Hij heeft gisteravond gebeld.'
'O ja? Wat fijn! Hoe is het met hem?'
'Goed. Heel goed.' Het klonk merkwaardig vlak.
'Weet je zeker dat alles goed met je is?' 'Dat je nergens pijn hebt?'
'Nee, ik heb nergens pijn. Jij bent bij me, ik heb heerlijk warme voeten, dus wat kan ik nog meer wensen?'

'Wat dacht je van een stukje marsepein?' Ik haalde een banaantje van marsepein uit mijn zak.
'O... ik ben dol op marsepein. Hoe wist je dat?'
'Marsepeinliefhebbers onder elkaar...' Ik wikkelde het papier eraf, stak het banaantje in haar mond en voelde dat ze er als een eekhoorntje aan begon te knabbelen.
'Heerlijk.' Ze bracht haar hand naar mijn gezicht. Ik boog me over haar heen en voelde haar bevende vingers tegen mijn wang. 'Dank je wel, kindje.'
'Graag gedaan.'
'Terry...'
'Ja?'
Ze bracht haar mond dicht naar mijn oor. 'Je bent zo lief voor me geweest. De dochter die ik nooit heb gehad.'
Je bent zo lief voor me geweest, herhaalde ik zwijgend. *De moeder die ik nooit heb gehad.*
'Ik wil dat je weet hoe dankbaar ik je ben voor alles wat je voor me hebt gedaan.'
'Dat weet ik.'
'Ik hou van je.'
'Ik hou ook van jou,' fluisterde ik, en ik begroef mijn tranen in haar fijne, zilvergrijze haar.
Er werd op de deur geklopt en ik draaide me om, half en half verwachtend dat het Josh zou zijn. Als dit een film was, zou Josh Wylie bij wijze van verrassing op kerstochtend naar zijn moeder zijn gevlogen, dacht ik. En zodra hij mij naast haar bed zag staan, zou hij beseffen dat ik de liefde van zijn leven was. Hij zou voor me op zijn knieën vallen en me smeken zijn vrouw te worden. Maar het was geen film, het was de dagelijkse werkelijkheid, dus er stond geen minnaar met stralende ogen in de deuropening, maar een onverschillige, kauwgom kauwende verpleeghulp.
'Zeg het eens.'
'Er is telefoon voor je bij de afdelingsbalie.'
'Voor mij? Weet je dat zeker?'
'Ik moest van Beverley zeggen dat het belangrijk was.'
Wie zou me op kerstochtend op mijn werk bellen? Het kon bijna niemand anders zijn dan Alison. Was er iets gebeurd? Iets ergs?
'Ga maar, kindje,' zei Myra. 'Ik zie je straks wel weer.'

'Weet je zeker dat alles goed met je is?'
'Het is altijd goed met me als jij er bent.'
'Ik ben zo terug.'
Ik liep de kamer uit naar de afdelingsbalie. 'Lijn twee,' zei Beverley. 'Hij zei dat het haast had.'
Hij? Was het Josh, vroeg ik me af. Was het Josh die me belde uit San Francisco om me vrolijk kerstfeest te wensen en te zeggen dat hij me miste? Om me te vertellen dat hij eerder thuiskwam? Of misschien was het Lance, om te zeggen dat er een ongeluk was gebeurd en dat Alison levensgevaarlijk gewond was. 'Hallo?'
'Vrolijk kerstfeest.'
'Jij ook,' zei ik, opgelucht dat het Lance niet was en teleurgesteld dat het Josh niet was. 'Je moet de groeten hebben van Erica. Ze vindt het erg jammer dat ze niet bij je kan zijn met de feestdagen.'
'Wie ben je?' schreeuwde ik, zonder acht te slaan op de mensen die langsliepen. 'Ik heb hier meer dan genoeg van. Ik weet niet wat voor spelletje je speelt, maar...'
'Terry!' waarschuwde Beverley. Ze legde een vinger op haar lippen. Woedend gooide ik de hoorn op de haak. 'Het spijt me. Ik had niet moeten schreeuwen.'
'Wie was dat?'
'Ik weet het niet.'
'Je weet het niet?'
'Ik krijg de laatste tijd regelmatig anonieme telefoontjes.'
Beverley knikte. 'Praat me niet van anonieme telefoontjes. Daar weet ik alles van.' Haar mollige vingers trommelden onverschillig op het bureau terwijl ze een stapeltje patiëntendossiers doorbladerde. Ze was drie keer gescheiden en minstens twee keer zo zwaar als ze zou mogen zijn. Haar haar was veel te kort geknipt, in te veel tinten blond geverfd en gortdroog van het permanenten. Duidelijk een vrouw die hield van extremen – waarschijnlijk de reden dat haar drie huwelijken op de klippen waren gelopen. Maar wie was ik om daarover te oordelen? Ik had altijd een beetje medelijden met haar gehad. Maar ineens vroeg ik me af of zij misschien net zo over mij dacht. 'Na mijn laatste scheiding belde mijn ex me vijftig keer per dag,' zei Beverley. 'Vijftig keer! Ik ben vier keer van telefoonnummer veranderd, maar het hielp allemaal niets. Uiteindelijk heb ik de politie op hem af moeten sturen.'

'Misschien zou ik dat ook moeten doen.'
'Dat lijkt me moeilijk als je niet weet wie het is. Heb je geen idee...?'
Er verscheen een grijnzend trio voor mijn geestesoog – Lance en KC, met in hun midden de man met de rode bandana. 'Nee,' zei ik.
'Jammer. Hij klonk zo sexy zoals hij je naam zei. Lekker loom, als een spinnende kat. Ik dacht dat het misschien... nou ja, je weet wel... dat het je vriend was...' Ze haalde haar schouders op en richtte haar aandacht weer op de stapel papieren. 'Waarschijnlijk is het gewoon een kwajongen die een rotgeintje met je uithaalt.'
'Nou, als hij nog een keer belt, dan zeg je maar... Ik weet het niet. Dat laat ik aan je verbeelding over.'
'Maak je geen zorgen. Ik bedenk wel iets.'
Ik hoorde haar lachen terwijl ik doelloos de gang in liep. Voor de deur van Sheena O'Connor bleef ik staan, en ik keek om het hoekje. Ze zat rechtop in bed en was in een geanimeerd telefoongesprek verwikkeld. Ik stond al op het punt om me terug te trekken toen ze me riep.
'Wacht even!' Ze wenkte me. 'Kom binnen. Ik ben zo klaar.'
Terwijl ze het gesprek beëindigde, inspecteerde ik de bloemstukken en kerststerren die de kamer vulden en gaf ze water voorzover ze dat nodig hadden. Bij vijftien raakte ik de tel kwijt. *Dikke kus, papa en mama. Vrolijk kerstfeest, lieverd, tante Kathy en oom Steve. Zet 'm op! Liefs, Annie.* Het langst bleef ik staan bij een enorme bos lange, gele rozen, denkend aan de rozen die Josh me had gestuurd met Thanksgiving. Misschien stond er wel een boeket op me te wachten wanneer ik thuiskwam.
'Het ruikt hier naar een rouwcentrum.' Sheena legde lachend de hoorn op de haak.
Ze is prachtig, dacht ik. Haar bruine ogen waren zacht als sabelbont en vormden een schitterend contrast met haar roomwitte huid. Haar gezicht vertoonde nog altijd de sporen van de plastische chirurgie die ze had ondergaan om de schade ongedaan te maken die de verkrachter haar had toegebracht. Maar de diepe krassen rond haar mond waren verbleekt tot fijne lijntjes, en alleen een lichte welving naar links verried nog dat haar neus gebroken was geweest. Ik vond het een onvolmaaktheid die haar alleen maar aantrekkelijker maakte, maar daar dacht ze zelf waarschijnlijk anders over.

'Ik vind het lekker ruiken,' zei ik naar waarheid.
'Ja, dat zal ook wel.' Ze gebaarde met haar hoofd naar de telefoon. 'Dat waren mijn ouders. Ze zijn onderweg hierheen met een auto vol cadeautjes.'
'Dat geloof ik graag.'
'Ik wou dat ik naar huis kon.'
'Dat duurt vast niet lang meer. Je herstel is opmerkelijk snel gegaan.'
'Waarom kom je niet even bij me zitten,' stelde Sheena voor. 'Tenzij je het druk hebt, natuurlijk...'
Ik trok een stoel bij en liet me erin vallen. 'Nee, ik heb het niet druk.'
'Waarom werk je vandaag? Vinden ze dat thuis niet ongezellig?'
'Nee, dat vinden ze niet erg,' zei ik, in de veronderstelling dat Sheena niet echt geïnteresseerd was in mijn privé-leven. Ze wilde gewoon een beetje kletsen, om de tijd te doden tot haar ouders kwamen.
'Ben je getrouwd?' vroeg ze onverwacht, met een blik op mijn kale ringvinger.
Ik dacht aan Josh – aan zijn warme ogen, zijn nog warmere lippen – en voelde zijn mond langs de mijne strijken, zijn wimpers tegen mijn wang. 'Ja,' zei ik. 'Ja, ik ben getrouwd.'
'Heb je kinderen? Je hebt vast en zeker een heleboel kinderen.'
'Ik heb een dochter,' hoorde ik mezelf zeggen, en mijn adem stokte bijna in mijn keel. Wat bezielde me? Ik probeerde me Alison als klein meisje voor te stellen. 'Ze is ouder dan jij.'
'Heb je maar één kind?'
'Ja, alleen een dochter.'
'Dat verbaast me. Ik zou hebben gedacht dat je er minstens drie had.'
'Echt waar? Waarom?'
'Omdat je me een heel goede moeder lijkt.' Ze glimlachte verlegen. 'Ik weet nog hoe je voor me hebt gezongen. Hoe ging dat liedje ook alweer?'
'*Too-ra-loo-ra-loo-ra,*' zong ik zacht. '*Too-ra-loo-ra-lie...*'
'Precies! Ik vond het zo prachtig. Het was net alsof het me riep...'
Ik hield op met zingen. 'Hoe was het?'
'Wat? Om in coma te liggen?'

Ik knikte.
Ze schudde haar hoofd. 'Een beetje alsof je slaapt. Ik herinner me er niet veel meer van. Alleen stemmen, heel ver weg, alsof ik droomde. Maar dan zonder beelden. En toen hoorde ik iemand zingen. Dat was jij.' Ze glimlachte. 'Jij hebt me teruggehaald.'
'Herinner je je nog iets van de verkrachting?'
Er ging een huivering door Sheena heen en de glimlach verdween van haar gezicht.
'Neem me niet kwalijk,' zei ik meteen. 'Dat had ik niet moeten vragen.'
'Het geeft niet,' zei Sheena snel. 'De politie heeft het me ook al honderd keer gevraagd. Ik wou alleen dat ik ze meer had kunnen vertellen. Van de verkrachting zelf herinner ik me niets meer. Alleen dat ik in de achtertuin lag te zonnen. Mijn ouders waren niet thuis en mijn zusje was naar het strand. Ik verwachtte een telefoontje – van een jongen van school die ik leuk vond – dus ik wilde de deur niet uit. Ik had een deken op het gras gelegd en lag op mijn buik. Ik weet nog dat ik het topje van mijn bikini losmaakte. Onze achtertuin is erg beschut. Ik dacht niet dat iemand me kon zien. Net toen ik indommelde, hoorde ik het.' Ze zweeg en staarde naar een grote, rode kerstster achter mijn hoofd.
'Wat hoorde je toen?'
'Dat geluid. Alsof de bladeren ritselden. Nee,' verbeterde ze zichzelf onmiddellijk. 'Niet echt geritsel. Het was zachter.'
'Gefluister?' vroeg ik op gedempte toon.
'Ja! Dat was het. Gefluister.' Ze keek me recht in mijn ogen. 'Ik weet nog dat ik dacht hoe vreemd het was dat de bladeren bewogen terwijl er helemaal geen wind was. Toen voelde ik dat er iemand naast me stond, en op dat moment was het al te laat.'
'Ik vind het zo verschrikkelijk voor je.'
'Mijn instinct probeerde me te waarschuwen, maar ik luisterde niet.'
Ik knikte. Hoe vaak negeren we ons instinct niet, dacht ik. Hoe vaak negeren we het gefluister van de bladeren niet?
'Wil je nog een keer voor me zingen?' Sheena leunde achterover en deed haar ogen dicht.
'*Too-ra-loo-ra-loo-ra*,' begon ik zacht.
'*Too-ra-loo-ra-lie*,' zong Sheena met me mee.

'Too-ra-loo-ra-loo-ra,' zongen we samen. Onze stemmen wonnen geleidelijk aan kracht. En heel even kon ik doen alsof de bladeren waren gestopt met fluisteren en alsof er geen kwaad in de wereld bestond.

17

'Hij heeft weer gebeld,' zei Beverley toen ik aan het eind van mijn dienst terugkwam bij de verpleegstersbalie.
Ik wist meteen wie ze bedoelde. 'Wanneer?'
Beverley keek naar de grote, ronde klok aan de muur. 'Ik denk zo'n drie kwartier geleden. Ik heb gezegd dat je dood was.'
Ondanks mezelf moest ik lachen. 'En wat zei hij toen?'
'Dat hij het later nog een keer zou proberen.' Ze haalde haar schouders op, alsof ze wilde zeggen: Wat doe je eraan? 'Het zullen de feestdagen wel zijn. Dan kruipen alle gekken uit hun holen.'
'Tja. Misschien heb je gelijk.' Ik liep als een robot naar de liften en drukte op de knop tot een van de deuren openging. Was dat alles? Was het niet meer dan dat?
Mijn instinct probeerde me te waarschuwen, hoorde ik Sheena O'Connor zeggen. *Maar ik luisterde niet.*
De lift was al tamelijk vol en ik moest me tussen twee mannen van middelbare leeftijd wringen, van wie er een naar drank stonk en de ander rook alsof hij zich niet waste. Ik keek naar de deur die dichtschoof en plantte mijn voeten stevig op de grond terwijl de lift schokkend aan zijn trage, bijna pijnlijke afdaling begon. 'Vrolijk kerstfeest,' zei een van de mannen. In de benauwde ruimte was de geur van whisky overweldigend als een wolk gifgas.
Ik hield mijn adem in en wenste vurig dat de lift niet op elke verdieping zou stilhouden. Natuurlijk deed hij dat wel, en er dromden zelfs nog meer mensen naar binnen. 'Vrolijk kerstfeest,' groette de man naast me elke nieuwe aanwinst. Op een gegeven moment probeerde hij zelfs een hoffelijke buiging te maken. Prompt verloor hij zijn evenwicht en viel tegen me aan, waarbij hij met zijn hand langs mijn borst streek toen hij probeerde overeind te komen. 'Neem me niet kwalijk,' zei hij met een onnozele grijs, en ik moest me beheersen om hem niet onder te kotsen. Anders dan Alison had ik geen braakfobie.

Eindelijk bereikte de lift de lobby en kwam stuiterend tot stilstand, alsof hij zelf verbaasd was dat hij heelhuids was aangekomen. De deur schoof open en iedereen stroomde naar buiten, als water uit een omgevallen glas. Ik voelde een hand op mijn achterwerk. Aanvankelijk deed ik het af als het onvermijdelijke gevolg van de grote hoeveelheid mensen die als sardientjes op elkaar geperst hadden gezeten. Tot ik een hand tussen mijn benen voelde, die probeerde zich omhoog te werken. Woedend sloeg ik de hand weg en keek ik de dronkaard aan, die me op zijn beurt stompzinnig toegrijnsde. 'Lul,' mompelde ik en met een diepe zucht stapte ik de lift uit, terwijl ik een niet bestaande hand van mijn achterwerk streek. Het gevoel bleef echter, alsof ik werd betast door onzichtbare vingers.
'Terry,' klonk een stem achter me. Ik draaide me om en stond oog in oog met een aantrekkelijke vrouw, een jaar of vijf jonger dan ik. Ze had een olijfbruine huid, en ik probeerde wanhopig me haar naam te herinneren. 'Luisa,' zei ze, alsof ze besefte wat er in me omging. 'Van Opname. Ik dacht al dat ik je herkende toen je in de lift stapte, maar het was er zo vol...'
'En het stonk er.'
Ze begon te lachen. 'Ja, vreselijk! Heb je vandaag gewerkt?'
Ik knikte. 'En jij?'
Ze schudde haar hoofd, en er vielen een paar zwarte krullen over haar brede voorhoofd. 'Nee, ik ben bij mijn oma langs geweest. Ze is vorige week over een scheurtje in het trottoir gestruikeld en heeft haar heup gebroken. Het is toch niet te geloven, hè?'
'Hè, wat vervelend.'
'Ja, de ouderdom komt met gebreken.'
Ik moest denken aan mijn moeder, aan Myra Wylie, aan alle zieke en hulpeloze mensen die over hun 'uiterste houdbaarheidsdatum' heen waren.
'Nou ja, in elk geval vrolijk kerstfeest,' zei Luisa. 'En als ik je niet meer zie, een gezond en gelukkig nieuwjaar.'
'Jij ook.'
Ze draaide zich al om toen me plotseling iets te binnen schoot. 'O... Luisa!' Het klonk zo dringend dat ze met een ruk bleef staan en me vragend aankeek. Ik liep haastig naar haar toe. 'Sorry, maar ik bedenk ineens dat ik je iets moet vragen.'
Luisa keek me afwachtend aan.

'Een vriendin van me is op zoek naar iemand die hier vroeger heeft gewerkt. Een zekere Rita Bishop.' Waarom begon ik hier nu over, vroeg ik me af. Alison had toch zelf gezegd dat ik geen moeite hoefde te doen?

Luisa trok haar zware, donkere wenkbrauwen op en fronste haar brede voorhoofd. 'Klinkt niet bekend.'

'Ze is een maand of zes, zeven geleden weggegaan.'

'Weet je op welke afdeling ze werkte?'

'Ik geloof dat ze secretaresse was of zoiets.'

'Nou, ik werk hier inmiddels drie jaar, maar de naam Rita Bishop klinkt me niet bekend in de oren. Dat zegt natuurlijk niet alles. Moet ik het voor je natrekken in het personeelsarchief?'

'Ach... ik wil je geen last bezorgen...'

'Welnee, het is zo gebeurd.'

Ik volgde haar naar de administratie en wachtte terwijl ze de sleutel uit haar zak haalde en de deur opendeed. Dit is krankzinnig, zei ik tegen mezelf, maar Luisa had haar computer al opgestart en knipte het licht aan.

Ik was nog altijd een beetje uit mijn doen door mijn gesprek met Sheena O'Connor. *Mijn instinct probeerde me te waarschuwen,* had ze gezegd, en ik had begrijpend geknikt, want ik besefte maar al te goed hoe ik met succes mijn eigen instinct had verdrongen. Net zoals ik besefte dat het plotseling weer de kop op stak en hardnekkig weigerde zich nog langer te laten negeren.

'In het personeelsarchief kom ik de naam niet tegen,' zei Luisa, met haar ogen op de monitor gericht. 'Je zei dat ze een maand of zes, zeven geleden is vertrokken?'

'Misschien acht,' opperde ik.

'Nou, ik kan niemand vinden die zo heet.' Luisa voerde wat meer informatie in. 'Rita Bishop, zei je toch?'

'Ja, dat klopt.'

'Ik heb hier wel een Sally Pope.'

Ik begon te lachen. 'Je bent warm, maar...'

'Wacht even. Ik zal het eens op een andere manier proberen.' Ze tikte nog wat in. 'Ik voer haar naam in en dan laat ik de computer zelf zoeken.'

Ik knikte, maar ik wist de uitkomst al. Bij Mission Care zou Rita Bishop niet bekend zijn. Sterker nog, ze stond waarschijnlijk ner-

gens in een personeelsarchief, eenvoudigweg omdat ze niet bestond. Alison was niet in het ziekenhuis terechtgekomen toen ze op zoek was naar een oude vriendin die Rita Bishop heette. Ze was naar Mission Care gekomen omdat ze op zoek was naar mij.
Een andere verklaring was er niet.
Bleef de vraag waaróm.
'Nee.' Luisa schudde haar hoofd. 'Ik kan niks vinden, en ik zou niet weten waar ik nog meer zou kunnen kijken.'
'Het geeft niet. Doe geen moeite.'
'Sorry.' Luisa zette de computer uit. 'Er is hier vlakbij een begeleid-wonenproject, Manor Care. Misschien is je vriendin daarmee in de war.'
'Ja, misschien,' zei ik hoopvol, me vastklampend aan de spreekwoordelijke strohalm, nog altijd proberend mijn instinct te negeren en de fluisterende bladeren het zwijgen op te leggen, door mezelf ervan te overtuigen dat Alison was wie ze beweerde te zijn, dat ze niet tegen me had gelogen, dat ze niet nog stééds tegen me loog. 'Bedankt voor de moeite,' zei ik en bood Luisa een lift aan naar huis. Maar ze was met haar eigen auto, dus we wensten elkaar op het parkeerterrein nogmaals vrolijk kerstfeest en gingen ieder onze eigen weg. Tien minuten later zat ik me nog steeds in mijn auto af te vragen wat dit allemaal betekende. En wat belangrijker was: wat ik nu zou doen.

Het was al donker toen ik mijn tuinpad op reed. De witte Lincoln Town Car van Lance stond langs de stoep, en ik overwoog om op de deur van het tuinhuisje te kloppen en Alison en haar broer met mijn laatste ontdekking te confronteren. Alleen, ik was zo in de war, ik voelde me zo uitgeput en kwetsbaar, en Alison had altijd overal een plausibele verklaring voor. Bovendien, waarom was ik eigenlijk zo van streek? Omdat ik voor de gek werd gehouden? Of omdat ik nog altijd niet doorhad wat voor spelletje er met me werd gespeeld?
Eén ding was duidelijk: ik was niet zomaar een willekeurig slachtoffer. Ze hadden informatie over me ingewonnen en me uitgekozen voor een specifiek doel, ook al begreep ik nog altijd niet wat dat doel kon zijn. Samen met haar broer had Alison het een of andere plan bekokstoofd en daar veel tijd en geld in gestoken. Ik

dacht aan het dure schilderij dat ze me die nacht had gegeven. Maar waarom? Wat hoopten ze daar in 's hemelsnaam mee te bereiken? En wat had Erica Hollander ermee te maken? Als ze er al iets mee te maken had.

Ik stapte uit de auto, viste mijn sleutels uit mijn tas en overwoog opnieuw om de politie te bellen. Maar wat moest ik dan zeggen? Dat ik mijn tuinhuisje had verhuurd aan een jonge vrouw van wie ik vermoedde dat ze een oplichter was? Of erger.

En wat heeft deze jonge vrouw gedaan waardoor ze uw verdenking heeft gewekt?, hoorde ik de politie al vragen. *Heeft ze geprobeerd u geld af te troggelen? Loopt ze achter met de huur?*

Eh... nee. Ze betaalt haar huur keurig op tijd en ze heeft me nooit om geld gevraagd. Integendeel, ze koopt om de haverklap dure cadeautjes voor me en ze doet haar uiterste best om aardig tegen me te zijn.

Tja, dat klinkt inderdaad erg verdacht. Ik begrijp heel goed waarom u belt.

Nee, u begrijpt het niét. Ik ben bang.

Waar bent u precies bang voor?

Dat weet ik niet.

Luister eens, dame, het is úw huis. Dus als u haar niet mag, dan zegt u gewoon dat ze moet vertrekken.

Precies. Zo eenvoudig was het. Ik moest haar gewoon de huur opzeggen. Zeggen dat ze moest vertrekken. Dat was alles. Waarom deed ik dat dan niet? Wat weerhield me daarvan? Probeerde ik mezelf nog altijd te overtuigen dat er een volkomen logische verklaring was voor al het bedrog, alle leugens, ondanks het groeiende bewijs van het tegendeel? Probeerde ik nog altijd te geloven dat er niets was gebeurd waarvoor geen sluitende verklaring bestond? Probeerde ik mezelf nog steeds wijs te maken dat er geen achterliggende motieven waren, dat er geen sprake was van een sluwe samenzwering, dat mijn leven geen gevaar liep?

Ik kan haar de huur niet opzeggen.

Waarom niet?

Omdat ik niet wil dat ze weggaat, gaf ik in stilte toe.

Haar broer was degene van wie ik wilde dat hij wegging, en dat zou over een week ook gebeuren. Gelukkig nieuwjaar, reken maar! Dan werd alles weer zoals het in het begin was geweest. Dan konden we weer doen alsof Alison niet deed alsof; dan konden we weer doen alsof ze was wie ze beweerde te zijn.

Op dat moment zag ik in gedachten Sheena O'Connor voor me, op een deken in mijn voortuin. Ik zag dat ze achter zich reikte om het bovenstukje van haar bikini los te maken, waarbij ze haar profiel loom naar de maan keerde die onverschillig aan de hemel stond. Ik hoorde de koele bries door de bladeren ritselen, luisterde naar het subtiele gefluister dat haar waarschuwde voor gevaar en zag haar zorgeloos met haar hand wapperen, alsof ze een irritante mug wegjoeg.
Kon ik het me veroorloven om ook zo nonchalant te zijn?
Er was maar één oplossing. Ik zou met Alison moeten praten. Als ze me een plausibele verklaring kon geven voor wat er gaande was, zou ik de zaak als afgedaan beschouwen. Zo niet, dan zou ik haar de huur moeten opzeggen.
Voordat ik van gedachten kon veranderen, liep ik langs de zijkant van het huis naar de achtertuin en klopte hard op Alisons deur. Ik had er meteen spijt van. Dit ging allemaal veel te vlug. Ik ging overhaast te werk, het was dwaas wat ik deed, naïef. Voordat ik iets ondernam, zou ik op z'n minst iemand over mijn bezorgdheid moeten vertellen. Misschien niet de politie, maar dan toch in elk geval Josh of iemand op mijn werk. Alleen, Josh was de stad uit en mijn collega's hadden genoeg aan hun eigen problemen. Bovendien was het Kerstmis. Ik dacht aan alle prachtige cadeaus die Alison me had gegeven; het schilderij, de porseleinen vaas. Eerste Kerstdag was niet echt het ideale moment om haar oprechtheid in twijfel te trekken; om haar te beschuldigen van sinistere plannen en snode motieven.
Snood, kon ik haar horen zeggen. *Fijn woord. Klinkt lekker.*
Ik had nog alle tijd om haar daarmee te confronteren, besloot ik, en wilde al weglopen.
'De deur is open!' riep Lance vanbinnen.
Met tegenzin duwde ik de deur open. Wat kon ik anders doen? Eenmaal binnen deed ik de deur achter me dicht en keek ik de verlaten woonkamer door naar de slaapkamer, waar ik zag dat het bed niet was opgemaakt. *Altijd je bed opmaken,* hoorde ik mijn moeder zeggen.
'Wat is er? Ben je je sleutel vergeten?' Lance kwam uit de badkamer, slechts gehuld in een handdoek om zijn slanke middel. Zijn haar was nat. Waterdruppels glinsterden op zijn gespierde borst.

'O.'
'Zeg dat wel,' zei hij met een ondeugende glimlach.
'Het spijt me. Ik wist niet...'
'Wat wist je niet? Dat ik in mijn blootje liep?' Hij deed twee stappen in mijn richting.
Ik deinsde twee stappen achteruit. 'Sorry dat ik je stoor.'
'Je stoort niet. Ik ben klaar.' Lance hief zijn gespierde armen. 'Zie je wel? Helemaal schoon.' Hij draaide zich om, waarbij de handdoek omhoogwaaide, zodat er een stuk van de binnenkant van zijn dij zichtbaar werd.
Ik deed alsof ik het niet zag. 'Is Alison thuis?' Stomme vraag! Ik kon mijn tong wel afbijten. Het was tenslotte duidelijk dat ze er niet was.
'Ze is een eindje wandelen.'
'Wandelen?'
'Ja, ze had behoefte aan frisse lucht, zei ze.'
'Is alles goed met haar?'
'Waarom zou het niet goed met haar zijn?'
'Ze heeft toch niet weer last van migraine?'
Hij lachte. 'Nee, ze voelt zich uitstekend.' Hij deed nog een stap in mijn richting. 'Kan ík misschien iets voor je doen? Of je bezighouden tot Alison terugkomt?'
Ik deinsde achteruit tot ik de deurknop in mijn rug voelde. 'Nee, ik wilde haar alleen nogmaals bedanken voor het prachtige schilderij.'
'Ik kan wel even langskomen,' bood hij aan, met zijn duim tussen de handdoek en zijn naakte huid. 'Als je dat wilt, hang ik het nu voor je op.'
'Nee, dat kan wel tot morgen wachten.'
'Sommige dingen kun je beter 's avonds doen.' Hij streek uitdagend met zijn tong langs zijn lippen.
'Sommige dingen kun je beter aan de verbeelding overlaten,' zei ik op mijn beurt.
'En ik wed dat jij een levendige verbeelding hebt.'
'Waarom denk je dat?'
Zijn blik ging over mijn witte trui en mijn zwarte broek, en bleef rusten op mijn borsten, en vervolgens op mijn kruis.
'Ik heb je een beetje geobserveerd.'

'Je hebt me geobserveerd,' herhaalde ik, bang om meer te zeggen. Ik voelde een ongewenste tinteling tussen mijn benen.
'Ja, gewoon om erachter te komen wat er in dat hoofdje omgaat.'
Ik stak mijn handen omhoog, plotseling vervuld van nieuwe moed en vastbesloten om het spelletje mee te spelen. 'Ik heb niets te verbergen...'
'Is dat zo?'
Ik knikte terwijl hij dichterbij kwam, zo dichtbij dat ik me bewust werd van zijn vochtige huid, nog nat van de douche. 'Geen geheimen?' vroeg hij uitdagend.
Ik schudde mijn hoofd, terwijl zijn adem langs mijn wang streek, als een vluchtige kus. 'Ik ben erg saai, ben ik bang.'
'Waar ben je precies bang voor?'
Ik begon bijna te lachen, en dat zou ik ook hebben gedaan als hij niet zo dichtbij had gestaan. 'Wat precíés?' herhaalde ik, en ik herkende mijn eigen stem niet meer. 'Wat bedoel je? Wat wil je van me?'
'Wat wil jíj van míj?'
Ik begon alsnog te lachen en proefde zijn adem op mijn tong. 'Ik ben nooit echt goed in spelletjes geweest.'
'Ik ben gek op spelletjes,' antwoordde Lance. 'Heb je ooit een kat met een muis zien spelen? De kat drijft de arme muis in een hoek, er is geen twijfel over mogelijk of de muis zal het onderspit delven, maar de kat heeft er niet genoeg aan om de muis te doden. Dat is voor de kat het minst boeiende van het hele gebeuren. Nee, de kat wil eerst een beetje spelen.'
'Doe jij dat ook? Met me spelen?'
'Doe jíj dat?' herhaalde hij langzaam. 'Speel jij soms een spelletje met míj?'
Ik hoorde voetstappen achter me, voelde in mijn rug dat de deurknop werd omgedraaid, en plotseling vloog de deur open en werd ik in Lances wachtende armen geduwd. Onmiddellijk greep hij mijn hand en trok die onder de handdoek om zijn middel. Ik voelde zijn natte, krullende schaamhaar, terwijl zijn lid hard werd onder mijn onwillige vingers. Zonder ook maar één moment te aarzelen haalde ik uit met mijn vrije hand en sloeg ik hem recht in zijn gezicht. 'Zo is het genoeg! Ik wil dat je onmiddellijk je koffers pakt.'

'Terry!' Alison kwam binnen, en ik probeerde wanhopig kalm te blijven. 'Wat is er gebeurd?' Ze keek naar haar broer. 'Wat is er aan de hand? Wat heb je tegen Terry gezegd? Wat heb je gedaan?'
'Ach, het is gewoon een misverstand.' Lance liet zich in de grote stoel vallen en legde zijn been over de brede armleuning, zodat de hele binnenkant van zijn dij zichtbaar werd. Op zijn wang tekende zich een rode vlek af waar ik hem had geslagen. 'Waar of niet, Terry?'
'Ik heb tegen je broer gezegd dat het tijd wordt om een ander onderkomen te zoeken.'
De uitdrukking op Alisons gezicht hield het midden tussen verwarring en boosheid, terwijl haar blikken tussen ons heen en weer gingen. 'Wat hij ook heeft gedaan, het spijt me...'
'Hé,' viel Lance haar in de rede, en hij zwaaide zijn benen op de grond. 'Jij hoeft je niet namens mij te verontschuldigen. Terry stond ineens in de kamer toen ik onder de douche vandaan kwam.'
'Ik had geklopt,' zei ik snel. 'Lance riep dat de deur open was.'
'Je hoeft het niet uit te leggen,' zei Alison, met haar blik op haar broer. 'Wat je ook hebt gezegd of gedaan, ik eis dat je je verontschuldigingen aanbiedt. Nu meteen.'
'Ik heb niets gedaan.'
'En toch wil ik dat je je verontschuldigingen aanbiedt.'
Lance keek zijn zus woedend aan, maar tegen de tijd dat hij zich naar mij keerde, was de uitdrukking op zijn gezicht aanzienlijk milder en slaagde hij er zelfs in berouwvol te kijken. 'Het spijt me, Terry,' zei hij zacht en met overtuiging. 'Ik dacht dat we gewoon een beetje aan het dollen waren. Maar ik heb soms de neiging om net iets te ver te gaan. Het spijt me. Echt.'
Ik knikte en accepteerde zwijgend zijn verontschuldigingen. 'Ik moet ervandoor.'
'Over een paar dagen ben ik hier weg. Tenminste, als jij daarmee akkoord gaat.' Lance keek me vragend aan terwijl ik de deur van het huisje opendeed.
Ik knikte opnieuw, liep naar buiten en trok de deur achter me dicht, in de hoop nog een paar flarden van hun gesprek op te vangen. Het bleef echter doodstil. Toen ik naar de achterdeur strompelde, was de avondlucht aangenaam koel op mijn huid, die nog altijd vochtig was van het contact met Lances lichaam, en mijn vin-

gers tintelden nog na van de ongewenste aanraking. *Heb je ooit een kat met een muis zien spelen?*, hoorde ik hem fluisteren.
'De kat heeft er niet genoeg aan om de muis alleen maar dood te maken,' zei ik even later hardop, terwijl ik onder de douche stapte, in een poging zijn geur van mijn vingers te wassen.
De kat wil eerst een beetje spelen.

18

'De laatste keer dat we vrijden was op oudejaarsavond,' zei Myra Wylie. Haar stem sleepte van zwakte en ouderdom, maar er lag een jeugdige glinstering in haar ogen. Ik trok mijn stoel dichter bij haar bed en leunde naar voren, gretig om geen woord te missen.
'Het is nu tien jaar geleden. Steve en ik – Steve was mijn man – waren uitgenodigd voor een afschuwelijk feest. Je weet wel, zo'n opgefokte toestand met veel te veel mensen. Zo'n feest waar je bijna niemand kent en waar iedereen te veel drinkt, te hard lacht en om het hardst probeert te doen alsof hij het reusachtig naar zijn zin heeft, terwijl ze zich bijna allemaal doodongelukkig voelen. Je kent dat soort feestjes wel.'
Ik knikte, hoewel ik me er niet echt een voorstelling van kon maken. Ik was nooit naar zo'n feestje geweest, en ik had nooit een afspraakje gehad op oudejaarsavond.
'Nou ja, ik was niet echt in mijn hum, want ik had er geen zin in. Steve wist dat, maar het was bij een voormalige zakenpartner thuis, dus hij vond dat we moeilijk konden afzeggen. Je weet hoe dat gaat.'
Dat wist ik niet, maar ondanks dat knikte ik.
'Dus ik had me mooi gemaakt en mijn nieuwe jurk aangetrokken, en Steve was in smoking. Hij zag er altijd zo knap uit in zijn smoking. Niet dat ik dat tegen hem zei.' Er kwam een weemoedige blik in Myra's ogen en ze vulden zich met tranen. 'Dat had ik wél moeten doen.'
Ik pakte een papieren zakdoekje van het nachtkastje en bette zachtjes de vlezige wallen onder haar ogen. 'Ik weet zeker dat hij wist dat je hem knap vond.'
'Natuurlijk wist hij dat. Maar toch had ik het hem moeten zeggen. Je kunt iemand niet vaak genoeg vertellen hoe dierbaar hij je is...'
'Dus jullie gingen naar het feest,' moedigde ik haar aan toen ze bleef zwijgen.
'Ja, we gingen naar het feest.' Myra pakte de draad weer op. 'En

het was net zo afschuwelijk als ik had verwacht. Dat schenkt nog enige bevrediging. We dronken te veel champagne, we lachten te hard om grappen die helemaal niet zo grappig waren en deden alsof we ons kostelijk vermaakten. Net als de rest. Om middernacht brulden we "gelukkig nieuwjaar!" als een stel dronken idioten, en vielen we elkaar om de hals. Niet lang daarna gingen we naar huis. Ik voelde me niet erg op mijn gemak, want ik was altijd bang voor dronken automobilisten. Er is ooit een oom van me doodgereden. Ik was toen nog heel klein, maar de angst zat er goed in, en helemaal op oudejaarsavond...' Ze begon te hoesten en snakte naar adem. Ik bracht het glas water dat op haar nachtkastje stond naar haar lippen.
'Ik ben bang dat de champagne op is,' zei ik, terwijl ik toekeek hoe ze dronk.
'Dit smaakt zelfs nog beter.' Ze dronk het glas leeg en leunde weer in de kussens. 'Ik zou me niet zo moeten opwinden. Dat komt door al dat gepraat over seks, neem ik aan.'
'Hoezo? Heb ik iets gemist?' vroeg ik.
Ze begon te lachen. 'Het leukste moet nog komen.' Ze schraapte haar keel. 'Hoewel, zo leuk was het nou ook weer niet.'
'O nee?'
'Het was ook niet níét leuk,' krabbelde ze terug. 'Wat zeggen ze ook alweer over seks? Als het lekker is, dan is het fantastisch, en als het niet lekker is, dan is het altijd nog beter dan niets. Dat is zo ongeveer wat ik bedoel. Begrijp je?'
Ik knikte opnieuw, hoewel mijn eigen ervaringen met seks eerder slecht waren dan goed.
'We waren om een uur of halfeen thuis, misschien iets later. Dat doet er niet toe. In elk geval later dan we doorgaans naar bed gingen. Dus we waren allebei doodop. Ik weet niet waarom we beslist nog wilden vrijen. Tenslotte waren we geen kinderen meer. We liepen allebei tegen de tachtig. Dus we hadden al bijna een halve eeuw seks, en we zouden elkaar de volgende dag ook weer zien.'
Ze zweeg. 'Vind je het vervelend als ik zulke dingen zeg?'
Ik schudde mijn hoofd.
'O, gelukkig. Want ik vind het nog altijd heerlijk om erover te praten. Dat heb ik nooit eerder gedaan, wist je dat? Tenminste, niet hardop. Weet je zeker dat je het niet erg vindt?'

'Ja, hoor.'
'De ervaring heeft me geleerd dat jonge mensen liever niet willen horen dat oude mensen ook nog aan seks doen. Dat vinden ze... ik weet niet hoe ik het moet zeggen... blèèègh,' besloot ze.
Ik lachte. 'Blèèègh?'
Fijn woord. Klinkt lekker, hoorde ik Alison zeggen.
Haastig verdrong ik de gedachte aan Alison. Sinds het voorval in het huisje had ik haar of haar broer nauwelijks gezien. Ze was de volgende morgen al vroeg naar me toe gekomen om zich opnieuw te verontschuldigen voor het ongepaste gedrag van haar broer, en om me te verzekeren dat hij binnen een paar dagen zou vertrekken. Maar de witte Lincoln stond nog altijd op mijn tuinpad toen ik die avond naar mijn werk was gegaan, en het schilderij dat Alison me met Kerstmis had gegeven was nog steeds niet opgehangen.
'Vooral kinderen willen niet horen dat hun ouders ook aan seks doen, zelfs niet wanneer ze ouder zijn en toch beter zouden moeten weten. Ze geven er de voorkeur aan te denken dat ze door een soort biologisch wonder tot stand zijn gekomen, of dat hun ouders het misschien maar een of twee keer hebben gedaan en ermee zijn gestopt toen hun gezin compleet was. Lieve hemel, Steve en ik deden het bijna elke dag. Neem me niet kwalijk. Ik zie aan je gezicht dat ik te openhartig ben.'
'Wel nee, helemaal niet,' stamelde ik, terwijl ik een paar denkbeeldige haren van mijn voorhoofd streek en een serene uitdrukking op mijn gezicht probeerde te toveren. Ik moest aan mijn eigen ouders denken. Myra had gelijk. Ik had altijd gedacht dat mijn geboorte een soort speling van de natuur was geweest. Of als er al seks aan te pas was gekomen, dat mijn ouders dat dan misschien één keer hadden geprobeerd, maar daarna nooit meer. Vandaar dat ik enig kind was. Uit wat Myra vertelde, bleek dat het wel eens heel anders kon zijn geweest.
'Te veel informatie,' zei ze olijk. 'Dat zegt Josh altijd.'
'Het duurt nu niet lang meer tot hij weer thuis is.'
'Nee.' Ze keek naar het raam. 'Waar was ik gebleven?'
'Dat jullie het bijna dagelijks deden.'
Het scheelde niet veel of Myra schaterde het uit. Ik had haar nog nooit zo vrolijk gezien. 'Ja, ik was een deugniet.' Ze begon nog har-

der te lachen. 'Mag ik je iets vertellen wat ik nog nooit aan iemand heb verteld?'
'Natuurlijk.' Ik hield mijn adem in, bijna bang voor wat ze zou gaan zeggen.
'Steve is niet de enige man met wie ik ooit naar bed ben geweest.'
Ik zei niets, ook al voelde ik me bijna opgelucht. Myra Wylie zat vanavond zo vol verrassingen dat ik er niet helemaal gerust op was geweest wat ze me ging vertellen.
'Voordat ik Steve ontmoette, heb ik diverse andere mannen gehad. Bedenk wel: we hebben het hier over een tijd toen de pil nog niet bestond en toen meisjes die voor het huwelijk aan seks deden, werden beschouwd als lellebellen, ook al weerhield dat natuurlijk niemand ervan het toch te doen. Ach, je weet hoe dat gaat...'
Ik knikte. Deze keer wist ik het inderdáád.
'Hoe dan ook, vóór Steve had ik al verschillende mannen gehad. Maar ik heb gezegd dat hij de eerste was, en hij geloofde me.'
'Was jij zíjn eerste?'
Ze boog zich naar voren, legde haar verschrompelde handen om haar mond en dempte haar stem, alsof ze bang was dat haar overleden echtgenoot aan de deur stond te luisteren. 'Ik geloof het wel.' Er gleed een glimlach over haar droge, schilferige gezicht. 'Steve was een natuurtalent in bed. Veel beter dan al die andere kerels.'
'En zijn er na jullie trouwen nog anderen geweest?' waagde ik te vragen.
'Nee, natuurlijk niet! Toen ik Steve eenmaal mijn belofte had gegeven, was het afgelopen. Niet dat de gelegenheid zich niet voordeed. Maar toen ik eenmaal getrouwd was, bekeek ik andere mannen gewoon niet meer op dezelfde manier. Ik had mijn Stevie, en hij zorgde er wel voor dat ik me niet verveelde.' Haar stem stierf weg en ze richtte haar ogen op het plafond. Even dacht ik dat ze misschien in slaap was gevallen. 'Dus toen we op oudejaarsavond thuiskwamen, gingen we meteen naar bed,' vervolgde ze. Haar blik gleed over het plafond, alsof ze daar haar verleden geprojecteerd zag. 'We kusten elkaar en wensten elkaar gelukkig nieuwjaar, en toen zei Steve: "Wat denk je? Ben je te moe?" Dat was ik inderdaad, maar dat wilde ik niet zeggen. "Nee hoor, ik ben helemáál niet moe," zei ik. "En jij?" Waarop hij natuurlijk zei dat hij

ook niet moe was. Dus we begonnen te vrijen, hoewel we er geen van beiden echt zin in hadden. Het was ook een beetje een gedoe, als je begrijpt wat ik bedoel.'

Ik knikte opnieuw, in de hoop dat ze niet in details zou treden.

'Maar het lukte. Volgens mij hadden we gewoon zo'n gevoel alsof je hoorde te vrijen in de eerste nacht van een nieuw jaar. Net als op je trouwdag of je verjaardag. Hoe dan ook, we vrijden en daarna vielen we in slaap. Na de seks viel ik altijd meteen in slaap.' Ze lachte. 'En later was ik zo blij dat we die nacht hadden gevrijd, want het bleek de laatste keer te zijn geweest. De week daarna kreeg Steve een hartaanval, en een maand later was hij dood.'

'Je moet hem wel verschrikkelijk missen.'

'Natuurlijk. Er gaat geen dag voorbij dat ik niet aan hem denk. Maar nu duurt het vast niet lang meer tot ik hem terugzie,' zei ze stralend.

'Nou, laten we hopen dat het nog niet zover is.' Ik klopte haar op haar arm, stond op en trok onnodig haar dekens recht. Nog twintig minuten, dan begonnen we aan een heel nieuw jaar, zag ik op mijn horloge.

'Kom je tot middernacht bij me zitten?' vroeg ze. 'Dan beloof ik dat ik daarna braaf ga slapen.'

Ik ging weer zitten en zag dat Myra's oogleden zwaar werden.

'Ik slaap niet,' verzekerde ze me. 'Ik geef alleen mijn ogen wat rust.'

'Ik ga niet weg,' stelde ik haar gerust, en ik keek naar het gestage rijzen en dalen van haar borst onder de dekens en naar de tevreden glimlach die in de diepe groeven van haar oude gezicht was achtergebleven.

Op haar zevenenzeventigste was ze nog seksueel actief geweest. En op haar zevenentachtigste bracht de gedachte aan seks nog altijd een glimlach op haar gezicht. Ik was jaloers, besefte ik. Wanneer had seks mij ooit doen glimlachen? Wanneer had het mij iets anders gebracht dan schaamte en gêne?

Mijn eerste keer was haastig en ongemakkelijk geweest, en niet bijster aangenaam. Ik weet nog hoe Roger Stillman probeerde mijn benen uit elkaar te duwen, terwijl hij haastig mijn borsten kneedde bij wijze van voorspel. En toen de plotselinge pijn op het moment dat hij bij me binnendrong, de onverwachte, zware druk toen hij zich na het hoogtepunt op me liet zakken.

De laatste keer dat ik seks had gehad, was niet veel beter geweest, dacht ik huiverend, en opnieuw benijdde ik de stervende, oude vrouw in het ziekenhuisbed. Ze was zo open, zo eerlijk tegen me geweest. Wat zou ze van me denken als ik net zo open en eerlijk tegen haar was?

Als ik haar vertelde dat ik voor het laatst seks had gehad – echte seks, niet alleen een voorzichtig voorproefje zoals met Josh, niet de dreiging ervan zoals met Lance – in de nacht dat mijn moeder stierf? Ik schudde ongelovig mijn hoofd. Mijn god, hoe kon ik zoiets verachtelijks hebben gedaan? Wat had me bezield?

Ik had de bijzonderheden van die avond min of meer verdrongen, maar door Myra's verhaal werd ik plotseling overspoeld door een stroom van herinneringen. Ik leunde achterover in mijn stoel, staarde naar het raam en zag de schimmen uit mijn verleden weerkaatst in het donkere, spiegelende glas.

Ik zag mezelf stijfjes naast het bed van mijn moeder zitten. De dood sprak uit de grauwe kleur van haar bleke gelaat, uit de onbeweeglijkheid die zich als een fijne waslaag over haar lichaam had uitgespreid. Haar mond en haar ogen stonden open, en ik strekte mijn hand uit om ze te sluiten. Haar huid voelde al koud aan onder mijn vingers. Zelfs in de dood lag er nog altijd iets van de woede op haar gezicht die haar tijdens haar leven had voortgedreven. Zelfs met haar ogen gesloten en zonder ademhaling, zonder hartslag, kleefde er nog altijd een zekere wreedheid aan haar gelaatstrekken. Ze bleef een factor om rekening mee te houden, dacht ik toen ik me bukte om een kus op haar lippen te drukken en verrast constateerde hoe zacht en meegaand ze waren. Wanneer had ik ooit zachtheid van die lippen ontvangen? Had ze me ooit gekust toen ik een baby was, een peuter, een klein kind? Hadden haar lippen ooit over mijn voorhoofd gestreken om te controleren of ik koorts had? Hadden ze ooit 'Ik hou van je' gefluisterd terwijl ik sliep?

De trieste werkelijkheid was dat ik mijn moeder bijna net zo vurig had gehaat als ik van haar had gehouden; dat ik mijn hele leven had geprobeerd het haar naar de zin te maken en boete te doen voor al mijn fouten – zowel echte als denkbeeldige. Na haar hersenbloeding had ik alles gedaan wat in mijn vermogen lag om te zorgen dat ze weer beter werd, en toen we beseften dat het daar-

voor te laat was, had ik alles op alles gezet om haar ziekbed zo veel mogelijk te verlichten. Ik had zo'n groot deel van mijn leven voor haar opgeofferd, en plotseling was ze weg en had ik niets meer. Niets en niemand. Ik bleef achter met een leegte die zo overweldigend was dat ik me geen raad wist.
Ik herinner me nog dat ik aan het voeteneind van haar bed liep te ijsberen. Heen en weer. Heen en weer. Ik voelde dat ze door haar gesloten, dode ogen naar me keek en haar afkeuring nog altijd als een zware mantel om mijn schouders legde. *Wat ben je voor verpleegster dat je je eigen moeder niet eens in leven kon houden?* kon ik haar koude, dode mond horen vragen. Ze had gelijk, moest ik toegeven. Ik had haar teleurgesteld. Alweer. Zoals ik haar mijn hele leven al had teleurgesteld.
'Het spijt me zo!' Ik schreeuwde het uit. 'Het spijt me zo.'
Spijt, spijt, spijt.
Een waardeloze verpleegster, dat ben je. En als dochter heb je me helemáál diep teleurgesteld.
Ik kan me niet meer herinneren dat ik het huis verliet, maar dat heb ik natuurlijk wel gedaan. Ik moet een douche hebben genomen en andere kleren aangetrokken, hoewel ik me ook dat niet meer herinner. Wat ik nog wél weet, is dat ik in een bar aan Atlantic Avenue zat en de ene tequila na de andere achteroversloeg, terwijl ik probeerde te flirten met de knappe, onbeduidende barkeeper. Uiteindelijk had hij meer belangstelling voor een meisje aan de andere kant van de bar, dat haar lange, blonde haar sensueel van haar ene naar haar andere schouder gooide. Daarop richtte ik mijn aandacht op een niet onknappe man aan de bar. Hij droeg een kleurig hawaïhemd en liet nonchalant zijn trouwring in de zak van zijn strakke spijkerbroek glijden terwijl hij naast me schoof.
'Ken ik jou niet ergens van?'
Dat zei hij echt. Misschien omdat hij te lui was om iets originelers te bedenken, misschien omdat hij voelde dat hij met zo'n gemakkelijk slachtoffer geen moeite hoefde te doen om creatiever te zijn.
'Dat denk ik niet. Ik ben hier voor het eerst.' Ik probeerde – tevergeefs – mijn haar over mijn schouder te gooien, net als de blondine aan het eind van de bar.
'Dus het is je eerste keer?' Hij gebaarde naar de barkeeper om onze glazen bij te schenken. 'Klinkt spannend. Vind je ook niet?'

Ik schonk hem een geheimzinnige glimlach – tenminste, dat hoopte ik – en zei niets. In plaats daarvan duwde ik mijn schouders naar achteren en sloeg ik mijn benen over elkaar. Zijn blikken volgden elke beweging. Ik droeg een gestreepte trui die de welving van mijn borsten benadrukte, en sandaaltjes met dunne bandjes die uitdagend aan mijn blote tenen bengelden. Hij was lang en slank, zijn haar gitzwart, en zijn ogen hadden een koele mintkleur. Het gesprek werd voornamelijk door hem gaande gehouden – ik heb geen idee meer waarover. Hij heeft me ongetwijfeld verteld hoe hij heette, maar ik heb zijn naam met succes verdrongen. Jack, John, Jerrod, iets met een J. Ik geloof niet dat ik hem de mijne heb verteld, en ik weet ook niet of hij ernaar heeft gevraagd.
We dronken nog een paar borrels, toen stelde hij me voor om ergens anders heen te gaan, waar we wat meer onder ons waren. Zonder nog een woord te zeggen liet ik me van mijn barkruk glijden en liep ik naar de deur. Tot mijn eigen verbazing had ik geen moeite met lopen, ondanks alle drank die ik op had. Sterker nog, ik voelde me totaal niet dronken, hoewel ik mezelf er achteraf van heb overtuigd dat ik wel heel erg dronken moet zijn geweest. Maar hoe graag ik de combinatie van verdriet en alcohol ook de schuld zou willen geven van wat er die avond is gebeurd, ik weet niet meer zo zeker of dat wel terecht zou zijn. Want in werkelijkheid wás ik niet dronken, althans, niet zo dronken dat ik niet meer wist wat ik deed. Nee, ik wist precíés wat ik deed toen ik met hem meeging en me door Jack, John of Jerrod liet betasten terwijl we in innige omhelzing naar zijn auto liepen, en toen ik fluisterde dat ik vlakbij woonde.
Hij parkeerde langs de stoep, en ik ging hem voor naar het huisje in de achtertuin. 'Wie woont er in het grote huis?' vroeg hij toen ik de deur van het tuinhuisje opendeed en de lichten aanknipte.
'Mijn moeder,' zei ik met een blik op haar slaapkamerraam.
'Ben je niet bang dat ze ons ziet, met al die lichten aan?'
'Ze slaapt altijd erg vast.' Voor het raam trok ik mijn trui uit, en ik kon bijna horen hoe mijn moeder verontwaardigd haar adem inhield.
Daarna werd er weinig gezegd. Maar als ik geweldige seks had verwacht, dan werd ik hevig teleurgesteld. Sterker nog, als ik had gehoopt op enige vorm van ontlading, dan kwam ik ook in dat op-

zicht bedrogen uit. In plaats daarvan had ik een grommende, steunende man boven op me die er wild op los ramde. Het ging veel te snel, en tegelijkertijd lang niet snel genoeg. Toen het voorbij was, kon ik niet wachten tot Jack of John of Jerrod zijn strakke spijkerbroek en zijn hawaïhemd weer had aangetrokken en verdween. 'Ik bel je,' zei hij op weg naar buiten.

Ik knikte, keek omhoog naar het raam van mijn moeder en voelde de vermorzelende druk van haar afkeuring, net zo zwaar als het gewicht van de man met wie ik net mijn bed had gedeeld. Ik nam een douche en kleedde me aan, en toen belde ik een ziekenwagen en liep ik terug naar het huis van mijn moeder, waar ik plichtsgetrouw naast haar bed ging zitten tot de ambulance kwam. Op dat moment zette ik die nacht uit mijn gedachten. Het was alsof het nooit was gebeurd, en ik weigerde er ooit nog aan te denken.

Tot Myra's verhaal alle herinneringen weer naar boven had gehaald.

Ik keek op mijn horloge. Het was middernacht. 'Gelukkig nieuwjaar,' fluisterde ik en drukte een kus op Myra's warme wang.

'Gelukkig nieuwjaar.' Ze deed even haar ogen open, waarbij haar dunne wimpers langs mijn gezicht streken.

Toen viel ze weer in slaap, en ik was opnieuw alleen.

19

Toen ik de gang op liep, dacht ik dat ik iets hoorde. Maar toen ik bleef staan en om me heen keek, lag de gang er verlaten bij. Met mijn hand nog op de deurknop van Myra's kamer luisterde ik aandachtig, met mijn oren gespitst als een waakzame jonge hond, alert op geluiden die afweken van het gewone – steelse voetstappen, een zware ademhaling...

Maar ik hoorde niets.

Hoofdschuddend liep ik de gang uit, waarbij ik in het voorbijgaan om een hoekje keek bij mijn patiënten in hun vreugdeloze kamers. De meesten sliepen of deden alsof. Alleen Eliot Winchell was wakker. Eliot was een man van middelbare leeftijd met het verstand van een peuter, als gevolg van een ogenschijnlijk onschuldige val van zijn fiets. Hij stak zijn hand op toen hij me zag.

'Gelukkig nieuwjaar, meneer Winchell.' Ik nam werktuiglijk zijn pols. 'Kan ik iets voor u doen?'

Hij produceerde zijn griezelige kinderglimlach maar zei niets. 'Moet u naar de wc?'

Hij schudde zijn hoofd, de glimlach werd nog breder en het wit van zijn tanden schitterde in de schemerige belichting van zijn kamer.

'Probeert u dan maar wat te slapen, meneer Winchell. U krijgt morgen een erg drukke dag.' In werkelijkheid betwijfelde ik dat, maar wat maakte het uit? Alle dagen die Eliot Winchell nog restten, zouden min of meer hetzelfde zijn. 'Waarom had je ook geen helm op, Eliot?' mopperde ik met de stem van mijn moeder, en ik zag dat de kinderlijke glimlach onmiddellijk van zijn gezicht verdween. 'Zorg dat u wat slaap krijgt,' zei ik sussend. Ik klopte hem op zijn arm en controleerde of zijn dekens goed waren ingestopt. 'Tot morgen.'

Ik hoorde het geluid toen ik uit zijn kamer kwam.

Met een ruk draaide ik me om. Mijn ogen schoten heen en weer, de helder verlichte gang door. Maar opnieuw zag ik niets. Ik hield mijn adem in, wachtte af en probeerde tevergeefs onder woorden te brengen wat ik meende te hebben gehoord. Er was echter niets waar ik mijn vinger achter kon krijgen; niets anders dan een vaag gevoel van onrust.

'Het is niets,' zei ik hardop terwijl ik langs de vroegere kamer van Sheena O'Connor liep. De artsen hadden besloten dat ze voldoende was hersteld om naar huis te mogen, en haar ouders waren haar twee dagen eerder komen halen.

'Is het niet geweldig? Ik ben thuis met oud en nieuw!' had ze uitgeroepen.

'Pas goed op jezelf,' had ik gezegd.

'We houden contact, hè? Je komt toch bij me langs?'

'Natuurlijk!' Maar net als zij had ik geweten dat ik haar nooit meer zou zien; dat het contact voorbij zou zijn zodra ze het ziekenhuis had verlaten. Ze omhelsde me. 'Elke keer dat ik niet kan slapen, bel ik je,' waarschuwde ze. 'Om te vragen of je voor me wilt zingen.'

'Ik weet zeker dat je geen moeite met slapen zult hebben.'

Wat zou ze nu doen, vroeg ik me af, terwijl ik terugliep naar de afdelingsbalie en besefte wat een gemis het was om niemand meer te hebben om voor te zingen.

Op feestdagen was de bezetting minimaal. Beverley en ik waren de twee enige verpleegsters op de afdeling. De eerlijkheid gebiedt me te zeggen dat ik liever helemaal alleen zou zijn geweest. Dan had ik de eerste uren van het nieuwe jaar niet naar haar onbeduidende gebabbel hoeven luisteren en niet hoeven doen alsof ik geïnteresseerd was in haar onnozele, stompzinnige problemen. Dan zou er niet van me worden verwacht dat ik advies gaf, waarvan ik wist dat het toch nooit werd opgevolgd. Dan had ik van mijn rust kunnen genieten. De kans op een spoedgeval was minimaal, en de artsen waren op afroep beschikbaar als ik ze nodig had. *Een veredelde babysitter, meer ben je niet,* hoorde ik mijn moeder fluisteren.

'Hoorde jij iets?' vroeg ik aan Beverley, om de stem van mijn moeder naar de achtergrond te dringen.

'Wat zou ik moeten horen?' Beverley keek op van het dubbelnummer van *People* en spitste haar oren. 'Ik hoor niets.'

Niet overtuigd haalde ik mijn schouders op. De stilte van de avond dreunde als een hamer tegen mijn hoofd.
'Je verbeelding maakt overuren,' verkondigde Beverley.
En verbeelding had ik genoeg, dacht ik. Meer dan genoeg.
Maar geen leven.
De patiënten die in hun kamers op mijn afdeling dood lagen te gaan hadden meer leven dan ik. Myra Wylie werd op haar zevenentachtigste, verzwakt door leukemie en een hartkwaal, nog altijd opgewonden bij de gedachte aan seks. Tien jaar eerder, *tien jaar eerder*, was ze nog seksueel actief geweest! Ik was bijna half zo oud als zij, maar ik had nog geen fractie van haar levenservaring. Waar wachtte ik op? Hoeveel van mijn leven was ik nog van plan te verspillen? Ik had nooit eerder goede voornemens gemaakt voor het nieuwe jaar, maar nu deed ik mezelf een plechtige belofte. Wat er ook gebeurde, dit jaar zou anders worden dan alle andere. Over een paar dagen kwam Josh terug uit Californië, en dan zou ik klaar voor hem zijn.
'Met wie zou je naar bed willen, als je de kans kreeg?' Beverley deed me opschrikken met haar vraag, alsof ze wist waar ik aan dacht. 'Tom Cruise of Russell Crowe?' Ze hield het tijdschrift omhoog en tikte met haar oranje nepnagels op de bijbehorende foto's.
'Mag George Clooney ook?'
Ze lachte, en ik luisterde met groeiende angst hoe de lach in cirkels om ons heen danste. 'Je wilt me toch niet vertellen dat je dat niet hebt gehoord?'
'Nee, dat heb ik wel gehoord.' Beverley liet haar tijdschrift op het bureau vallen en stond op. 'Het is waarschijnlijk Larry Foster van kamer 415. Hij heeft zo'n griezelig lachje. Ik zal eens een kijkje gaan nemen.'
'Misschien moeten we de beveiliging bellen.'
Oranje nepnagels wuifden mijn bezorgdheid weg, terwijl Beverley op weg ging naar kamer 415.
Ik pakte *People* en probeerde krampachtig te doen alsof er niets was om me zorgen over te maken, door me te concentreren op de vraag wie van de sterren het afgelopen jaar plastische chirurgie hadden ondergaan. 'Jij!' zei ik, wijzend op de foto van een al wat oudere tweederangsberoemdheid die, op een veel te weelderige bos blonde krullen na, nauwelijks meer op zichzelf leek. Sterker nog, ik besefte

pas wie ze was toen ik haar naam in het bijschrift onder de foto las. Op dat moment hoorde ik het geluid weer.

Het tijdschrift viel uit mijn handen en gleed van mijn schoot toen ik overeind sprong. 'Wie is daar?' Mijn blik schoot naar het alarm aan de muur.

Vanachter een pilaar kwam een gedaante te voorschijn die langzaam naar me toe slenterde, zijn duimen in de zakken van zijn spijkerbroek gehaakt. Om zijn mond speelde een wrede glimlach. Hij was lang en mager en helemaal in het zwart gekleed. Boven zijn haviksneus keken zijn bruine ogen me lachend aan. Ik had geen bijschrift nodig om hem te herkennen. 'KC!'

'Gelukkig nieuwjaar, Terry.'

Ik hapte naar adem. 'Wat doe jij hier? Hoe ben je langs de beveiligingsdienst gekomen?'

'Je bedoelt mijn vriend Sylvester?'

'Wat heb je met hem gedaan?'

De glimlach verdween. 'Je bedoelt, nadat ik hem zijn keel heb doorgesneden?'

Mijn stem zakte drie octaven. 'O god!'

KC begon te lachen en sloeg ongelovig op zijn dijen. 'Je denkt toch niet... je denkt toch niet echt dat ik dat meen? Dat ik mijn vriend Sylvester ook maar een haar zou krenken? Met wat voor mensen ga je om, dame? Natuurlijk heb ik hem niets gedaan. Ik heb hem alleen uitgelegd hoe oneerlijk ik het vond dat jij alle feestelijkheden moest missen, en dat ik je wilde verrassen met je eigen feestje. Sylvester begreep het volkomen, vooral toen ik hem een mooie fles tien jaar oude whisky gaf. Wat is er, Terry? Je kijkt alsof je niet echt blij bent om me te zien.'

'Ben je alleen?'

'Wat denk je?' Hij hief zijn rechterhand en richtte die op mijn hart. Toen pas zag ik het pistool.

Er klonk een luide knal, en de wereld explodeerde in een verblindende flits. Ik viel schreeuwend achterover en keek naar mijn borst, elk moment verwachtend het bloed door mijn witte uniform te zien sijpelen.

'Mijn god, wat is hier aan de hand?' hoorde ik Beverley roepen. Alles werd troebel voor mijn ogen. 'En wie ben jij?' vroeg ze aan KC, terwijl de smaak van bloed mijn mond vulde.

'Wij zijn vrienden van Terry,' antwoordde KC zonder aarzelen, en ik was te zwak om te protesteren.
Plotseling sprong Alison te voorschijn. 'Gelukkig nieuwjaar!' 'Gelukkig nieuwjaar!' echode Denise, die naast haar opdook. 'Welkom op de eerste dag van de rest van je leven,' verkondigde Lance vanuit een andere hoek, en hij begon te lachen toen de champagne uit de grote fles in zijn hand bruiste en op de grond viel. 'Dat was nog eens een knal! Heeft iemand gezien waar de kurk is gebleven?'
'Wat is hier aan de hand?' vroeg Beverley opnieuw, maar ik hoorde al een zweem van een glimlach in haar stem.
'We hebben een klein nieuwjaarsfeestje,' antwoordde Lance. 'We vonden het niet eerlijk dat jullie, zorgende engelen, alle pret zouden moeten missen.'
'Dat is aardig van jullie. Trouwens, ik ben Beverley.'
'Leuk je te ontmoeten, Beverley. Ik ben Lance. Dit zijn Alison, Denise, en KC.'
'Vrienden van Terry zijn ook mijn...' begon Beverley, maar ze zweeg abrupt bij het zien van mijn gezicht.
'Ik ben me half dood geschrokken!' zei ik, beseffend dat ik niet was neergeschoten.
Lance lachte. 'Een beetje schrikken kan geen kwaad. Dat brengt de adrenaline op gang.'
'Het was niet de bedoeling om je te laten schrikken,' zei Alison verontschuldigend. 'We wilden je verrassen.'
'Hou je niet van verrassingen, Terry?' Denise liep naar de balie. Het model was uit haar trendy kapsel, met als gevolg dat de zwarte pieken hun scherpe punten kwijt waren en waren ingezakt, als de askegel van een sigaret. Het effect van de zwarte randen om haar ogen was eerder spookachtig dan geraffineerd, maar Denise kennende vroeg ik me af of dat misschien de bedoeling was. 'Blijf alsjeblieft overal af,' waarschuwde ik, nog altijd niet helemaal van de schrik bekomen.
'We hebben glazen meegebracht.' Alison haalde ze uit de grote boodschappentas die ze bij zich had.
'We hebben overal aan gedacht,' voegde KC eraan toe.
'Waar bewaren jullie hier de verdovende middelen?' vroeg Denise.
'Wát?'

'Geintje.'
'Wat is er met je lip gebeurd?' vroeg Alison.
Ik legde mijn hand op mijn mond. Blijkbaar had ik op mijn lip gebeten. Onmiddellijk stond Lance naast me, en hij begon de druppel bloed van mijn vinger te likken met de gretigheid van een filmvampier. 'Hm. Tweeduizendtwee. Een erg goed jaar.'
Ik trok mijn hand weg. 'Hou op, Bela Lugosi.' Wanhopig probeerde ik iedereen in de gaten te houden. Beverley stond al met een glas in haar hand.
'Maak je nou niet zo van streek, Terry,' smeekte Alison. Ze was geheel in het wit gekleed en haar roodblonde krullen dansten om haar gezicht: de Venus van Botticelli zonder haar schelp.
'Dit lijkt me gewoon geen goed idee.'
'Het is een geweldig idee.' Beverley sloeg me op mijn arm, terwijl Lance met zorg gelijke hoeveelheden champagne begon af te meten. Hij was ook helemaal in het wit, merkte ik op.
'We konden het niet over ons hart verkrijgen om je op oudejaarsavond alleen te laten,' zei KC.
'Nee, dat zou niet aardig zijn geweest.' Denise begon een stapel patiëntenkaarten door te bladeren.
Ik legde ze snel buiten haar bereik. 'Je mag niet achter de balie komen.'
'Waarom niet?'
'Denise!' zei Alison.
Prompt liep Denise om de balie heen en pakte een glas champagne. 'Proost allemaal.'
'Wacht even. We moeten een toost uitbrengen.' Alison wachtte tot we allemaal een glas hadden.
'Waar drinken we op?' vroeg Lance aan zijn zusje.
'Op het mooiste jaar van ons leven.' Alison hief haar glas.
'Op het mooiste jaar van ons leven,' vielen we haar bij.
Ik wilde geen spelbreker zijn, dus nam ik een slok, en toen nog een. De champagne smaakte verrassend verfrissend, dus ik nam nog een paar slokken. De belletjes prikten in mijn neus. 'En dat we maar gezond mogen blijven,' zei ik zacht.
'En rijk mogen worden,' voegde Denise er snel aan toe.
'En allemaal krijgen wat we willen,' vervolgde Lance.
'Alles wat het lot voor ons in petto heeft.' Boven de rand van zijn

glas keek KC me glimlachend aan, terwijl iedereen nog een slok champagne nam.
'Alles wat we verdienen,' zei Denise.
'Alles waar we naar verlangen,' zei Alison.
'En wat is dat precies?' vroeg haar broer uitdagend.
Alison stak haar neus in haar glas champagne en zei niets. Ik dronk het laatste restje champagne met twee haastige slokken op.
'Ik weet wel waar ik naar verlang,' zei Denise lachend. 'Ik ben hard toe aan verandering van omgeving.'
'Je bent toch net in New York geweest?'
'Dat telt niet. Daar was ik met mijn moeder.'
'Wat is er mis met je moeder?'
'Niks... tenminste niet als je van gestreste, truttige ouwe taarten houdt.' Denise lag dubbel van het lachen.
'Alison houdt van gestreste, truttige ouwe taarten,' zei Lance, terwijl hij mij aankeek. 'Of niet, Alison?'
'Ik hou van iedereen.' Alison dronk haar glas leeg en schonk zichzelf nog eens in. Aan de manier waarop ze stond te wankelen op haar benen – trouwens, zij niet alleen – kon ik zien dat het niet de eerste fles drank van de avond was. 'Terry! je glas is leeg.' Alison schonk het tot aan de rand toe vol voordat ik kon protesteren. 'Drink op,' zei ze en keek toe terwijl ik het glas naar mijn mond bracht.
'Ik meen het serieus,' zei Denise. 'Ik heb meer dan genoeg van de oostkust. Het wordt tijd voor iets anders.'
'Heeft dat misschien iets te maken met het feit dat je tante je de laan uit heeft gestuurd?' vroeg KC.
'Mijn tante is een gestreste, truttige ouwe taart.'
'Waarom heeft ze je ontslagen?' Beverley hield haar glas omhoog om het te laten bijvullen.
Denise haalde haar schouders op. 'Ach, ze is gewoon jaloers op me. Dat is ze altijd al geweest.'
'O, ik dacht misschien dat het kwam omdat ze je met je vingers in de kassa had betrapt.'
Denise wuifde KC's ongewenste verklaring weg. 'Dat zou niet gebeurd zijn als ze niet zo vervloekt krenterig was. Mijn salaris was een fooi. Terwijl ze bulkt van het geld. Bovendien ben ik familie, dus je zou verwachten dat ze dan wel een beetje royaler zou zijn. Ik háát zulke mensen. Wat vind jij, Terry?'

'Ik vind dat iedereen zelf mag weten wat hij met zijn geld doet.' Ik nam nog een slok champagne en deed mijn best om helder te blijven.
'Dat kan best waar zijn, maar voor mij is ze een...'
'Gestreste, truttige ouwe taart?' vroeg Lance plagerig.
'Precies.' Denise wankelde naar hem toe en duwde haar borsten tegen zijn ribben. 'Ik dacht erover om mijn geluk te proberen in New Mexico. Heb je zin om mee te gaan?'
'Klinkt goed.' Lance sloeg zijn armen om Denises middel en keek over haar ingestorte, zwarte pieken heen naar Alison. 'Ik begin ook een beetje genoeg te krijgen van deze omgeving.'
Alison wendde zich af en glimlachte naar me, maar het was een krampachtige glimlach, alsof ze zich moest beheersen om niet woedend uit te vallen.
Er klonk een zoemer.
'Wat is dat?' Denise tilde haar hoofd op van de borst van Lance.
Ik keek naar de muur achter de balie. Het lichtje van Eliot Winchells kamer brandde. 'Dat is een van mijn patiënten. Ik moet erheen.'
'Wij gaan mee,' zei Lance.
Ik schudde mijn hoofd om weer helder te worden, maar in plaats daarvan begon de kamer om me heen te draaien. 'Nee, jullie moeten weg.'
De zoemer klonk opnieuw.
'Kom op, jongens. We moeten ervandoor,' zei Alison. 'We zouden niet willen dat Terry in de problemen kwam.'
Denise schudde haar hoofd. 'Kom op, wees niet zo'n gestreste...'
'... truttige...' vervolgde KC.
'... ouwe taart,' besloot Lance, en ze begonnen allemaal te lachen. Behalve Alison, die zo fatsoenlijk was om beschaamd en gegeneerd te kijken.
De zoemer klonk voor de derde keer.
'Hij weet niet van ophouden, hè?' zei Beverley, zonder aanstalten te maken om naar hem toe te gaan.
'Oké, jongens, ik vind het erg leuk dat jullie oudejaarsavond met ons kwamen vieren en dat jullie ons op champagne hebben getrakteerd, maar ik moet er nu echt vandoor. En dat geldt ook voor jullie.'
'Oké, dat begrijpen we,' zei KC.

'We komen er zelf wel uit,' zei Lance, en hij ging de anderen voor naar de lift terwijl de zoemer voor de vierde keer klonk.
'Bedankt voor het langskomen,' hoorde ik Beverley zeggen toen ik de gang in liep. De vloer bewoog onder mijn voeten – als een lopende band – en ik moest steun zoeken bij de muur terwijl ik probeerde de duizeligheid van me af te zetten. Was ik dronken? Na twee glaasjes champagne? De enige andere keer dat ik zo snel zo dronken was geworden, was ook met Alison geweest, besefte ik.
Ik deed de deur van Eliot Winchells kamer open. Hij zat rechtop in bed, met zijn dekens in een prop aan zijn voeteneind. Op de voorkant van zijn pyjamabroek zat een grote natte plek. 'O, Eliot. Heb je een ongelukje gehad?'
'Het spijt me,' zei hij schaapachtig.
'Dat geeft niet. Daar kun je niets aan doen.'
'O nee?' Lance drong langs me heen de kamer binnen, gevolgd door Denise en KC. Alison bleef in de deuropening staan, terwijl de anderen naar het bed liepen. 'Wie kan er dan wel iets aan doen? Goedenavond, ik ben dokter Palmay,' vervolgde Lance voordat ik iets kon zeggen. 'En dit zijn mijn collega's, dokter Austin en dokter Powers.'
Denise begon te lachen en Eliot lachte met haar mee, hoewel ik betwijfel of hij het grapje begreep.
'Wat een schatje,' zei Denise. 'Wat is het probleem?'
'Dat lijkt me duidelijk. Hij heeft in zijn broek geplast,' antwoordde Lance. 'Wat ben jij voor dokter?'
'O, gatver,' zei Denise.
'Jullie moeten nu echt weg weg,' zei ik zodra ik mijn stem had teruggevonden. Mijn mond was kurkdroog. Allerlei gedachten tolden hulpeloos door mijn hoofd, alsof ze waren gevangen in een draaikolk. Ik zocht steun bij het bed van Eliot Winchell.
'Ja, we moeten gaan,' viel Alison me bij vanuit de deuropening. 'Kom op, doktoren. We moeten ervandoor, dan kan Terry haar werk doen.'
'Zo te zien kan Terry wel een beetje hulp gebruiken,' zei KC. 'Ze ziet een beetje pips om de neus.'
'O, Terry, het spijt me zo,' zei Alison. 'Ik had geen idee dat ze dit zouden doen.'
'Wat krijgen we nou?' zei Lance nijdig. 'Het was nota bene jouw idee.'

Toen waren ze weg. In de gezegende stilte die volgde, trok ik Eliot een schone pyjama aan en verschoonde zijn bed. Ik deed het werktuiglijk. Het duizelde me nog steeds, en mijn gezichtsvermogen werd vertroebeld door een verzameling luchtbellen in felle neonkleuren die voor mijn ogen explodeerden. Had er soms meer dan alleen champagne in mijn glas gezeten?

Ik klampte me vast aan de muren, terwijl ik wankelend terugliep naar de afdelingsbalie. Mijn bezorgdheid werd plotseling uitgewist door een onverwachte, puberale giechelbui. Het gelach barstte uit mijn keel als korrels maïs uit een popcornmachine. Even later liet ik me op mijn stoel vallen, en vroeg me af wanneer ik precies de controle over mijn leven was kwijtgeraakt. Over het antwoord hoefde ik niet lang na te denken: op het moment dat Alison voor het eerst op mijn stoep had gestaan.

20

Ze zaten op me te wachten toen ik aan het eind van mijn dienst het parkeerterrein op liep.
Denise was de eerste die ik zag. Ze zat met een fles wijn aan haar mond op de kofferbak van een auto. Haar benen bengelden in de lucht, alsof ze zat te luieren op een steiger aan het water. In haar rechterneusvleugel ontdekte ik een glimmend, gouden ringetje waarvan ik me niet kon herinneren dat ik het daar eerder had gezien.
KC stond naast haar, met zijn handen in de zakken van zijn strakke spijkerbroek en zijn blik op de grond gericht. Hij zag eruit alsof hij net had overgegeven of op het punt stond dat te doen. Maar toen hij zijn hoofd naar me ophief, glimlachte hij. Tot mijn eigen verbijstering glimlachte ik terug, alsof ik mijn reflexen niet langer onder controle had en was veranderd in een soort marionet, die reageerde als er aan mijn touwtjes werd getrokken. Ik had verwacht dat de champagne inmiddels wel zou zijn uitgewerkt, maar het duizelde me nog meer dan een paar uur eerder. Vreemde beelden dansten door mijn hoofd en weigerden lang genoeg stil te blijven staan om ze te kunnen identificeren. Heldere, kleurige vlekken zweefden als ontsnapte ballonnen langs de rand van mijn gezichtsveld. Ik moest me tot het uiterste concentreren om mijn ene voet voor de andere te zetten.
Alison en Lance zaten half in, half buiten de witte Lincoln die een eindje verderop stond, met de portieren wijdopen om de vroege ochtendlucht binnen te laten. Lance hing op de voorbank, Alison zat achterin. Toen ze zich naar voren boog, met haar ellebogen op haar knieën, zag ik dat haar ogen betraand en gezwollen waren, alsof ze had gehuild. Of misschien was ze gewoon stoned, dacht ik toen de onmiskenbare geur van marihuana in mijn neus drong en ik de vurige, oranje gloed zag van een zelf gedraaide sigaret die nonchalant tussen Lances vingers bengelde.

'Kijk eens wie we daar hebben,' zei Denise.
'Dat werd tijd.' KC richtte zich op en rekte zich uit als een kat, klaar om zich op zijn prooi te storten.
'Zijn jullie er nou nog steeds?' Ik keek om me heen. De omgeving vervaagde terwijl ik me inspande om te zien of er nog meer mensen op het parkeerterrein waren, maar het lag er verlaten bij. De beveiligingsdienst moest zich schamen, dacht ik, en ik vroeg me af wie me zou horen als ik gilde.
Alison klom uit de gehuurde Lincoln en veegde met de rug van haar hand over haar ogen. 'Ik wilde niet dat je met nieuwjaar alleen naar huis zou rijden.'
Lance nam een lange haal van zijn sigaret. 'Bovendien, het feest begint net.'
'Het feest is voorbij.' Ik probeerde me te herinneren waar ik mijn auto had neergezet. 'Ik ben doodmoe, dus ik ga naar huis en naar bed.'
'Klinkt goed,' zei Lance, zoals hij dat al eerder had gezegd. Hij hield me de joint voor. De rook drong in mijn neus als een te zoet parfum.
Ik schudde mijn hoofd, hoewel ik moest toegeven dat het gevoel niet louter onaangenaam was.
'Uitsluitend voor medicinale doeleinden, natuurlijk.' Denise liet zich van de kofferbak glijden en inhaleerde diep van de smeulende joint die Lance tussen zijn vingers geklemd hield.
'KC, Denise en jij nemen mijn auto,' instrueerde Lance. 'Alison en ik rijden met Terry mee.' Zonder iets te vragen pakte hij mijn tas uit mijn handen en haalde hij mijn autosleutels eruit. 'Ik rijd,' zei hij, met de joint inmiddels tussen zijn lippen geklemd.
'Ik weet niet of dat wel zo'n goed idee is.'
'In jouw toestand moet je niet achter het stuur gaan zitten.' Lance lachte alsof hij meer wist dan ik, en ik had het gevoel alsof mijn knieën me in de steek lieten. Dus ze hadden inderdáád iets in mijn champagne gedaan. Waarschijnlijk een hallucinerend middel, besloot ik, en ik probeerde me vast te klampen aan de werkelijkheid zoals een kind zich vastklampt aan het stuur van een op hol geslagen fiets. *Laat los*, klonk een stemmetje in mijn hoofd. *Geef toe en laat los*.
Ik voelde een golf van euforie over me heen spoelen toen ik mijn

greep op het hier en nu losliet. Ik stelde me voor dat ik achterwaarts door de lucht vloog, zonder helm, terwijl de wind met mijn haar speelde. In plaats daarvan moest ik met Alison de krappe ruimte van de bijrijdersstoel delen. Ze had beschermend haar arm om me heen geslagen in een bijna verstikkende omhelzing. De benauwende geur van marihuana zweefde rond mijn hoofd als een verdwaalde aureool en drong mijn neus en mond binnen, als plukken watten. 'Wat hebben jullie in mijn champagne gedaan?' hoorde ik iemand vragen, en het was alleen aan de echo tussen mijn oren te danken dat ik begreep dat ik het zelf was.
'Je bedoelt behalve de *roofies* en de LSD? Lance spoot lachend het parkeerterrein af en draaide Jog Road op, met de witte Lincoln dicht achter ons.
'Hou op, Lance,' zei Alison. 'Straks denkt ze nog dat je het serieus meent.'
'Dat is ook zo. Ik ben een heel serieus type. Kom op, Terry.' Hij zwaaide het laatste stukje joint voor mijn gezicht. 'Wie in het schuitje zit, moet meevaren. Zo zeggen ze dat toch?'
'Ze heeft gezegd dat ze niet wilde,' zei Alison.
'Laat maar,' zei ik tot ieders verbazing, inclusief de mijne. Wat kan mij het ook schelen, dacht ik. Ik was nu toch alle controle over mijn leven kwijt. Wat er ook gebeurde, ik had er niets meer over te zeggen. Ik nam niet langer deel aan het besluitvormingsproces, en in plaats van me bedreigd en bang te voelen, maakte opluchting, zelfs opwinding zich van me meester. Ik was een koorddanseres zonder vangnet. Ik was vrij.
Dus pakte ik lachend de joint van Lance aan, bracht hem naar mijn lippen en inhaleerde diep, waarbij ik de rook zo lang mogelijk in mijn longen hield, zoals ik dat Denise op het parkeerterrein had zien doen, tot ik het gevoel had dat mijn keel in brand stond en elk moment kon exploderen.
'Kijk dat nou.' Lance begon te lachen. 'Die hoef je niks meer te leren.'
Ik nam nog een trek, nog langer dan de eerste, en keek onverschillig hoe het dunne papier verschroeide en het vuur steeds dichter bij mijn vingers kwam. Een ongekend gevoel van welbehagen nam bezit van me, alsof ik nieuw bloed had gekregen. Ik had nooit eerder marihuana gerookt, hoewel ik als tiener wel in de verleiding

was geweest. Dat ik het niet had gedaan, kwam niet zozeer door mijn morele integriteit als wel door mijn angst dat mijn moeder erachter zou komen.
Ik nam nog een lange haal, zoog de rook in mijn longen en zonk weg in een volmaakte, totale kalmte, in het besef dat ik nooit meer boven wilde komen. Ik klampte me aan het gevoel vast, zoals een drenkeling zich vastklampt aan een reddingsboei, en hield de rook in mijn longen als een brandijzer. Pas toen ik mijn adem niet langer kon inhouden, liet ik hem heel voorzichtig en geleidelijk los.
'Rustig aan,' waarschuwde Lance toen ik opnieuw inhaleerde. Het papier tussen mijn vingers brandde weg en veranderde in een torentje van as.
Ik hijgde van pijn.
'Wat is er?' vroeg Alison. 'Heb je je vingers gebrand?'
'Laat eens zien.' Lance pakte mijn hand, stak mijn wijs- en middelvinger in zijn mond en begon er gretig op te zuigen.
'Hou alsjeblieft op!' Alison sloeg de hand van haar broer weg met zo'n kracht, dat zijn tanden over mijn knokkels raspten. 'Terry, is alles goed met je?'
Ik staarde naar mijn tintelende vingers.
'Dat is nog eens eersteklas wiet, of niet?' vroeg Lance trots.
'Hoe kom je eraan?' vroeg ik op mijn beurt.
'Dat doet er niet toe. Neem maar van mij aan dat de drugshandel in Delray Beach nog altijd bloeit.'
Ik keek om me heen, naar vertrouwd terrein dat me plotseling vreemd voorkwam. 'Waar zijn we?' vroeg ik toen we Linton Boulevard op draaiden.
'Lakeview Golf Course,' kondigde Lance aan, toen we het grote bord langs de weg passeerden. 'Heb jij ooit gegolfd, Terry?'
Ik schudde mijn hoofd en wist niet of ik hardop antwoord had gegeven.
'Ik heb het een keer geprobeerd,' zei Lance. 'Maar het was een totale mislukking. De ballen vlogen alle kanten uit. Het is niet zo gemakkelijk als het op televisie lijkt, dat kan ik je wel vertellen.'
'Volgens mij moet je les nemen,' hoorde ik mezelf zeggen, met een opmerkelijke stelligheid voor iemand die geen idee had waar ze over praatte.
'Ik heb geen geduld voor lessen.'

'Lance heeft nergens geduld voor.' Alison keerde zich naar het raampje. Stonden er tranen in haar ogen?
'Gaat het een beetje?' Ik vroeg me af of Lance nog zo'n magische sigaret had voor zijn zus, om haar te helpen wat rustiger te worden. Waarom was ze zo gespannen?
Alison knikte zonder me aan te kijken. 'Met jou ook?'
'Met mij is alles prima.' Ik legde mijn hand op haar schouder, kroop in de kromming van haar arm en deed mijn ogen dicht.
'Terry?' vroeg Lance. 'Terry, slaap je? Slaapt ze?' vroeg hij aan Alison voordat ik kon reageren.
Ik voelde dat Alison zich naar me toe keerde. Haar warme adem streek over mijn gezicht. 'Nou, ik hoop dat je trots bent op jezelf,' zei ze met de stem van mijn moeder, en ik deed verschrikt mijn ogen open, ervan overtuigd dat ze het tegen mij had.
'Aha! Je slaapt niet,' zei Lance. 'Je probeert zeker ons voor de gek te houden?'
'Waar zijn we?' vroeg ik opnieuw. Hoe vaak had ik dat al gevraagd?. 'Waar gaan we heen?'
'Ik dacht dat we misschien een nieuwjaarsduik in zee konden nemen,' antwoordde Lance.
'Ben je gek geworden?' vroeg Alison. 'Het is midden in de nacht. Je ziet geen hand voor ogen op het strand.'
Een plotselinge ongerustheid knaagde aan mijn nieuw verworven sereniteit, als een muis aan een stuk touw. Ik werkte me overeind en wreef over mijn voorhoofd, alsof ik op die manier helderheid kon scheppen in mijn gedachten. Misschien was een duik in zee precies wat ik nodig had. Precies wat de dokter had voorgeschreven, dacht ik en begon te lachen.
'Wat is er zo grappig?' Lance lachte met me mee.
Alison was de enige die niet lachte. Bezorgdheid overschaduwde haar ogen. Wat mankéért haar? dacht ik met groeiende ergernis. Ik keek uit het raampje naar de zo goed als verlaten weg. Waar wás iedereen? Het was nota bene oudejaarsavond! Waar waren alle dronken feestvierders, om nog maar te zwijgen van alle extra politieauto's die werden geacht door de straten te patrouilleren? Om mensen zoals wij ter verantwoording te roepen! We zaten stomdronken opeengeperst op de voorbank van een auto en waren op weg naar het strand. Als iemand het verdiende om op de bon te

worden geslingerd, dan waren wij het. Ik giechelde om de complexe absurditeit van mijn eigen redenering.
'Misschien moeten we gewoon naar huis gaan,' zei Alison. 'Volgens mij heeft Terry genoeg opwinding gehad voor één avond.'
'Onze Terry!' riep Lance honend. 'Kampioen spelbreker.'
'Spelbreker,' herhaalde ik en ik begon zo hard te lachen dat ik er bijna in stikte. De angst die ik misschien mocht hebben gevoeld verdween zo snel als hij was gekomen, meegevoerd door de golven van intense euforie die over me heen spoelden. Zo zou ik me ook laten meevoeren door die golven, tot ver uit de kust, dacht ik toen de oceaan op wonderbaarlijke wijze voor ons verscheen en Lance langs de kant van de weg stopte. Achter ons hield de witte Lincoln stil.
Het volgende moment gingen er gelijktijdig vier portieren open en stroomden beide auto's leeg. We renden om het hardst naar het verlaten strand, zo donker dat het bijna onmogelijk was om te zien waar het zand eindigde en het water begon. In de verte ontplofte een reeks eenzame vuurpijlen, en ik keek op om te zien hoe zich stralende fonteinen van roze en groen tegen de hemel aftekenden. Op het vuurwerk en het diepe gebrom van een passerende motor na was het stil. Ik onderdrukte een huivering toen de koele nachtlucht door mijn haar blies en zich strak om mijn nek wikkelde, als een tourniquet.
'O, wat is dit heerlijk.' Denise sloeg een arm om mijn schouder en sleurde me over het zand. 'Vind je het ook niet heerlijk, Terry?'
'Laten we onze kleren uitdoen.' Lance schopte zijn schoenen al uit en trok zijn shirt over zijn hoofd.
'Dat lijkt me geen goed idee.' zei Alison snel. 'Wat bezielt je, Lance?' vroeg ze boven het gebulder van de oceaan uit. 'Of probeer je soms zo veel mogelijk aandacht te trekken?'
'Je hebt gelijk. Geen goed idee,' zei Lance. 'Oké, jongens, kleren weer aan.' Hij probeerde zijn shirt weer aan te trekken, maar zijn hoofd bleef steken in een van de mouwen. Hij gaf het op, gooide het shirt gefrustreerd op de grond en begon het met zijn blote voeten lachend in het zand te stampen. 'Ik heb het toch altijd al een rotshirt gevonden.' zei hij, en we begonnen allemaal te lachen, alsof hij iets ontzettend grappigs had gezegd.
Behalve Alison. Die lachte niet.
Ik trok mijn lompe verpleegstersschoenen uit en liet mijn blik over

de uitgestrektheid van de oceaan gaan – koud, donker, hypnotiserend. Hij wenkte me, trok me aan als een reusachtige magneet, en als bezeten rende ik de woedende golven tegemoet. Het zand was koud onder mijn kousenvoeten en het ijzige water stroomde in razende vaart over mijn tenen.

'Zet 'm op, Terry!' riep Lance uit de duisternis.

'Wacht. We komen eraan,' riep Denise terwijl een golf me in mijn rug beukte, als een reusachtige bokshandschoen.

Ik keek naar de kust en zag een reeks vage vormen deinend op me afkomen, met hun handen in de lucht, als tere boomtakken die wuifden in de wind. Ik wuifde terug, verloor mijn evenwicht en struikelde over een grote steen. Worstelend om overeind te blijven zag ik de duisternis om me heen wervelen, en heel even vroeg ik me af waar ik mee bezig was. Had ik deze stunt niet al eerder uitgehaald? En was ik toen niet bijna verdronken?

'Terry, wees voorzichtig!' Alison worstelde zich door de branding naar me toe. 'Je gaat veel te diep. Kom terug.'

'Gelukkig nieuwjaar,' riep ik, met mijn handen op het water spetterend.

'Zo stoned als een garnaal,' zei Lance zangerig terwijl hij dichterbij kwam.

Ik werkte me overeind, maar werd door een nieuwe golf weer omvergegooid, zodat ik op mijn handen en knieën kwam te zitten. De smaak van zout vulde mijn mond en ik begon te lachen, terugdenkend aan die keer dat ik per ongeluk zout in plaats van suiker op mijn cornflakes had gestrooid, waarna mijn moeder erop had gestaan dat ik ze toch opat. Dat zou een goede les zijn, had ze gezegd, opdat ik dezelfde fout niet nog eens zou maken. Maar ik maakte telkens opnieuw dezelfde fouten, besefte ik en begon nog harder te lachen.

Opnieuw probeerde ik overeind te komen, maar mijn voeten konden de zeebodem niet meer vinden, en ik dreef steeds verder weg van de anderen. 'Help!' Het water dreigde zich boven mijn hoofd te sluiten, en vanuit het donker leken onzichtbare handen naar me te reiken.

Toen werd er aan mijn kleren getrokken. 'Hou op met dat gespartel,' zei Lance streng. Zijn stem klonk net zo kil als de oceaan. 'Je maakt het alleen maar erger.'

Ik liet me in zijn armen vallen. De natte haren op zijn blote borst schuurden langs mijn wang en zijn hartslag weergalmde in mijn oor. Ik snakte naar adem en maaide wild met mijn armen toen een nieuwe golf ons uit elkaar dreef en zich als een inzakkende tent over mijn hoofd stortte. Ik schreeuwde het uit en mijn mond vulde zich met water, terwijl mijn vingers in het duister tastten naar iets waaraan ik me kon vastklampen. Er sloeg een grote vis tegen mijn kuiten, en ik schopte hem weg.

'Wat doe je nou?' klonk de stem van Lance boven het woedende geluid van de branding uit. 'Hou daarmee op.'

'Help!' Het koude water kolkte rond mijn benen, hing als loodzware gewichten aan mijn voeten en trok me naar beneden. Ik voelde Lance dicht naast me en vocht me door het donkere water een weg naar hem toe.

Op dat moment voelde ik een druk op mijn hoofd, die me onderduwde en onder water hield. 'Nee!' riep ik uit, hoewel er geen geluid over mijn lippen kwam. Ik deed onder water mijn ogen open en zag Lance naast me, met zijn handen ergens boven mijn hoofd. Probeerde hij me te redden of te vermoorden?

'Werk me niet tegen,' commandeerde hij bars.

Ik reikte uitzinnig naar het wateroppervlak, maar mijn krachten begonnen uitgeput te raken en ik werd in mijn bewegingen beperkt door het uniform dat om mijn benen plakte. Mijn longen leken elk moment te kunnen exploderen; het was een gevoel dat griezelig veel leek op wat ik eerder had gevoeld, toen ik mijn eerste joint had gerookt. Dus zo is het om te verdrinken, dacht ik, en in mijn herinnering ging ik terug naar het lot van die arme jonge poesjes in de wrede handen van mijn moeder. Waren ze bang geweest? vroeg ik me af. Hadden ze teruggevochten, hadden ze hun nagels in haar moordzuchtige vingers gezet? Of hadden ze hun lot geaccepteerd, zoals Lance mij nu opdroeg. 'Hou op met dat gespartel, verdomme!' brulde hij, toen mijn hoofd eindelijk door het wateroppervlak schoot, als een vuist door een glazen ruit.

Plotseling zag ik een helder licht op me afkomen, en gedurende één krankzinnig moment vroeg ik me af of ik misschien al dood was; of dit misschien het witte licht was waarover patiënten die een bijnadoodervaring hadden gehad soms vertelden. Toen hoorde ik een stem in de verte: 'Politie,' zei die stem. 'Wat is hier aan de hand?'

'Verdomme!' Lance hees me omhoog, pakte me onder mijn armen en sleurde me ruw naar het strand.
'Wat is hier aan de hand?' vroeg de politieagent opnieuw toen ik op het zand aan zijn voeten in elkaar zakte, snakkend naar adem, niet in staat ook maar één woord uit te brengen. Alison kwam onmiddellijk op handen en knieën naast me zitten en drukte me tegen zich aan. KC en Denise stonden er zwijgend bij.
'Het spijt me, agent.' Lance schudde als een hond het water uit zijn haar. 'Onze vriendin hier was even vergeten dat ze niet kan zwemmen.'
'Is alles goed met u?' vroeg de agent aan mij. Ik kon aan zijn stem horen dat hij jong was, en eerder geamuseerd dan bezorgd.
'Ja, alles is goed met haar.' Lance schudde opnieuw zijn hoofd. 'U kunt zich beter zorgen maken over mij. Ze had me bijna vermoord. Dit was de laatste keer dat ik de held heb uitgehangen.'
'Dat was niet zo slim, dame,' zei een tweede agent. Hij keek me streng aan, en aan zijn toon kon ik horen dat zijn dienst er bijna opzat en dat overuren wel het laatste waren waarop hij zat te wachten. Met een merkwaardig gevoel voor detail merkte ik op dat hij ongeveer net zo lang en net zo zwaar was als zijn collega, met dezelfde gespierde nek en brede borstkas. 'U kunt deze dame beter naar huis brengen,' raadde hij Lance aan. 'Het lijkt me dat ze het nieuwe jaar inmiddels uitbundig genoeg heeft ingeluid.'
Ik deed mijn mond open om iets te zeggen, maar er kwam geen geluid over mijn lippen. Trouwens, wat had ik moeten zeggen? Dat ik te veel champagne had gedronken en dat ik stoned was van de marihuana? Dat ik vermoedde dat ze LSD in mijn champagne hadden gedaan? Dacht ik dat echt? De eerlijkheid gebiedt me te zeggen dat ik op dat moment niet wist wat ik moest denken; dat ik niet wist wat er was gebeurd.
'Dank u wel,' riep Lance de weglopende agenten na. 'En nog een gelukkig nieuwjaar.' Toen ze uit het zicht waren verdwenen, draaide hij zich weer om naar mij, terwijl Alison haar arm nog steviger om mijn middel sloeg. 'Je hebt gehoord wat hij zei. Tijd om naar huis te gaan.'

21

De rest van de nacht is een vage vlek in mijn herinnering. Ik kan me alleen nog maar losse beelden voor de geest halen: de knokkels van Lance die wit afstaken tegen het zwarte stuur; het natte haar van Alison, vastgekleefd aan haar ingevallen gezicht terwijl de tranen over haar wangen stroomden; mijn koude, natte uniform, omhooggeschoven over mijn dijen; mijn dunne kousen, vol ladders en onder het zand.

Ik herinner me geluiden: onze natte kleren tegen de leren autobekleding; oorverdovend getoeter van een auto die ons rechts inhaalde; het nerveuze getik van Lances voet op de rem terwijl we wachtten tot een verkeerslicht op groen sprong.

Ik herinner me de stilte.

En toen waren we thuis en praatte iedereen door elkaar.

'Wat een nacht!'

'Hoe is het met haar?'

'Wat doen we nu?'

Ik herinner me dat ik naar mijn voordeur werd geloodst; half gedragen, half gesleurd.

'Wat gaan jullie met me doen?' hoor ik mezelf nog fluisteren.

'Wat zei ze?'

'Wat denk je dat we met je gaan doen?'

'Wat lult ze?'

Ik herinner me Alisons stem, zo helder als de spreekwoordelijke klok: 'Jongens, wegwezen! Wij redden het verder wel alleen.'

Ik herinner me dat ik de trap op strompelde, met Alisons hand losjes op mijn elleboog en de arm van Lance stevig om mijn middel. Mijn slaapkamer draaide om me heen alsof ik me aan boord van een oceaanstomer bevond, tijdens een storm op zee. Het kostte me de grootste moeite rechtop te blijven staan toen Alison me losliet en zich naast mijn bed op haar knieën liet zakken.

'Wat doe je in godsnaam?' Lance greep me nog steviger beet, alsof

hij bang was dat ik zou weglopen. Zijn nagels maakten deukjes in mijn huid.
'Dat weet je toch,' zei Alison op verdedigende toon, en ze kwam weer overeind.
Ze kijkt of er geen enge mannen onder het bed zitten, zei ik in gedachten. Toen begon ik hardop te lachen.
'Jezus, jullie zijn allebei hartstikke gek.' Lance maakte de bovenste knoop van mijn uniform los, terwijl Alison de kamer uit liep.
'Niet doen,' protesteerde ik zwakjes.
'Hoezo niet? Wil je drijfnat je bed in?'
'Ik kan mezelf wel uitkleden.'
Lance deed een stap naar achteren. 'Zoals je wilt. Ik zal met alle plezier toekijken.'
'Ik heb liever dat je weggaat.'
'Nou, erg gastvrij ben je niet.' Lance slaagde erin gekwetst te klinken. 'Terwijl ik nota bene je leven heb gered.'
Had hij mijn leven gered? vroeg ik me opnieuw af. Of had hij geprobeerd er een eind aan te maken?
Alison kwam de kamer weer binnen, met haar armen vol grote witte handdoeken. Ze gooide er een naar Lance. Gingen ze me vastbinden, knevelen en verstikken met mijn eigen kussen?
Ik voelde de handdoeken op mijn haar, op mijn borsten, tussen mijn benen. Mijn natte uniform werd van mijn lichaam gestroopt en een droge nachtjapon gleed als een lijkwade over mijn hoofd.
'Sta stil,' zei Lance.
'Ik doe het wel,' zei Alison.
Sterke handen loodsten me naar het bed, duwden me erop en trokken de dekens over me heen.
'Denk je dat ze enig idee heeft wat er aan de hand is?' vroeg Lance, toen ik mijn gezicht in het kussen begroef en mijn benen optrok tot een foetushouding.
'Nee. Ze is totaal van de wereld,' zei Alison.
'Wat doen we nu?'
Ik voelde dat ze vanaf het voeteneind naar me keken, alsof ze mijn lot in overweging namen en de alternatieven afwogen. Ik deed alsof ik sliep en snurkte zelfs heel zachtjes.
'Ik denk dat ik vannacht beter bij haar kan blijven,' zei Alison.
'Waarom? Ze loopt heus niet weg.'

'Dat weet ik. Maar toch zou ik graag een oogje op haar houden.'
'Zoals je wilt. Dan hou ik je gezelschap.'
'Nee, ga jij maar gewoon naar bed. Dan krijgt tenminste een van ons wat slaap.'
'Je weet dat ik niet goed kan slapen als jij niet naast me ligt.'
Ik voelde dat hij naar haar toe liep.
'Niet doen, Lance.'
'Hè, zus! Doe toch niet zo naar tegen me.'
Ik hief voorzichtig mijn kin op en gluurde tussen mijn wimpers door, zodat ik de twee gedaanten aan het voeteneind van mijn bed in elkaar kon zien opgaan.
'Niet doen,' zei Alison opnieuw, maar nu met minder overtuiging, terwijl Lance, die achter haar stond, zijn armen om haar heen sloeg en zijn handen op haar borsten legde.
Ik hapte bijna naar lucht van schrik en hield nog net op tijd mijn adem in.
'Ik heb het heus wel gezien, hoor,' zei Alison toen Lance zijn gezicht in haar hals begroef. 'Dat geflirt met Denise. Denk maar niet dat ik het niet heb gezien.'
'Wat krijgen we nou, zus? Ben je jaloers?'
'We moeten dit niet doen,' zei Alison toen hij haar omdraaide en haar vol op de mond kuste. 'Het hoort niet.'
'Nee, we zullen eeuwig branden,' viel hij haar bij, en hij kuste haar opnieuw.
Ik begroef mijn gezicht nog dieper in het kussen en smoorde de kreet die zich diep vanbinnen vormde.
'Niet hier,' zei Alison schor. Ze pakte haar broer bij de hand en trok hem mee de kamer uit.
Ik wachtte tot ik zeker wist dat ze weg waren. Toen pas deed ik mijn ogen open. Waren ze nog in huis? Lagen ze te vrijen op de bank beneden? In de andere slaapkamer? Ik luisterde of ik hun stemmen hoorde, bang voor andere geluiden die misschien tot me zouden doordringen. Doodsbang om te bewegen lag ik in de halve duisternis. Het leek een eeuwigheid te duren. Buiten scheen de eerste maan van het nieuwe jaar door de gebrokenwitte gordijnen. Ik was een gevangene in mijn eigen huis, met onzichtbare touwen aan mijn eigen bed vastgebonden. Er was geen ontsnapping mogelijk.

Ik sloot mijn ogen, deed ze weer open en staarde in de nietsziende ogen van het porseleinen vrouwengezicht op mijn nachtkastje; de vaas die Alison me met Kerstmis had gegeven. Om een oogje op me te houden, dacht ik, en ik zou misschien gelachen hebben als ik niet doodziek was geweest van alles wat ik had gezien. Met enige moeite ging ik rechtop zitten, vastberaden om op de vlucht te slaan.

Maar terwijl ik mezelf in gedachten uit bed zag klauteren, aankleden en een taxi bellen om mijn eigen huis te ontvluchten, wist ik dat ik er niet de kracht voor had. Mijn armen en benen weigerden dienst. Ze hingen als loden gewichten aan mijn lichaam. En mijn hoofd voelde alsof een krankzinnige tandarts het had volgepompt met novocaïne. Ik was al bezig het bewustzijn te verliezen, het contact met de werkelijkheid. Ik wist dat ik nog maar een paar seconden had voordat ik in de wachtende leegte zou vallen.

Met mijn laatste krachten gooide ik mezelf van het bed, wild met mijn armen zwaaiend, alsof ik nog altijd in zee dreef en door onzichtbare handen onder water werd geduwd. Mijn hand sloeg tegen de lamp op het nachtkastje en ik hoorde iets kapotvallen. Het geluid weerkaatste tegen de muren, floot als een kogel langs mijn oor. Ik keek naar de deur, in de verwachting dat Alison en haar broer zouden komen binnenstormen om me vast te binden. Maar er kwam niemand, en ik liet me weer op het bed vallen. Volslagen uitgeput deed ik mijn ogen dicht en gaf ik me over aan het lot.

Toen ik wakker werd, stond de zon stralend aan de hemel. 'Goedemorgen, slaapkop,' zei Alison. 'Gelukkig nieuwjaar!'

In haar roze trui en dito spijkerbroek zag ze eruit als een langgerekte suikerspin. Ik werkte me overeind en probeerde helderheid te krijgen in mijn hoofd. De gebeurtenissen van de vorige avond kwamen hortend en stotend weer tot leven, als een haperende videoband.

Wat was er precies gebeurd?

'Hoe laat is het?'

'Het is al over twaalven. Dus ik had eigenlijk goedemiddag moeten zeggen.' Alison zette een blad met vers geperst sinaasappelsap, dampende koffie en croissants op mijn schoot. 'Ontbijt op bed,' zei

ze lachend. 'Of lunch, hoe je het ook wilt noemen. De croissants zijn vers. Lance is ze net gaan halen.'
Op dat moment verscheen zijn hoofd boven Alisons schouder. 'Hoe voel je je?'
Ik keek hem aan en kon geen woord uitbrengen. Had hij de vorige avond geprobeerd me te verdrinken, of had hij mijn leven gered? Had ik gezien dat Alison en hij elkaar omhelsden aan het voeteneind van mijn bed? Of had ik het allemaal gedroomd? Zou dat mogelijk zijn?
'O nee!' riep Alison plotseling. 'Wat is er gebeurd?' Ze knielde naast het bed en begon de scherven van de kapotte vaas op te rapen. 'Wat is er gebeurd?' vroeg ze nogmaals, terwijl ze probeerde de stukken in elkaar te passen.
Ik deed mijn uiterste best om het me te herinneren en voelde het getintel in de rug van mijn hand, op de plek waar ik er de vorige avond ergens mee tegenaan had gebeukt.
'Misschien kunnen we hem lijmen.'
'Doe geen moeite.' Lance nam de scherven uit Alisons handen. 'Het had geen leuker meisje kunnen overkomen, als je het mij vraagt.' Hij huiverde. 'Eerlijk gezegd krijg ik kippenvel van deze dames.' Met die woorden liep hij de kamer uit om de scherven in de vuilnisbak te gooien.
'Terry, is alles goed met je?' vroeg Alison. 'Terry? Is er iets?'
'Ik weet het,' zei ik zacht.
'Wat weet je?'
'Ik heb je gezien,' vervolgde ik dapper. 'Gisteravond. Met je broer.'
'O god,' zei Alison toen Lance met een brede glimlach de kamer weer binnen kwam, nadat hij zich moeiteloos had ontdaan van een gebroken dame.
Was ik de volgende?
'En, is Terry weer bijgekomen van haar bloedstollende avonturen?'
'Ze heeft ons gezien,' zei Alison dof.
'Gezien?' De glimlach verdween langzaam van zijn gezicht, en zijn ogen schoten tussen ons heen en weer. 'Ik heb gezien dat jullie elkaar zoenden,' zei ik zonder eromheen te draaien.
'Je hebt gezien dat we elkaar zoenden?' De glimlach keerde terug in de ogen van Lance en trok aan zijn mondhoeken. 'Wat heb je nog meer gezien?'

'Genoeg.' Ik duwde het blad met het ontbijt opzij en klom uit bed, niet zeker of mijn benen me wilden dragen. Er prikte iets in mijn voetzool. Ik slaakte een kreet, liet me weer op het bed vallen, en toen ik mijn knie optrok naar mijn borst, ontdekte ik een stukje porselein tussen mijn tenen.

'Zo te zien heeft onze gevallen vrouw je gebeten.' Lance nam mijn gewonde voet in zijn handen.

'Niet doen,' zei ik, maar net als bij Alison de vorige avond klonk het zwak, zonder veel overtuiging. Alison rende de kamer uit en kwam even later terug met een natte handdoek.

'Rustig maar,' zei Lance. 'Ontspan je.'

Ik keek toe hoe hij voorzichtig het stukje porselein uit mijn voet trok en de druppel bloed die te voorschijn kwam bette met de handdoek.

'Het lijkt wel alsof ik je voortdurend moet komen redden,' zei hij zonder een zweem van ironie.

Ik probeerde mijn voet weg te trekken, maar hij hield hem vast. 'Ik wil dat jullie weggaan.'

'Alsjeblieft, Terry,' klonk de stem van Alison naast me. 'Ik kan het uitleggen.'

'Je hoeft het me niet uit te leggen.'

'Luister alsjeblieft naar me. Het is niet wat je denkt.'

'O nee? Wat denk ik dan?' Weer probeerde ik mijn voet weg te trekken, maar Lance masseerde inmiddels met bedreven vingers mijn voetzool, en ik besefte tot mijn schrik dat ik niet wilde dat hij ophield.

'Je denkt dat hij mijn broer is,' zei Alison.

Lance bewoog zijn knokkels naar mijn tenen, kneedde mijn voetzool en manipuleerde mijn spieren net zo moeiteloos als Alison dat met mijn emoties deed.

'Hij is mijn broer niet.'

Mijn man kon verrukkelijk masseren. Dat is waarschijnlijk de reden dat ik met hem ben getrouwd. Het verklaart in elk geval waarom ik telkens weer naar hem terugging. Hij had geweldige handen. Zodra hij mijn voeten begon te masseren, was ik verkocht.

'Hij is je man,' zei ik toonloos. Waarom had ik dat niet eerder beseft? Waarom had ik er zo lang voor nodig gehad om te zien wat van meet af aan duidelijk had moeten zijn?

'Mijn ex-man,' verbeterde Alison me.
'Lance Palmay.' Hij stak zijn rechterhand uit. 'Aangenaam.'
Ik negeerde hem en keek Alison aan. 'Je hebt tegen me gelogen,' zei ik ten overvloede. 'Waarom?'
'Het spijt me zo. Ik wist niet hoe ik het anders moest aanpakken.'
'Ooit van de waarheid gehoord?' Ik trok mijn voet uit de handen van Lance en liep langs hem heen naar de kast, waar ik een badjas pakte die ik haastig over mijn nachtjapon aantrok en strak om me heen trok. Ik had me nog nooit zo naakt, zo kwetsbaar gevoeld.
'Ik wilde je de waarheid vertellen,' protesteerde Alison. 'Maar ik was bang.'
'Waarvoor?'
'Dat je me een dom blondje zou vinden dat meteen in katzwijm viel zodra die *loser* van haar ex weer op de stoep stond.'
'Hé...' protesteerde Lance.
'Ik wilde dat je positief over me zou denken, dat je me aardig zou vinden.'
'En daarom loog je tegen me?'
'Ik begrijp dat het stom was. Maar...'
'Op dat moment leek het een goed idee?' opperde Lance.
'Hou je mond, Lance.'
'Weet je zeker dat Lance zijn echte naam is?' vroeg ik.
Alison keek geschokt, alsof ik haar een klap in haar gezicht had gegeven. 'Ik heb hem gebeld na Thanksgiving. Je zei dat ik mijn familie moest bellen...'
'Met andere woorden: het is allemaal mijn schuld?'
'Nee, natuurlijk niet. Ik zeg alleen dat ik in een moment van zwakte Lance heb gebeld, en toen heb ik hem verteld waar ik zat. Ik had niet gedacht dat hij naar Florida zou komen. Hoewel, misschien ook wel. Ik weet het niet. Ik weet alleen dat ik het niet over mijn hart kon verkrijgen om hem de deur te wijzen toen hij ineens op de stoep stond. Hij zou maar een paar dagen blijven, zei hij. En ik wilde niet dat jij je van streek zou maken. Ik wist dat huisgenoten verboden waren, en ik wist hoe kopschuw je was. Kopschuw,' herhaalde ze zacht, met een hoopvolle glimlach. 'Fijn woord. Klinkt lekker.'
Ik voelde een vertrouwd verlangen, de ongewenste neiging om haar in mijn armen te nemen en haar gerust te stellen; om te zeg-

gen dat alles goed zou komen. Tenslotte was ik net zo zwak als zij, als het om haar ex ging. Tenminste, als hij inderdaad haar ex was, dacht ik en ik vroeg me af waarom ik nog íéts zou geloven van wat ze zei. Alison veranderde net zo gemakkelijk van verhaal als van kleding. Dus waarom dacht ik dat ze op dat moment de waarheid sprak?

'Dus ik heb tegen je gelogen,' vervolgde Alison, alsof ze mijn gedachten had gelezen. 'Ik heb gezegd dat Lance mijn broer was. Dat leek me een stuk minder ingewikkeld.'

'Je hebt geen broer.' Het was meer een constatering dan een vraag.

'Jawel, ik heb wel een broer,' zei Alison snel. 'Ik heb wel degelijk een broer,' herhaalde ze ten overvloede, terwijl ze naar de grond staarde, alsof ze bang was om me aan te kijken.

'Je verzwijgt iets voor me.'

'Nee. Echt niet. Ik heb je alles verteld.'

Ze loog. Ik wist het, en ze wist dat ik het wist. Dat was de reden waarom ze me niet in mijn ogen kon kijken.

'Ik dacht dat we vriendinnen waren,' zei ik zwak, omdat ik niet goed wist wat ik anders moest zeggen.

'Dat zíjn we ook,' zei ze smekend.

'Vriendinnen liegen niet tegen elkaar. Vriendinnen hebben geen geheimen voor elkaar en houden er geen verborgen agenda op na.'

Alison keek me aan. Even dacht ik dat ze zou zwichten en me alles vertellen, dat ze de hele afschuwelijke waarheid zou opbiechten, dat ze haar rol zou bekennen in de chaotische gebeurtenissen van de vorige avond en in het bedrog vanaf het moment dat ze bij me op de stoep was verschenen. Maar ze zei niets, en het moment ging voorbij.

'Ik wil dat je weggaat,' zei ik.

Ze knikte en wendde zich af. 'Ik bel je wel.'

'Nee, je begrijpt het niet. Ik wil dat je weggaat... voorgoed.'

'Wat?'

'Ik wil je hier niet meer zien.'

'Dat meen je niet.'

'Hé, Terry,' opperde Lance. 'Vind je ook niet dat je een beetje al te heftig reageert?'

'Reageerde ik gisteravond ook te heftig, toen je probeerde me te vermoorden?'

'Wát?'
'Wat?' echode Alison.
'Waar heb je het over?' De uitdrukking in de ogen van Lance was woedend en geamuseerd tegelijk. 'Je bent hartstikke gek, weet je dat?'
'Ik wil jullie niet meer zien,' hield ik vol. 'Nooit meer.'
'Maar, Terry...' bracht Alison snikkend uit.
'Ik geef jullie tot vanavond de tijd om het tuinhuis te ontruimen,' zei ik.
'Maar... maar dat is niet eerlijk.'
'Volgens mij ben je wettelijk verplicht een opzegtermijn van een maand te hanteren,' zei Lance loom. 'En ik weet niet hoe het met jou zit... maar ik kan er niet goed tegen als me een ultimatum wordt gesteld.'
'Als jullie vanavond niet weg zijn, bel ik de politie. Hoe vind je dat als ultimatum?'
'Klote,' zei Lance. 'Ik denk dat je er verstandig aan doet je advocaat te bellen.'
'Lance is binnen een uur weg,' zei Alison plotseling vastberaden.
'Wat?' riep Lance uit. 'Dat kun je niet menen!'
'Ga nou maar,' zei Alison, zonder haar ogen los te maken van de mijne. 'Schiet op. Wegwezen.'
Lance verplaatste zijn gewicht ongemakkelijk naar zijn andere voet, sloeg gefrustreerd met zijn handen op zijn heupen en stormde ten slotte de kamer uit.
'Kun je me misschien een paar dagen de tijd geven om iets anders te zoeken?' vroeg Alison zacht. 'Ik beloof je dat ik zo snel mogelijk vertrek. Als je dat nog steeds wilt.'
Eerlijk gezegd wist ik niet wat ik wilde. Aan de ene kant wilde ik dat Alison onmiddellijk vertrok. Aan de andere kant wilde ik dat ze bleef. Ik zweeg geruime tijd, om haar de kans te geven de stilte te vullen, zoals ze dat altijd deed; om haar de kans te geven een verklaring te bedenken, iets waarop ik kon inhaken. Na alles wat er was gebeurd, zocht ik nog steeds wanhopig naar een reden om haar te geloven.
'Akkoord,' zei ik ten slotte. Ik spuugde het woord uit alsof het een rottend stuk vlees was. 'Ik geef je tot het weekend de tijd. Als je dan nog niet weg bent, bel ik de politie.'

'Dank je wel.' Alison slaakte een zucht van verlichting. Toen draaide ze zich om, en haar gezicht verdween in een vage werveling van roodblonde krullen. Ik hoorde haar de trap af lopen, toen ging de keukendeur open en weer dicht. Vanachter mijn slaapkamerraam zag ik haar naar het tuinhuisje rennen. Daar draaide ze zich om en keek ze naar het huis, en ik dacht dat ik haar zag glimlachen.

22

In de daaropvolgende dagen liet Alison zich niet zien. Voor Lance gold hetzelfde, maar ik betwijfelde of hij echt weg was. Ik wist dat de kwestie bepaald niet was opgelost en dat het onwaarschijnlijk was dat ze met lege handen zouden vertrekken. Zeker niet na alle tijd en moeite die ze in me hadden geïnvesteerd. Die eerste avond in bed probeerde ik erachter te komen hoeveel er waar was van wat Alison me had verteld. Waar hielden de leugens op en begon de waarheid? Tenminste, als ze ook dingen had gezegd die niet gelogen waren. Ooit.

Trouwens, wat maakte het uit?

Achteraf besef ik dat Alisons grote talent het griezelige vermogen was om me te doen twijfelen aan mezelf, om me vraagtekens te laten zetten bij dingen die als een paal boven water stonden en om me dingen te laten zien die er helemaal niet waren.

Ondanks alles moest ik mezelf blijven voorhouden dat Alison niet de lieve jonge vrouw was die ik in mijn leven had verwelkomd, maar een leugenaar, een oplichter, misschien zelfs een koelbloedige moordenaar. Dat laatste mocht ik zeker niet uitsluiten. Ik was niet haar vriendin, ik was haar slachtoffer. Een slachtoffer dat ze zorgvuldig had gekozen. En te oordelen naar wat ik in haar dagboek had gelezen, was ik niet de eerste nietsvermoedende vrouw die ze had bedrogen. Wat was er met de anderen gebeurd?

En waarom?

Dat was de vraag waar ik nog altijd geen antwoord op kon geven; de vraag die me de hele nacht uit mijn slaap hield, terwijl ik rusteloos lag te draaien en te woelen. Niet wannéér Alison en haar trawanten opnieuw zouden toeslaan, maar waarom?

Waarom?

Waar was ze op uit?

Wat wil je van me? had ik haar moeten vragen. Waarom heb je mij uitgekozen? Waarom heb je zo ontzettend je best gedaan om ervoor te zorgen

dat we vriendinnen werden? Wat heb ik dat in jouw ogen ook maar van enige waarde is?
Wat had het voor zin?
Hoe bedoel je? zou ze hebben geantwoord, met een blik van verwarring in haar groene ogen, druk gebarend met haar handen. *Ik heb geen idee waar je het over hebt.*
In optimistische momenten hield ik mezelf voor dat ik niets te vrezen had; dat ik doeltreffend een spaak in het wiel van haar plannen had gestoken door haar te confronteren met de werkelijkheid en haar de huur op te zeggen, door met de politie te dreigen als ze tegen het eind van de week niet weg was. Maar in mijn somberste momenten besefte ik dat ik alleen maar uitstel had weten te creëren, een bescheiden respijt waarin ze haar plannen kon bijstellen. Dan hield ik mezelf voor dat Alison gewoon haar tijd afwachtte; dat ze zich koest hield tot het moment was aangebroken om opnieuw in actie te komen.
Hoe dan ook, er verstreken verscheidene dagen zonder dat er iets gebeurde. Alison deed verder geen poging om met me te praten, de witte Lincoln stond niet meer voor mijn huis, ik ging naar mijn werk en zorgde voor mijn patiënten, en ik slaagde er bijna in mezelf ervan te overtuigen dat het ergste voorbij was.
Op de ochtend van vier januari stond ik net op het punt om naar mijn werk te gaan toen de telefoon ging. Ik wist dat Josh de vorige avond was teruggekomen uit Californië, dus ik had al de hele ochtend gehoopt dat hij zou bellen. Ik keek in de spiegel boven de ladenkast en probeerde mezelf door zijn ogen te zien. Het kapsel dat Alison me had aangemeten begon zijn model te verliezen, zag ik. Het werd tijd om het te laten bijknippen. Ongeduldig streek ik mijn haar achter mijn oren en kneep ik in mijn wangen om ze een beetje kleur te geven. Toen liep ik naar de telefoon, en omdat ik niet te gretig wilde lijken, liet ik hem nogmaals overgaan voordat ik opnam. 'Hallo,' zei ik hees, alsof ik net wakker werd, ook al was ik al uren op.
'Erica heeft me gevraagd om je een gelukkig nieuwjaar te wensen,' zei de stem.
'Val dood!' riep ik woedend en ik wilde de hoorn al op de haak smijten.
'Volgens mij heb je nog iets van haar,' vervolgde de stem, zonder zich te laten afschrikken.

'Ik weet niet waar je het over hebt.'
'Volgens mij weet je dat heel goed.'
'Je vergist je. Ik heb geen idee wat je van me wilt.'
'Ze wil het graag terug.'
'Wat wil ze terug?' Ik hoorde een klik en de verbinding was verbroken. 'Wacht even! Waar heb je het over? Wat zou ik van Erica moeten hebben? Wat?' schreeuwde ik, nog lang nadat de beller had opgehangen.
Wat kon ik in 's hemelsnaam nog van Erica hebben?
Het kettinkje, besefte ik met een schok. Het gouden hartje dat Alison onder haar bed had gevonden en dat ze trots had gedragen, tot ik een eigen kettinkje voor haar had gekocht. Maar het hartje kon niet meer dan een paar honderd dollar waard zijn, en Erica was me veel meer schuldig aan huur. Bovendien had ik nooit de indruk gekregen dat ze sentimenteel van aard was. Anderzijds, met mijn mensenkennis was het droevig gesteld, hielp ik mezelf herinneren. Tenslotte had Alison er geen enkele moeite mee gehad me een rad voor ogen te draaien.
Mijn hersens werkten op volle toeren, allerlei gedachten overspoelden me en beukten op elkaar als golven in de oceaan. Wat was het verband tussen Erica en Alison? Had Erica meer achtergelaten dan een ketting? Had ze iets van waarde in het huisje verborgen? En was dat de reden dat Alison op mijn stoep was verschenen en alles uit de kast had gehaald om ervoor te zorgen dat we vriendinnen werden? Wat had ik volgens haar dat al die moeite waard was?
'Grote genade,' verzuchtte ik. Het duizelde me terwijl ik mijn tas greep en de trap af rende naar de voordeur. Hoe had ik ook maar één moment kunnen denken dat Alison mijn tuinhuisje tegen het einde van de week zonder slag of stoot zou ontruimen? Dat Lance en zij met lege handen zouden vertrekken?
Als verlamd stond ik naast mijn auto, zonder te weten wat ik moest doen. Ik wist alleen dat de tijd drong, dat ik niet thuis kon blijven en dat ik met iemand moest praten.
Josh! Ik moest met Josh praten.
Vervuld van nieuwe vastberadenheid ging ik weer naar binnen, trok de deur achter me dicht en liep naar de telefoon in de keuken. Ik toetste het vertrouwde nummer in en wachtte terwijl de tele-

foon overging. Een keer... twee keer... drie keer... Toen werd er eindelijk opgenomen.
'Afdelingsbalie vierde verdieping. U spreekt met Margot.'
'Margot? Met Terry.' Er klonk wanhoop in mijn stem, alsof ik aan de rand van een peilloze afgrond stond.
'Terry? Wat is er? Je klinkt verschrikkelijk!'
'Ik ben bang dat ik vandaag niet kan komen werken.'
'Heb je soms ook griep? Het schijnt een afschuwelijk virus te zijn.'
'Ik weet het niet. Het zou kunnen. Denk je dat jullie het zonder mij weten te redden?'
'We zullen wel moeten. Ik wil niet dat je ziek naar je werk komt.'
'Het spijt me verschrikkelijk, maar het komt zo plotseling.'
'Zo gaan die dingen.'
'Gisteravond voelde ik me nog prima,' deed ik er nog een schepje bovenop, terwijl ik wist dat ik niet moest overdrijven. Hoe meer leugens ik vertelde, des te groter was de kans dat ik mezelf erin verstrikte. Tenslotte was dat Alison ook overkomen.
'Kruip maar lekker onder de wol, neem twee aspirientjes en probeer zo veel mogelijk te drinken. Maar dat hoef ik jou niet te vertellen.'
'Ik vind het echt heel vervelend.'
'Zorg jij nou maar dat je snel weer opknapt,' droeg Margot me op.
Ik rende de trap op naar mijn slaapkamer en verruilde mijn uniform voor een marineblauwe broek en dito trui. Ik stopte mijn uniform samen met nog een stel schone kleren en wat ondergoed in de grote weekendtas die ik onder in mijn kast bewaarde. Ik had geen idee hoe lang ik weg zou blijven, of waar ik zou logeren, maar één ding was zonneklaar: hier kon ik niet blijven.
Zou Josh erop staan dat ik bij hém bleef, vroeg ik me af, en ik deed mijn gele jurk met de lage hals ook in de tas, voor het geval hij zou voorstellen om uit eten te gaan. Of misschien zou ik mijn intrek nemen in een van die excentrieke art-decohotelletjes in South Beach. En misschien zou Josh wel meegaan, fantaseerde ik opgewonden. Ik haalde de gladde, lavendelblauwe nachtjapon die Lance me met Kerstmis had gegeven uit de onderste la en stopte hem in mijn tas, me bewust van de ironie als ik een cadeau van mijn potentiële moordenaar zou dragen tijdens een romantisch afspraakje met mijn potentiële minnaar. Terwijl ik het dacht, besefte

ik dat ik niet gewoon opgewonden was, maar op de rand van de hysterie verkeerde.
Dus ik haalde een paar keer diep adem in een poging wat rustiger te worden. Ik gedroeg me als een dwaas, wist ik, bijna als iemand die niet toerekeningsvatbaar was. Maar het leek wel alsof ik, door eindelijk in actie te komen, een deel van mezelf de ruimte had gegeven dat ik veel te lang had onderdrukt – het deel dat van het leven wilde genieten, dat risico's wilde nemen en plezier wilde hebben. Het deel dat er genoeg van had om te worden omringd door de dood. Het deel dat wilde léven.
Toen ik klaar was met pakken, overwoog ik Josh te bellen om te zeggen dat ik eraan kwam. Ik besloot echter hem te verrassen. Ik zei tegen mezelf dat ik geen tijd had voor onnodige telefoontjes, maar misschien was ik gewoon bang dat hij me zou ontraden te komen omdat hij het te druk voor me had. En dat kon ik niet riskeren. Ik had hem nodig. Hij moest naar me luisteren. Hij moest me helpen.
Ik stond alweer bij de auto toen ik besefte dat ik mijn verpleegstersschoenen naast mijn bed had laten staan. Die zou ik nodig hebben als ik besloot de volgende dag weer aan het werk te gaan, dus ik gooide mijn weekendtas op de achterbank en liep met tegenzin weer naar binnen. Met twee treden tegelijk stormde ik de trap op, zodat ik buiten adem boven kwam. Mijn schoenen stonden aan het voeteneind van het bed, alsof ze op me hadden gewacht. Net toen ik weer naar beneden wilde gaan, zag ik door het raam van mijn slaapkamer Alison uit het tuinhuisje komen.
Ik rende naar beneden. Bij de voordeur bleef ik abrupt staan, om mijn adem onder controle te krijgen. Ik mocht niet de indruk wekken dat ik in paniek was. Het was van het grootste belang dat alles normaal leek. Alison mocht niet in de gaten krijgen dat ik op de vlucht sloeg.
Toen ik buiten kwam, stond ze al naast de auto. 'Waar ga je heen?' vroeg ze, met een blik op de weekendtas op de achterbank.
'Ik ben lid geworden van een sportschool. Dus daar ga ik langs op weg naar mijn werk.' Ik hield mijn verpleegstersschoenen omhoog om mijn verhaal te onderstrepen.
Het leek alsof ze me geloofde. 'Terry...'
'Sorry, maar ik kom te laat.' Ik deed het portier open, gooide mijn

schoenen op de achterbank en liep om de auto heen naar de bestuurderskant.
'Terry! Ik moet met je praten.'
'Alison, ik zou niet weten wat er nog te zeggen viel.'
'Je moet naar me luisteren. Als je daarna nog steeds wilt dat ik wegga, zul je geen last meer van me hebben. Dat beloof ik.'
'Ik heb het huisje al verhuurd,' zei ik, en ik zag dat haar ogen groot werden van schrik. 'Aan een collega. Ze trekt er zaterdag in.'
Alison hield geschokt haar adem in en keek om naar het huisje.
'Luister eens,' krabbelde ik terug, plotseling bang dat ze zou proberen me tegen te houden als ze dacht dat dit haar laatste kans was. 'Als je echt wilt praten, dan kunnen we dat vanavond doen, na mijn werk.'
Ze keek opgelucht. 'Dat zou fijn zijn.'
'Het kan wel laat worden.'
'Maakt niet uit. Ik blijf op.'
'Oké.' Ik stapte in de auto en startte de motor. 'Tot vanavond dan.'
'Tot vanavond.' Ze gaf een klopje op de motorkap toen ik achteruit het tuinpad af reed.
Vanavond, dacht ik.

Ik weet niet waarom ik de I-95 nam in plaats van de tolweg. *Je moet de tolweg nemen,* hoorde ik Myra Wylie nog tegen haar zoon zeggen. *Als er op de 95 een ongeluk gebeurt, staat het verkeer uren vast.*
En dat was precies wat er gebeurde, besefte ik, terwijl ik mijn raampje opendraaide en reikhalzend probeerde te zien wat de reden was van de opstopping. Maar ik zag alleen maar lange rijen auto's, als een vrolijk gekleurde slang, onbeweeglijk in de brandende zon. 'Ik moet hier weg,' fluisterde ik en zocht op de autoradio naar de verkeersinformatie. 'Ik heb hier geen tijd voor.'
Op de ene zender hoorde ik Alan Jackson zingen over een verloren liefde, op de andere klonk de stem van Janet Jackson, die de ware liefde had gevonden. Misschien hadden ze het wel over dezelfde, dacht ik, maar de lach bleef steken in mijn keel. Misschien waren Alan en Janet wel broer en zus. Of man en vrouw. Net als Alison en Lance. Ik lachte nu hardop, wat me een zorgelijke blik opleverde van de automobilist naast me. 'Ik wil niet aan Alison denken,' fluisterde ik zonder mijn lippen te bewegen. Toen draai-

de ik door naar een volgende zender, waar een presentator grapjes maakte met zijn vrouwelijke collega.
'Cathy, vertel eens, hoeveel goede voornemens heb jij al gebroken?'
'Ik maak nooit goede voornemens, Dave.'
'Waarom niet, Cathy?'
'Omdat ik me er toch nooit aan hou.'
Ik schakelde over naar een andere zender. 'Een botsing waarbij vier auto's zijn betrokken, net ten zuiden van de afslag Broward Boulevard, zorgt voor lange files op de I-95,' kondigde de nieuwslezer aan met de geoefende kalmte van iemand die het gewend is bijzonderheden te verstrekken over rampzalige gebeurtenissen. 'Er zijn al ambulances ter plaatse...'
'Nou, dat gaat dus nog wel even duren.' Ik zette de radio uit. Meer hoefde ik niet te horen. Een ongeluk waarbij vier auto's waren betrokken, compleet met politie en ambulances... Dat betekende dat ik hier voorlopig nog wel even stond. Er is niets aan te doen, zei ik tegen mezelf. Dus het heeft ook geen zin om je er druk over te maken. Jammer dat ik geen boek bij me heb. Ik draaide me om naar de achterbank. Misschien lag er nog ergens een tijdschrift op de grond.
Toen zag ik hem.
'O, god.'
Hij stond een paar auto's achter me, op de rechterbaan. Na de eerste schrik zei ik tegen mezelf dat ik me vergiste. Dat mijn ogen me voor de gek hielden; dat het zonlicht en mijn wat al te levendige verbeelding me parten speelden. Wanneer ik opnieuw keek, zou blijken dat ik me had vergist.
Maar toen ik me nogmaals omdraaide, was hij er nog steeds.
Zelfs terwijl hij achter het stuur zat, was duidelijk hoe lang hij was. Hij leunde met zijn magere lijf naar voren en boven zijn scherpe haviksneus tuurden zijn bruine oogjes strak voor zich uit, alsof hij zich niet bewust was van mijn aanwezigheid. Was dat mogelijk? Wist hij niet dat ik hier was? Was het puur toeval dat we in dezelfde file stonden?
Toen boog hij nog verder naar voren, legde zijn kin op het stuur en richtte zijn ogen doelbewust op de mijne. Er verscheen een lome glimlach om zijn smalle lippen. *Nee maar, daar hebben we Terry Painter*, kon ik hem bijna horen zeggen. *Wie had dat kunnen denken?*

'Shit!' vloekte ik hardop toen ik KC zag uitstappen en op zijn gemak tussen de auto's door naar me toe zag komen, met zijn duimen in de zakken van zijn strakke spijkerbroek. Wat moest ik doen? Wat kón ik doen? Het op een lopen zetten? Maar waar kon ik heen? Waarom had ik ook geen mobiele telefoon? Ik was waarschijnlijk de enige op de hele planeet die niet zo'n ding had, die er een hekel aan had, vanwege de manier waarop ze in toenemende mate het leven bepaalden. Was ik de enige die zich ergerde wanneer ik tieners over straat zag lopen met telefoontjes in hun oren, als een soort groot uitgevallen oorbellen? Was ik de enige die me eraan stoorde dat de persoon aan de andere kant van de lijn blijkbaar belangrijker was dan degene die naast hen liep? Ik verafschuwde de zelfzuchtigheid, de verwrongen asociale houding die ik daarin proefde. Bovendien, zo vaak werd ik niet gebeld, dacht ik, terwijl er een schaduw over het zijraampje van mijn auto viel.

Toen er naast mijn hoofd op het getinte glas werd getikt, keek ik opzij, recht in het gezicht van KC Hij gebaarde dat ik het raampje open moest doen, en ik gehoorzaamde. Tenslotte was het onwaarschijnlijk dat hij zou proberen me hier iets te doen, dacht ik, midden in een verkeersopstopping, omringd door getuigen.

'Kijk eens aan,' was alles wat hij zei. *Kijk eens aan.*

'Vind je het wel verstandig om je auto alleen te laten?'

Hij haalde zijn schouders op. 'Zo te zien staan we hier nog wel even.'

Ik knikte en wendde me af. 'Waar moet je heen?' vroeg ik, zonder hem aan te kijken, zogenaamd geconcentreerd op het verkeer vóór me.

'O, ik ben zomaar een eindje aan het rijden. En jij?'

'Ik ook.'

'Ik dacht dat je misschien wel naar Josh ging,' zei hij tot mijn verbazing. Ik was vergeten dat ze elkaar met Thanksgiving hadden ontmoet.

Ik zag dat hij naar mijn weekendtas op de achterbank keek en negeerde de spottende blik in zijn ogen. Het was alsof hij dwars door de tas heen kon kijken en de zijden nachtjapon kon zien.

'Dus je bent weer helemaal de oude na die duik op oudejaarsavond?'

Er liep een rilling over mijn rug. Wat was de rol van KC in dit alles? 'Ja, ik ben weer helemaal de oude. Dank je.'
'Je hebt ons behoorlijk laten schrikken.'
'Ik voel me weer prima.'
'Je moet in het vervolg een beetje voorzichtiger zijn. We zouden niet willen dat je iets overkwam.'
'O nee? Weet je dat wel zeker?'
De spotlichtjes in zijn ogen verspreidden zich over zijn hele gezicht, en hij grijnsde. Maar hij zei niets.
'Volg je me?' vroeg ik plotseling.
De grijns werd nog breder. 'Waarom zou ik je volgen?'
'Dat vraag ik me ook af.'
Hij schudde zijn hoofd. 'Je laat je meeslepen door je verbeelding.' Toen richtte hij zich op, sloeg met zijn vlakke hand op de zijkant van mijn auto en deed een stap naar achteren toen de auto's om ons heen langzaam in beweging kwamen.
Ik hoorde het gebulder van een motor dichterbij komen en hield mijn adem toen hij kwam langssuizen, gevolgd door een tweede. Ik keek ze na terwijl ze door de opstopping manoeuvreerden. Glimmende, zwarte helmen verborgen het gezicht van de berijders. Was een van hen de man met de rode bandana?
'Doe Josh de groeten van me!' riep KC en hij liep terug naar zijn auto. Minuten later, toen ik eindelijk moed had verzameld om in mijn achteruitkijkspiegeltje te kijken, kon ik hem nog steeds zien. Hij zat achter het stuur van zijn auto naar me te kijken.

23

Bijna een uur lang kroop het verkeer over de I-95. Tegen de tijd dat we bij de afslag Broward Boulevard kwamen, waren de vier auto's die bij het ongeluk betrokken waren al naar de kant van de weg gesleept en de ambulances vertrokken. Te oordelen naar de verminkte overblijfselen van twee van de auto's – waaronder een vuurrode Porsche, die meer weg had van een geplette tomaat – en de grote plas bloed naast een van de wielen, vermoedde ik dat er ernstig gewonden waren gevallen, misschien zelfs doden. Vluchtig vroeg ik me af of de slachtoffers in Mission Care terecht zouden komen en ik wenste vurig dat dat ons bespaard zou blijven. Er stonden nog altijd diverse politiewagens op de plek des onheils. De agenten probeerden de automobilisten tot doorrijden te manen, zodat er geen kijkersfile ontstond. Maar hun inspanningen waren tevergeefs. We konden het niet laten.
'Doorrijden,' riep een van de agenten toen ik opnieuw in mijn achteruitkijkspiegeltje keek. KC wiebelde prompt met zijn vingers, alsof hij wist dat ik naar hem keek, alsof hij al die tijd naar me had gekeken, wachtend op het moment waarop onze blikken elkaar zouden kruisen.
In een impuls draaide ik mijn raampje open en wenkte ik de politieman.
'Doorrijden,' herhaalde hij, deze keer nog luider, terwijl hij met zijn grote handen driftig naar de stapvoets rijdende auto's gebaarde.
'U moet me helpen. Ik word gevolgd,' zei ik schuchter, en ik probeerde onder zijn helm een glimp op te vangen van zijn gezicht. Het enige wat ik zag, was de strenge blik in zijn ogen en de ongeduldige trek om zijn mond.
'Het spijt me, dame.' Zijn blikken gingen heen en weer tussen de rijen auto's, en het was duidelijk dat hij niet had gehoord wat ik had gezegd. 'Ik ben bang dat ik u moet vragen door te rijden.'
Ik knikte, draaide het raampje omhoog en keek in mijn achteruit-

kijkspiegel. KC schudde grijnzend zijn hoofd, alsof hij wist wat ik van plan was geweest en moest lachen om mijn brutaliteit. Of mijn stompzinnigheid.
Wat had ik gehoopt te bereiken? Had ik werkelijk verwacht dat de agent naar me zou luisteren, laat staan me serieus zou nemen, midden in een kilometerslange file? En zelfs al had hij me serieus genomen, wat had hij kunnen doen? Dacht ik nou heus dat hij KC ter plekke zou hebben ondervraagd en daarmee voor nog grotere opstoppingen zou hebben gezorgd? En dan? Zou hij hem dan hebben gearresteerd? Dat was erg onwaarschijnlijk. In het gunstigste geval zou hij ons hebben meegenomen naar het bureau. Nou, daar zou ik wat mee zijn opgeschoten!
Neemt u me niet kwalijk, meneer, maar deze dame hier beweert dat u haar volgt.
Dat ik haar volg? Terry! Heb jij tegen deze agent gezegd dat ik je volg?
Ik zie dat u elkaar kent?
Ja, we zijn goed bevriend, agent. Ik heb bij haar gegeten met Thanksgiving. Klopt dat, dame?
Ja, dat klopt, maar...
Eerlijk gezegd gedraagt ze zich de laatste tijd een beetje merkwaardig, agent. Al haar vrienden maken zich zorgen over haar.
Ik kon de agent al begrijpend zien knikken. Anderzijds, hield ik mezelf voor, KC mocht dan alles ontkennen, maar mijn klacht zou worden genoteerd. Ik zou er in elk geval enig uitstel mee bereiken. Opnieuw draaide ik mijn raampje naar beneden en wenkte ik de agent. 'Kunt u me alstublieft helpen?'
'Wat is het probleem?' Hij boog zich naar me toe en zette ongeduldig zijn zonnebril af.
Hij was nog heel jong, zag ik. Jonger dan ik. Misschien zelfs wel jonger dan KC. Bovendien hoorde ik aan zijn toon, aan de manier waarop hij 'dame' zei, dat hij zich nauwelijks zou kunnen voorstellen dat een jonge vent als KC zijn tijd zou verspillen met het volgen van een vrouw van middelbare leeftijd. Waarschijnlijk zou hij denken dat ik een querulant was en zou ik mijn geloofwaardigheid al bij voorbaat de grond in boren, terwijl ik die in de toekomst nog hard nodig zou hebben. Nee, ik zou niets bereiken door nu al alarm te slaan, besloot ik. En bovendien zou ik daardoor niet met Josh kunnen praten. Josh, mijn enige echte hoop. 'Zijn er gewonden gevallen?' vroeg ik.

'Helaas wel.' De agent zette zijn zonnebril weer op en deed een stap naar achteren.
'Ik ben verpleegster. Als ik iets kan doen...'
De politieman was niet in mijn aanbod geïnteresseerd. 'Daar is al voor gezorgd,' zei hij kortaf. 'Wilt u nu alstublieft doorrijden?'
Het verkeer werd al snel minder druk, en tegen de tijd dat we bij Hollywood Boulevard waren, reed alles weer normaal. Ik drukte het gaspedaal dieper in en wisselde zo vaak mogelijk van baan, in een poging KC af te schudden. Hij bleef me echter koppig op de hielen zitten. Om hem kwijt te raken, nam ik bijna de afslag Miami Shores, maar ik bedacht me. Ik was daar niet bekend, en als ik wilde proberen KC af te schudden, kon ik dat beter doen zonder het risico te lopen zelf de weg kwijt te raken.
Hij zat nog steeds achter me toen ik afsloeg naar de U.S. 1, in zuidelijke richting. Ergens tussen Coconut Grove en Coral Gables, waar Josh woonde, verdween KC uit mijn achteruitkijkspiegel. Dat was niet te danken aan mijn slimme ontwijkingstactieken. Integendeel, het ene moment zat hij nog achter me, het volgende was hij verdwenen.
Bij elk stoplicht keek ik in mijn spiegel. Ik zag een vrouw in een zwarte Accord die geanimeerd in haar mobiele telefoon zat te praten. Een vrouw in een crèmekleurig busje probeerde een achterbank vol onrustige kinderen stil te krijgen, en een man in een groene BMW peuterde in zijn neus.
Maar KC en zijn donkerbruine Impala waren nergens te zien. Hetgeen niet betekende dat hij niet ergens op me loerde, besefte ik, me herhaaldelijk omdraaiend in mijn stoel en wantrouwend om me heen kijkend. Het merk en de kleur van KC's auto duidden erop dat hij waarschijnlijk gehuurd was. Opnieuw vroeg ik me af wat zijn rol was in het plan van Alison.
Het geschetter van een claxon bracht me terug in de werkelijkheid. Het licht was op groen gesprongen, en ik drukte op het gas. Terwijl ik de U.S. 1 bleef volgen, keek ik voortdurend in mijn achteruitkijkspiegel, en bij elk rood verkeerslicht draaide ik me om. Maar het leek erop dat mijn inspanningen succes hadden gehad. 'Ik ben hem kwijt,' zei ik triomfantelijk. Toen ik opzij keek, zag ik hoe een verzorgd uitziende man van middelbare leeftijd zijn wijsvinger diep in zijn linkerneusgat stak. 'Eet smakelijk,' zei ik, terwijl ik

Coral Gables binnen reed, langs Paseos, het groots opgezette en geometrisch aangelegde vermaakscentrum annex winkelcomplex in het hart van de keurige voorstad van Miami. De Miracle Mile vermeed ik welbewust door linksaf te slaan, toen rechtsaf, en ten slotte weer rechtsaf, op zoek naar Sunset Place. Na een paar keer verkeerd te zijn afgeslagen kwam ik weer uit op het punt waar ik was begonnen, en ik dacht dat mijn hart stilstond toen ik achter me een donkerbruine Impala zag stoppen. Eén blik op de gerimpelde grijsaard achter het stuur was echter genoeg om me gerust te stellen. Ik lachte om mijn eigen achtervolgingswaanzin en reed hoofdschuddend verder.

Uiteindelijk had ik de goede straat gevonden, alleen reed ik aan de verkeerde kant. Sunset Place was typerend voor de straten in deze buurt: een met palmen omzoomde brede laan met kleine bungalows, opgetrokken in Spaanse stijl, in alle kleuren van de regenboog. Josh woonde met zijn kinderen op nummer 1044, een keurig wit huis met een schuin dak van bruine pannen en een schitterende voortuin met brokken koraal en bedden witte vlijtige liesjes en diverse andere bloemen, die ik wel kende, maar waarvan de naam me ontschoten was.

Ik parkeerde tegenover zijn huis en bleef toen besluiteloos zitten, me afvragend wat mijn volgende stap moest zijn. Hoe was ik zover gekomen zonder plan? Wat bezielde me om op vrijdagmiddag, even na enen, plotseling ongevraagd bij hem aan te kloppen? Mijn maag knorde toen ik het portier opendeed en uitstapte. Zwarte regenwolken hingen dreigend boven mijn hoofd, als donkere kneuzingen op een verder blauwe hemel. Ik overwoog of ik misschien eerst iets moest gaan eten voordat ik naar Josh toe ging, maar ik besloot te wachten. Misschien zou Josh me voorstellen te gaan lunchen in zijn favoriete buurtcafé.

Tenzij hij niet alleen was, dacht ik, en ik bleef met een ruk midden op de weg staan. De scholen begonnen maandag pas weer, dus het was heel goed denkbaar dat zijn kinderen thuis waren. Wat moest ik tegen hen zeggen? *Hallo, ik ben tante Terry, ik kom logeren?*

Het kon ook nog zijn dat Josh niet thuis was, dacht ik toen ik terugliep naar mijn kant van de straat. Zijn auto stond niet op het tuinpad, dus misschien was hij bij een cliënt, ook al was hij net terug van vakantie. Of misschien was hij in Delray, bij zijn moeder,

bedacht ik geschrokken. Het was tenslotte vrijdag. Natuurlijk was hij in Delray! Idioot die ik was. Had ik dat hele eind gereden, terwijl ik alleen maar naar mijn werk had hoeven gaan. Wat bezielde me? Waar zat mijn verstand?
Op dat moment ging de houten voordeur van zijn huis open en verscheen Josh in de deuropening. Hij was prachtig bruin en zag er waanzinnig aantrekkelijk uit, in zijn donkere overhemd met korte mouwen en zijn verbleekte spijkerbroek. Hij keek naar weerskanten de straat uit, toen omhoog naar de steeds dreigender wolken, en stond al op het punt om weer naar binnen te gaan toen hij mij zag staan. 'Terry?' zag ik hem verrast zeggen. Met een paar snelle sprongen stak hij de straat over. 'Je bent het echt!'
'Hallo.'
'Is er iets met mijn moeder? Is alles goed met haar? Wat is er gebeurd?' De vragen tuimelden als dominostenen uit zijn mond.
'Nee, er is niets met je moeder. Ze maakt het prima.'
'Ik heb haar nog geen uur geleden gesproken,' zei hij alsof hij me niet had gehoord.
'Josh, alles is goed met je moeder.'
Opgelucht liet hij zijn schouders zakken, maar zijn ogen stonden nog altijd gespannen. 'Ik begrijp het niet. Wat doe je dan hier?'
'Ik moet met je praten.'
'Over mijn moeder?'
Wat bezielde die man? Ik had toch gezegd dat er niets met zijn moeder aan de hand was! 'Nee, Josh. Je moeder maakt het opmerkelijk goed voor iemand die lijdt aan kanker en een hartkwaal. Ze is de laatste tijd een beetje depressief, maar dat is heel normaal tijdens de feestdagen. Daar krabbelt ze wel weer bovenop. Sterker nog, ik zou bijna gaan denken dat ze ons allemaal overleeft.'
Hij glimlachte, en de lijnen in zijn voorhoofd verdwenen. 'Dat is in elk geval een hele geruststelling. Ik heb me de laatste weken zo schuldig gevoeld.'
'Onzin,' zei ik met de stem van mijn moeder. Ik kon mijn tong wel afbijten. 'Je bent niet zo lang weg geweest dat je je schuldig moet voelen,' zei ik aanzienlijk zachter en vriendelijker. In een poging hem gerust te stellen, legde ik mijn hand op zijn arm.
Hij deinsde verschrikt achteruit, alsof hij zich had gebrand, en kuchte wat ongemakkelijk. Toen keek hij achterom, naar zijn voor-

deur die nog altijd openstond. Vroeg hij zich af of hij me binnen moest vragen of het op een lopen moest zetten? 'Heb je trek in een kop koffie?' Zijn plotselinge, warme glimlach verraste me.
'Dat klinkt goed.'
Lunch zou nog beter zijn, maar dat stelde hij niet voor, en omdat hij toch al geschokt leek door mijn plotselinge verschijning, besloot ik het kalm aan te doen. Misschien konden we vanavond ergens gaan eten, dacht ik hoopvol, terwijl hij me de hal van roze marmer binnenloodste.
Het huis was verrassend ruim, een effect dat werd benadrukt doordat er geen deuren waren tussen de woonkamer, de eetkamer en de televisiekamer. De keuken bevond zich aan de achterkant van het huis, samen met twee kleine slaapkamers. Ik ving slechts een glimp op van de ouderslaapkamer, die zich aan de voorkant van het huis bevond. Bij het zien van het onopgemaakte bed begonnen mijn knieën te knikken. 'Wat een schitterend huis,' zei ik, terwijl ik houvast zocht bij de geelbruine bank in de woonkamer en mijn blik over het moderne, uiterst strakke meubilair liet gaan.
'Hoe drink je je koffie?'
'Zwart.' Ik glimlachte om mijn teleurstelling te verbergen dat hij dat niet meer wist.
'Ga zitten. Ik ben zo terug.' Hij verdween in de keuken.
Ik liep over de wit betegelde vloer, met hier en daar een kleed in gedempte kleuren. De kamer verraste me, want ik vond er niets in terug van de Josh Wylie die ik kende. Niet dat ik hem zo goed kende, maar ik had altijd gedacht dat zijn smaak dichter bij de mijne zou liggen. Dat hij meer neigde naar comfort dan naar stijl, meer naar traditioneel dan naar trendy. Ik hield mezelf voor dat dit het huis was dat hij met zijn ex had gedeeld. Waarschijnlijk vertegenwoordigde de inrichting meer haar smaak dan de zijne. Hij was er gewoon nog niet aan toegekomen iets te veranderen besloot ik. Misschien uit respect voor de gevoelens van zijn kinderen.
De witte muren waren grotendeels kaal. Aan weerskanten van de tafel in de eetkamer hingen een paar weinig indrukwekkende litho's, en aan de achterste muur van de televisiekamer hing een groot abstract schilderij van iets wat op een fruitschaal leek. Ik stelde me voor hoe mooi mijn schilderijen hier zouden staan en verving de kleurloze fruitschaal door mijn weelderige bloemen, de

fantasieloze spiegel bij de voordeur door het meisje met de breedgerande hoed op het strand.
Waarom had Alison me zo'n duur cadeau gegeven, vroeg ik me plotseling af, met het gevoel alsof ik een stomp in mijn mag had gekregen. Zodra ik even niet op mijn hoede was, maakte Alison daar onmiddellijk gebruik van door mijn gedachten weer binnen te dringen. Ga weg, zei ik tegen haar. Je bent hier niet welkom. In dit huis ben ik veilig.
Maar de ervaring had me geleerd dat Alison zich niet zo gemakkelijk liet wegjagen. Ik werd bestormd door herinneringen. In gedachten zag ik haar weer zoals ze die eerste keer bij me had aangeklopt; ik zag haar als een toverfee rondwervelen door het tuinhuisje; haar prachtige haar op mijn kussen terwijl ze sliep; Erica's ketting om haar hals; de ketting die ik haar met Kerstmis had gegeven. En ik dacht aan alle cadeautjes die ze mij had gegeven: de oorbellen, de porseleinen vaas, het schilderij. Allemaal even extravagante cadeaus! Had ze ervoor betaald, of had Denise ze gewoon meegegeven en de inventaris van haar tante geplunderd? Trouwens, wat was de rol van Denise in dit alles? Was het mogelijk dat ze elkaar allemaal al hadden gekend? Dat Denise Nickson en Erica Hollander stukjes waren van dezelfde puzzel als Alison Simms?
Je bent een dom wicht, een onnozele gans, hoorde ik mijn moeder zeggen.
'Ik hoop dat de koffie nog te drinken is, want ik heb hem vanmorgen vroeg al gezet.' Josh kwam met twee dampende mokken de kamer in, maar bleef abrupt staan bij het zien van mijn gezicht. 'Wat is er? Je kijkt alsof je spoken ziet.'
Ik hief mijn handen en voelde dat ze beefden, en toen ik mijn mond opendeed, kwam er geen geluid uit. Ik kreeg tranen in mijn ogen. Tot op dat moment had ik niet beseft hoe bang ik was, hoe lang ik mijn angsten al had ontkend en onderdrukt, hoe wanhopig eenzaam ik was, en hoe lang al. Ik was doodmoe en kon het niet langer opbrengen om flink te zijn, rationeel, onafhankelijk. Dat was ik niet. Ik kon me alleen niet staande houden. Ik had iemand nodig die me steunde, iemand die me beschermde. Ik had Josh nodig.
Het kostte me de grootste moeite om hem niet om de hals te vallen en hem te vertellen wat ik voelde – hoe hard ik hem nodig had, hoe ik naar hem verlangde, hoeveel ik van hem hield. Ja, ik hield

van hem, besefte ik plotseling. Mijn adem stokte in mijn keel en ik hield hem vast in mijn longen, zoals ik met de rook van de joint had gedaan. 'Hou me alsjeblieft vast,' fluisterde ik smekend.
Onmiddellijk voelde ik zijn armen om me heen, zijn lippen op mijn haar. 'Het spijt me zo dat ik je niet heb gebeld.'
'Ach, je was er niet.' Ik veegde mijn tranen weg en hief mijn lippen naar de zijne. 'Maar nu ben je er weer.'
'Ja, ik ben er weer.' Hij drukte zijn lippen op mijn mond, tilde me op en droeg me naar zijn slaapkamer, net als Clark Gable dat met Vivien Leigh had gedaan. Gretig begon hij me uit te kleden terwijl hij zich boven op me liet vallen op het onopgemaakte bed.
Alleen deed hij dat niet. Niets van dat alles.
Terwijl ik me liet meeslepen door mijn verbeelding en ons al samen in bed zag liggen, liet hij me los en schoof hij bij me vandaan.
'Josh, toe...' hoorde ik mezelf wanhopig zeggen, smekend om me opnieuw in zijn armen te nemen.
'Terry, ik... ik moet je wat zeggen.'
'Ik ben zo blij dat je terug bent. Ik heb je zo gemist.'
'O, Terry. Het spijt me verschrikkelijk.'
'Hoezo? Wat zou je moeten spijten?' *Zeg alsjeblieft dat er niets is wat je zou moeten spijten.*
'Er is zoveel gebeurd.' Josh stond op en ging aan de andere kant van de glazen tafel zitten. De damp uit onze koffiemokken kringelde omhoog en schiep een ragdun gordijn tussen ons in.
'Wat bedoel je? Wat is er gebeurd?'
'Het spijt me als ik je een verkeerde indruk heb gegeven.'
'Waar heb je het over? Hoezo, een verkeerde indruk?'
'Ik had het je eerder moeten vertellen. Eerlijk gezegd dacht ik dat mijn moeder dat al had gedaan.'
'Wat had je me moeten vertellen?'
Hij boog beschaamd zijn hoofd. 'Janet en ik zijn weer bij elkaar.'
'Wat?' De woorden deden zo'n pijn dat ik me moest beheersen om mijn handen niet voor mijn oren te slaan.
'Janet en ik...' begon hij, alsof hij dacht dat ik hem niet had verstaan.
'Sinds wanneer?' viel ik hem in de rede, misselijk van ellende.
'Sinds vlak voor Kerstmis.'
'Vlak voor Kerstmis?' herhaalde ik, alsof het alleen op die manier tot me wilde doordringen wat hij zei.

'Ik had het je willen vertellen.'
'Maar dat heb je niet gedaan.'
'Nee, ik ben een lafaard. Het was makkelijker om telkens onze afspraken af te zeggen. En eerlijk gezegd wist ik ook niet of het allemaal wel goed zou komen tussen Janet en mij.'
'Met andere woorden: je had mij als reserve, voor het geval dat jullie verzoening op een mislukking zou uitlopen.'
'Zo heb ik het niet bedoeld.'
'Hoe bedoelde je het dan?'
'De kinderen zijn zo gelukkig,' zei hij na een korte stilte, alsof daarmee alles was verklaard.
Mijn armen en benen werden gevoelloos, en er klonk gezoem in mijn hoofd, als van een irritante mug. 'Dus Thanksgiving betekende helemaal niets voor je.'
'Dat is niet waar. Ik heb van Thanksgiving genoten.'
'Die kus... die kussen... dat betekende allemaal niets.'
'Ik koester de herinnering daaraan.'
'Maar het betekende allemaal niets.'
Opnieuw een stilte, deze keer nog langer. 'Alsjeblieft, Terry. Dit moeten we niet doen.'
'Wat moeten we niet doen?'
'Ik zou zo graag vrienden willen blijven.'
'Vrienden liegen niet tegen elkaar.' Had ik tegen Alison niet hetzelfde gezegd?
'Het is nooit mijn bedoeling geweest om tegen je te liegen.' Hij stond op. 'Ik heb iets voor je.' Haastig liep hij naar de slaapkamer aan de voorkant van het huis. Even later kwam hij terug met een pakje, gewikkeld in stralend blauw papier. 'Ik had het je al eerder willen geven.' Hij legde het in mijn hand.
'Wat is het?'
'Ik wilde je nogmaals bedanken voor het feit dat je zo goed voor mijn moeder zorgt.'
'Je moeder.' Ik voelde zo'n steek van vernedering dat ik bijna opnieuw in snikken uitbarstte. 'Ik neem aan dat ze weet dat Janet en jij weer samen zijn?'
'Waarom denk je dat ze de laatste tijd zo depressief is?'
'Ze heeft niks tegen me gezegd.'
'Nee, maar ze is er verre van gelukkig mee.'

'Ach, ze is je moeder. Ze draait wel bij.'
'Maak je je cadeautje niet open?'
Zonder enthousiasme rukte ik het papier eraf. 'Een dagboek.' Ik draaide het om en dacht aan Alison.
'Ik wist niet of je een dagboek bijhield.'
'Nee, maar daar moet ik dan misschien maar mee beginnen.'
'Het spijt me echt, Terry. Het is nooit mijn bedoeling geweest om je te kwetsen.' Hij zweeg en keek naar de voordeur.
'Verwacht je bezoek?' vroeg ik kil.
'Janet en de kinderen zijn naar het winkelcentrum. Ze kunnen elk moment thuiskomen.' Hij keek ongerust op zijn horloge.
'O, en ik neem aan dat je vrouw het niet leuk vindt als ze mij hier aantreft.'
'Dat zou alleen maar tot verwarring leiden.'
'En dat zouden we natuurlijk niet willen.' Ik liep naar de deur. Had ik echt gedacht dat hij me zou kunnen beschermen?
'Terry!' riep hij me na.
Ik bleef staan en draaide me om.
Ga niet weg. Ik heb je nodig. Ik vind wel een oplossing voor deze chaos. Ik hou van je.
'Zou jij misschien eens met mijn moeder willen praten? Om te proberen een beetje begrip bij haar te kweken? Ze houdt van je als van een dochter. Ik weet zeker dat ze naar jou zou luisteren.'
Ik knikte opnieuw en bedacht dat de situatie vreselijk lachwekkend zou zijn als het niet allemaal zo verschrikkelijk, zo hartverscheurend was. 'Ik zal kijken wat ik kan doen.'
'Dank je wel.'
'Dag, Josh.'
'Pas goed op jezelf.'
'Ik doe mijn best.' Toen trok ik de deur achter me dicht.

24

'Wel verdomme! Stom wicht! Onnozele gans!' tierde ik tegen mezelf met de stem van mijn moeder. 'Hoe kon je zo stom zijn? Heb je geen trots? Geen zelfrespect? Je bent verdomme veertig! Heb je dan nog steeds niets geleerd? Weet je zo weinig van mannen? Ha!' Ik lachte en negeerde de niet bepaald steelse blikken van de automobilisten om me heen, terwijl ik driftig op mijn stuur sloeg en ongewild toeterde. 'Trouwens, niet alleen van mannen. Je weet helemaal nergens iets van! En mensenkennis heb je ook niet. Iemand hoeft maar een beetje aardig tegen je te zijn, een beetje belangstelling te tonen, en je gaat uit je voegen om ze ter wille te zijn. Je opent je huis voor ze, en je hart.' En je benen, vervolgde ik in gedachten, te beschaamd om het hardop te zeggen, zelfs in de besloten ruimte van mijn auto. 'Een man gaat één keer met je lunchen, trakteert je op een miezerig bordje salade, en je ziet je al met hem voor het altaar staan. Je bent een stom wicht! Een onnozele gans! Je verdient niet beter dan dat er misbruik van je wordt gemaakt. Je verdient niet beter dan dat je alles verliest. Gewoon omdat je te stom bent om voor de duvel te dansen! Zulke mensen verdienen het niet om te leven!'

Je bent een stom wicht! Een onnozele gans, hoorde ik mijn moeder zeggen.

Ik dacht aan het onopgemaakte bed in de slaapkamer van Josh. Hadden Janet en hij die ochtend gevrijd voordat ze naar het winkelcentrum was vertrokken? Roken de gekreukte lakens nog naar hun lichamen?

'Je bent een stomme idioot!' De woorden weerkaatsten tegen de raampjes en sloegen me in mijn gezicht. 'Mensen die zo stom zijn als jij verdienen het niet om te leven.'

Ik keek in de achteruitkijkspiegel, zag de ogen van mijn moeder en hoefde haar stem niet te horen om te weten wat ze dacht: *Hoe kon je dit doen?* Haar brandende ogen keken me doordringend aan, tot ik tranen voelde opkomen en haar niet langer kon zien. Tenslotte had ik de wrede woorden van mijn moeder niet nodig. Ik kon het uitstekend alleen af.

'Je bent een stom wicht! Een onnozele gans,' herhaalde ik nog steeds toen ik mijn tuinpad op reed en in mijn zak naar de huissleutels voelde. 'Het is allemaal je eigen schuld.' Ik keek de straat uit, op zoek naar de witte Lincoln van Lance. 'Kom me maar halen!' riep ik naar de stille straat. Er stonden nog altijd dreigende regenwolken aan de hemel. 'Ik geef het op. Je hebt gewonnen.'

Een snelle blik leerde me echter dat de auto van Lance nergens te zien was. Waarschijnlijk stond hij ergens om de hoek, besloot ik. Ik wreef over mijn gezwollen ogen om mijn tranen te drogen en haastte me naar de voordeur. Het kostte me enige moeite om de sleutel in het slot te krijgen, maar uiteindelijk hoorde ik de vertrouwde klik en ging de deur open.

Driftig liep ik de woonkamer in, en ik gaf zo'n harde duw tegen de kerstboom dat hij begon te wankelen en tegen de muur viel. Diverse roze en zilveren ballen vielen in scherven op de grond. 'Ik had dat stomme ding al veel eerder moeten weghalen.' *Sterker nog, ik had nooit een kerstboom moeten opzetten.* 'Stom, stom, stom!' Ik scheurde een handvol feestelijke strikken van de dorre takken en stampte erop. Het was stom geweest om te denken dat Alison me ooit echt aardig had gevonden. Net zoals het stom was geweest om te denken dat Josh ooit ook maar iets om me had gegeven. 'Waarom zou iemand je vriendin willen zijn? Je minnaar?'

Mijn moeder had gelijk. Ze had altijd gelijk. Ik was niets anders dan een stom, *stom* wicht. Ik had alle narigheid aan mezelf te danken.

Hoe kon je dit doen?, zei de stem van mijn moeder, die me besloop toen ik naar de keuken liep.

'Ga weg,' riep ik. 'Ga alsjeblieft weg. Laat me met rust. Je hebt je werk goed gedaan. Ik heb je niet meer nodig.'

Vanaf hun hoge positie keken de vrouwengezichten op de vazen van mijn moeder honend op me neer, alsof ze de spot dreven met mijn naïviteit. Door hun lege ogen en krampachtig lachende monden bleven ze me bestoken met de woorden van mijn moeder. Tot mijn eigen afschuw hief ik plotseling mijn arm op en haalde ik woest uit naar de onderste plank. De porseleinen gezichten vlogen

alle kanten uit, als een zwerm woedende bijen. Gevolgd door de rij erboven, en de rij daarboven. Ik pakte de vaas die Alison bij haar eerste bezoek had bewonderd; de vaas die op mijn moeder leek, met haar afkeurende blik. *Een arrogante dame uit de hogere kringen, die minachtend neerkijkt op de rest van de wereld,* had Alison gezegd. Ik hief de baas hoog boven mijn hoofd en slingerde hem met volle kracht de kamer door.
Hij barstte als een voetzoeker uit elkaar toen hij de muur raakte. Ik lachte om de kleurige scherven porselein die de kamer door vlogen en als confetti de grond bedekten.
'Terry!' klonk een stem bij de keukendeur. 'Terry, wat is er aan de hand? Doe open! Alsjeblieft, laat me binnen!'
De deurknop draaide wild heen en weer. Ik nam een moment de tijd om diep adem te halen, toen deed ik de deur open.
'Mijn god, Terry!' riep Alison uit, met een blik van afschuw op haar lieve gezicht. 'Wat is er aan de hand? Waar ben je mee bezig? Je zou jezelf eens moeten zien. Je zit onder het bloed.'
Ik bracht mijn hand naar mijn voorhoofd en voelde iets kleverigs.
'Terry, wat is er? Is er iets gebeurd?'
Een jammerklacht, als een eeuwenoud lied, vormde zich diep vanbinnen, vulde mijn mond als water en stroomde over mijn lippen, naar de grond, tot hij uiteindelijk de hele kamer leek te vullen. Ik liet me op mijn knieën vallen terwijl het geluid van mijn peilloze verdriet tegen de muren weerkaatste en scherven porselein door mijn kleren in mijn huid drongen. Onmiddellijk liet Alison zich naast me op haar knieën vallen. Ze wiegde me in haar armen, kuste mijn bebloede voorhoofd en smeekte me haar te vertellen wat er aan de hand was. Bijna onmiddellijk voelde ik me teruggezogen in haar wereld, onder haar betovering. Zelfs na alle leugens en al het bedrog, na alles waarvan ik wist dat het waar was, en na alles waarvan ik wist dat ze het had gelogen, wilde ik niets liever dan geloven dat ze oprecht bezorgd om me was; dat ze me zou beschermen, wat er ook zou gebeuren.
'Ik ben zo'n stomme idioot,' fluisterde ik.
'Dat is niet waar. Dat ben je helemaal niet.'
'Ja, dat ben ik wel.'
'Wat is er gebeurd? Vertel me alsjeblieft wat er is gebeurd, Terry.'
Ik keek in haar ogen. Door mijn tranen heen was ik bijna in staat

mezelf te overtuigen van haar oprechtheid. Ik kon haar net zo goed vertellen wat er was gebeurd, besloot ik, en ik kromp ineen bij het zien van mijn bloed op haar lippen. Dan kon ze er met haar vrienden later hartelijk om lachen.
'Josh is terug bij zijn vrouw,' zei ik eenvoudig, en bijna begon ik ook te lachen.
'O, Terry, het spijt me zo.'
Deze keer slaagde ik er inderdaad in gesmoord te grinniken. 'Dat zei hij ook.'
'Heb je hem gesproken?'
Ik vertelde haar het meelijwekkende verhaal van mijn bezoek aan Josh, in het besef dat KC haar waarschijnlijk al had gebeld en had verteld over mijn plannen. Had ze ongeduldig voor het raam zitten wachten tot ik thuiskwam?
'De klootzak,' zei ze, en ze kneep me zachtjes en bemoedigend in mijn schouder.
'Nee, het is allemaal mijn schuld.'
'Waarom?'
Gewoon, omdat het altijd mijn schuld is, dacht ik, maar dat zei ik niet. 'Omdat ik zo'n stomme idioot ben,' was alles wat ik zei.
'Als jij al een stomme idioot bent, wat ben ik dan wel niet?'
Ik lachte, zoals ik zo vaak lachte wanneer zij bij me was.
'Kijk naar Lance en mij,' vervolgde Alison. 'Na alles wat hij me heeft aangedaan, na alle keren dat ik me plechtig heb voorgenomen om hem niet meer terug te nemen, weet ik niets anders te doen dan hem meteen weer binnen te laten zodra hij voor mijn deur staat. Lieve hemel, ik heb hem bijna naar binnen gesleurd. Ik weet dat ik nooit gelukkig met hem zal worden. Sterker nog, ik weet dat hij vroeg of laat mijn hart breekt en de boel weer verpest, zoals altijd...'
'Hoe bedoel je, dat hij de boel weer verpest?' viel ik haar in de rede.
Ze haalde verdrietig haar schouders op. 'Gewoon, door dingen te doen zoals hij dat met jou deed.'
Ik wachtte, me bewust van de spanning in haar omhelzing, en vroeg me af of ze eindelijk haar hart zou uitstorten en me alles zou vertellen. Maar dat deed ze niet, en het moment ging voorbij.
'Waar ís Lance eigenlijk?' Ik keek naar de keukendeur, half en half verwachtend hem in de deuropening te zien staan.

'Weg.'
'Weg? Hoezo, weg?'
Alison schudde haar hoofd, zodat haar haar langs mijn wang streek. 'Ik weet niet waar hij heen is, en dat kan me ook niet schelen.'
'Bedoel je dat hij terug is naar Chicago?'
'Ik weet het niet,' zei Alison opnieuw. 'Ik neem aan dat Denise bepaalt waar ze heen gaan.'
'Denise?'
'Ja, ik had het natuurlijk moeten zien aankomen.' Ze sloeg met haar hand tegen haar voorhoofd. 'Ik ben zo stom geweest. Maar wat doet het ertoe? Het is voorbij. Eindelijk. Dat werd tijd ook,' besloot ze nadrukkelijk.
Ik knikte, hoewel ik betwijfelde of Lance echt weg was.
'Mannen,' zei ze, alsof het een vloek was. 'Je kunt niet met ze...'
'En je kunt niet zonder ze,' vulde ik aan.
'Ik heb zo'n spijt van alles wat er is gebeurd. Als ik het over zou kunnen doen...'
'Wat zou je dan doen?'
'Om te beginnen zou ik Lance geen schijn van kans geven. Dan zou ik het op een lopen zetten zodra ik hem zag. Voordat het te laat was.'
'Het is nooit te laat,' zei ik bijna smekend.
'Geloof je dat echt?'
Ik haalde mijn schouders op en wist zelf niet meer wat ik geloofde. 'Ik ben zo'n stomme idioot geweest.'
Alison keek me onderzoekend aan, alsof ze probeerde in mijn ziel te kijken. 'Josh is een stomme idioot. Hoe kan iemand jou niet willen?'
Ik bekeek haar aandachtig, op zoek naar tekenen dat ze de spot met me dreef, maar ik zag alleen nieuwe tranen opwellen in haar reusachtige groene ogen. Haar lippen trilden toen ik de tranen wegveegde. Er kwam bloed van mijn vingers op haar huid, als een verdwaalde penseelstreek, toen ik mijn handen om haar gezicht legde en haar zachtjes naar me toe trok.
Ik weet niet wat me bezielde – angst, ontgoocheling, verlangen, of misschien een combinatie van die drie – waardoor ik mijn lippen zo dicht bij de hare bracht. Heel vluchtig vroeg ik me af wat ik deed, toen verdrong ik al mijn gedachten, ik deed mijn ogen dicht en streek met mijn lippen langs haar mond.
Alison deinsde achteruit, net zoals Josh dat eerder had gedaan, en

rukte zich los uit mijn armen. 'Nee! Dat bedoel ik niet. Je begrijpt het niet.'
'O god!' Ik krabbelde overeind en sloeg mijn hand voor mijn mond. 'O god, wat heb ik gedaan? Wat heb ik gedaan?'
Alison stond onmiddellijk naast me. 'Het geeft niet. Echt niet. Het is een misverstand en het is allemaal mijn schuld.'
'Wat heb ik gedaan?' Ik keek naar de verbrijzelde vrouwengezichten aan mijn voeten, naar hun oorbellen en gebroken parelsnoeren, naar stukken van hun glimlach, van hun stijve kapsels. Kapot. Onherstelbaar, dacht ik bij het zien van mijn eigen weerspiegeling in Alisons ogen, die me nog altijd vol afschuw aankeken. Onherstelbaar, dacht ik opnieuw. Dat gold ook voor de vriendschap tussen Alison en mij. 'Ik moet hier weg,' riep ik, en ik rende naar de voordeur, op de vlucht voor het slagveld dat ik had aangericht. Alison rende achter me aan. 'Niet weggaan! Terry! Ik ga met je mee.'
'Nee. Laat me met rust. Ik wil alleen zijn.' Ik zat al in mijn auto voordat ze me kon tegenhouden, met de portieren op slot, de motor gestart, de versnelling in zijn achteruit, mijn voet op het gaspedaal.
'Terry, kom alsjeblieft terug.'
Ik reed achteruit het tuinpad af, de straat op, dwars over het gazon op de hoek. Twee straten verder reed ik bijna Bettye McCoy en haar hondenmormels aan. Ze stak haar middelvinger op en begon te schelden, maar het was de stem van mijn moeder die ik hoorde. Bijna een uur lang reed ik door de straten van Delray, en ik putte troost uit het kustplaatsje dat erin was geslaagd zijn lieflijke, levendige binnenstad te behouden, zonder ten prooi te vallen aan hoge kantoorgebouwen en een aaneenschakeling van winkelcentra, zoals je die in de meeste steden van Florida zag. Ik reed langs de kleine, oude huizen in de historische wijk rond de haven, langs de moderne appartementen en luxueuze landhuizen aan de kust, en weer terug, langs de ommuurde, streng bewaakte wijken, de enclaves voor gepensioneerden en de diverse golfclubs ten westen van de stad. Ik reed door tot mijn benen stijf begonnen te worden en ik het gevoel had alsof mijn handen waren vergroeid met het stuur. Tot de donkere wolken boven mijn hoofd bulderend hun woede luchtten en de regen in stromen deden neerdalen. Toen zette ik de auto langs de weg en keek ik naar de regen die op mijn voorruit kletterde. Een griezelige kalmte nam bezit van me en

daalde als een warme deken over me neer. Mijn tranen droogden op. Mijn hoofd werd weer helder. Mijn angst verdween.
Ik wist wat me te doen stond.

Twintig minuten later reed ik het parkeerterrein van Mission Care op en rende ik door de stromende regen naar de ingang. Binnen schudde ik het water uit mijn haar terwijl ik naar de trap liep. Ik hield mijn hoofd gebogen, omdat ik niet wilde dat iemand me zag. Tenslotte werd ik geacht met griep in bed te liggen, in plaats van in de stromende regen door de stad te zwerven. Bovendien was dit bezoek persoonlijk en had het niets met mijn werk te maken. Er was geen enkele reden waarom iemand zou moeten weten dat ik hier was.
Ik beklom de treden naar de vierde verdieping. Op de overloop bleef ik even staan om op adem te komen. Toen deed ik voorzichtig de deur open en gluurde ik om een hoekje. Er was niemand te zien, dus ik liep voorzichtig de gang in. Toen ik halverwege was, zag ik een van de artsen uit de kamer van een patiënt komen, recht op me af. Ik overwoog mijn hoofd naar beneden te houden en te bukken om een denkbeeldig muntstuk van de grond te rapen. Misschien moest ik zelfs een van de kamers in duiken. Maar uiteindelijk deed ik dat niet. In plaats daarvan glimlachte ik een beetje verlegen naar de jonge dokter en zette ik me schrap om hem uit te leggen dat ik me alweer een stuk beter voelde, en dat ik het erg aardig vond dat hij naar mijn gezondheid informeerde. Maar zijn nietszeggende glimlach maakte duidelijk dat hij geen idee had wie ik was, dat ik in mijn gewone kleren net zo onbeduidend en onzichtbaar was als in mijn verpleegstersuniform. Ik had iedereen geweest kunnen zijn, besefte ik.
Maar ik was niemand.
Myra Wylie lag naar het plafond te staren toen ik de deur van haar kamer opendeed en naar binnen liep. 'Ga alsjeblieft weg,' zei ze zonder te kijken wie het was.
'Myra! Ik ben het. Terry.'
'Terry?' Ze keerde haar gezicht naar me toe, en haar ogen begonnen te lachen.
'Hoe voel je je vandaag?' Ik liep naar haar bed en pakte de oude hand die ze naar me uitstrekte.

'Ze zeiden dat je ziek was.'
'Dat was ik ook. Maar ik voel me alweer een stuk beter.'
'Ik ook. Nu jij er bent.'
'Is de dokter al bij je geweest?'
'Ja, hij is geweest. Hij heeft overal geduwd en geknepen, en toen kreeg ik een preek dat ik meer moest eten als ik op krachten wilde blijven.'
'Daar heeft hij gelijk in.'
'Dat weet ik ook wel. Maar ik heb de laatste tijd gewoon niet veel trek.'
'Zelfs niet in een stukje marsepein?' Ik haalde een gesuikerd appeltje uit de zak van mijn marineblauwe broek. 'Ik ben onderweg hierheen even bij een banketbakker langs geweest.'
'In deze regen?'
'Dat valt wel mee.'
'Wat ben je toch een schat.'
Ik maakte de verpakking open, brak het stuk marsepein in twee stukken en legde er een op de punt van haar tong, genietend van de blijdschap in haar ogen. 'Ik heb Josh vandaag nog gezien,' zei ik. Onmiddellijk bewolkten haar ogen, net als de sombere hemel. 'Is hij hier geweest?'
'Nee. Ik ben naar Coral Gables gereden.'
'Je bent naar Coral Gables gereden?'
'Naar zijn huis.' Ik legde het resterende stukje marsepein op haar tong.
'Waarom?'
'Ik wilde hem spreken.'
'Is er soms iets? Is er iets met me wat de doktoren me niet hebben verteld?'
'Nee,' stelde ik haar haastig gerust, zoals ik een paar uur eerder haar zoon had gerustgesteld. 'Het ging niet over jou. Het ging over mij.'
Er kwam een bezorgde uitdrukking in haar troebele ogen. 'Is alles goed met je?'
'Ja, hoor. Ik wilde Josh gewoon spreken.'
Myra keek me verward aan en wachtte tot ik verder zou gaan.
'Hij vertelde dat hij terug is bij zijn vrouw.'
'Ja.'
'En hij zei dat jij er niet erg gelukkig mee bent.'

'Ik ben zijn moeder. Als dat is wat hij wil, dan zal ik dat moeten accepteren.'
'Het lijkt erop dat het inderdaad is wat hij wil.'
'Ach, ik ben gewoon een tobber. Ik wil niet dat hij opnieuw gekwetst wordt.'
'Hij is een grote jongen.'
'Worden ze ooit echt groot?' vroeg ze.
'Hoe lang wist je het al?'
'Ik denk eigenlijk dat ik van meet af aan heb geweten dat ze weer bij elkaar zouden komen. Hij is altijd van haar blijven houden, ook na de scheiding. Zodra ze aanstuurde op een verzoening, wist ik dat het slechts een kwestie van tijd was.' Myra draaide met haar hoofd, tevergeefs op zoek naar een comfortabele houding.
'Kom maar. Dan zal ik je kussen opschudden.'
'Dank je wel, lieverd.' Ze tilde glimlachend haar hoofd op, zodat ik een van de dunne kussens kon weghalen.
'Ik wou dat je het me had verteld,' zei ik, terwijl mijn vingers het kussen kneedden.
'Dat wilde ik ook. Maar ik schaamde me een beetje na alles wat ik over haar had gezegd. Ik hoop dat je het begrijpt.'
'Het zou me een hoop gêne hebben bespaard.'
'Het spijt me, kindje. Ik had niet gedacht dat het zo belangrijk zou zijn.'
'Ik ben helemaal naar Coral Gables gereden, en daar heb ik mezelf compleet voor gek gezet.' Iets wat het midden hield tussen een lach en een snik ontsnapte aan mijn keel. 'Hoe kon je dat laten gebeuren?'
'Het spijt me zo, kindje. Daar had ik geen idee van. Ik hoop dat je me kunt vergeven.'
Glimlachend streek ik een paar fijne plukken haar van haar voorhoofd. 'Ik vergeef het je.'
Toen drukte ik het kussen op haar neus en haar mond, net zolang tot ze ophield met ademhalen.

25

Het is een vreemde gewaarwording om een ander mens te doden. Myra Wylie toonde zich verrassend sterk voor iemand die zo broos was. Ze verzette zich verbijsterend fel. Haar lange, broodmagere armen haalden blindelings naar me uit, haar knokige, benige vingers klauwden hulpeloos naar mijn keel, de spieren in haar nek duwden tegen het kussen in mijn handen, terwijl haar longen in stilte wanhopig om lucht schreeuwden. Haar koppige vasthoudendheid, de overlevingsdrang in het aangezicht van een wisse, zelfs gewenste dood, verraste me, zodat ik even mijn greep liet verslappen. Myra maakte van die vluchtige aarzeling gebruik door met haar laatste krachten wild met haar hoofd te draaien en uitzinnig naar de lakens te schoppen.
Ik had mezelf snel weer in de hand en drukte het kussen nog krachtiger op haar gezicht. Ondertussen keek ik geduldig hoe haar wild trappende voeten bijna sierlijk tot stilstand kwamen onder de strak ingestopte ziekenhuisdeken. Ik hoorde haar wanhopig hijgen, in een laatste poging om lucht in haar longen te zuigen, en rook de doordringende geur van urine toen al haar spieren ontspanden. Vervolgens telde ik langzaam tot honderd en wachtte ik tot de onmiskenbare stilte van de dood over haar neerdaalde. Toen pas haalde ik het kussen van haar gezicht, ik schudde het op en schoof het zorgvuldig onder haar hoofd, waarbij ik haar haar schikte zoals zij dat zou hebben gewild. Het was klam van het zweet nadat ze zich zo had ingespannen, en ik blies zachtjes naar de plakkerige pieken in een poging ze te drogen, waarbij ik zag dat Myra's dunne wimpers meisjesachtig fladderden in mijn warme adem, alsof ze met me flirtte.
Haar waterig blauwe ogen staarden me verstard en ongelovig aan, en ik sloot ze met mijn lippen. Toen strekte ik mijn trillende handen uit naar haar open mond, verkrampt op een manier die suggereerde dat ze nog altijd probeerde zuurstof in haar verwelkte,

gebroken lichaam te zuigen. Haastig kneedde ik haar lippen – als een kunstenaar die met sneldrogende klei werkt – zodat ze een prettiger aanblik boden. Ten slotte deed ik een stap naar achteren om mijn werk in ogenschouw te nemen. Ze deed me denken aan de plastic poppen die sommige mensen in hun zwembad laten drijven, uitgestrekt wachtend tot ze werden opgeblazen. Maar ik constateerde tevreden dat Myra er vredig, zelfs gelukkig uitzag, alsof ze in een heerlijke droom eenvoudigweg uit het leven was weggegleden.
'Dag, Myra,' zei ik vanuit de deuropening. 'Slaap lekker.'
Haastig liep ik de gang door naar de uitgang, erop vertrouwend dat niemand me zou opmerken. Ik glimlachte zelfs naar een jongeman die op weg was naar zijn vader. De nietsziende uitdrukking op zijn gezicht stelde me gerust dat ik nog altijd onzichtbaar was – als een geest die door de gewijde ziekenhuisgangen spookte, ijl en vluchtig als een fluistering in de wind.
Hoe voelde ik me op dat moment?
Opgelucht, vervuld van nieuwe energie, en misschien ook een beetje verdrietig. Ik had Myra Wylie altijd graag gemogen en haar bewonderd. Ze was bijna een vriendin voor me geweest. Tot ze me had verraden, tot ze misbruik had gemaakt van mijn goedheid. Tot ik besefte dat ze geen haar beter was dan al die anderen die me in de loop der jaren hadden misbruikt en verraden, en dat ze net als die anderen haar ongeluk aan zichzelf te wijten had. Dat ze verantwoordelijk was voor haar eigen lot en niet beter verdiende.
Niet dat ik ervan genoot om dat lot ten uitvoer te brengen. Ik heb het altijd vreselijk gevonden om mensen te zien sterven. Hoe vaak ik het ook heb meegemaakt, ik heb er nooit echt aan kunnen wennen. Misschien ben ik daarom zo'n goede verpleegster: omdat ik oprecht om mensen geef en alleen het beste voor hen wil. Het idee om een mens te doden, stuit me oprecht tegen de borst. Als verpleegster ben ik opgeleid om alles te doen wat in mijn vermogen ligt om mijn medemens in leven te houden. Anderzijds zullen sommigen zich afvragen waarom je een leven in stand zou houden dat duidelijk geen doel meer heeft, een leven dat in toenemende mate wordt gekenmerkt door afhankelijkheid, en dat steeds minder volwaardig kan worden genoemd.
Bovendien, wie denk ik dat ik voor de gek hou? Verpleegsters heb-

ben geen enkele macht. Zelfs doktoren, wier verheven ego's we dagelijks strelen en wier dagelijkse fouten we voortdurend onder het tapijt vegen, bezitten geen echte macht wanneer het gaat om leven en dood. We zijn niet de behoeders die we beweren te zijn. We zijn slechts verzórgers. We zijn de bewaarders – meer is het niet – van het wrakgoed dat wordt gevormd door alle mensen die voorbij hun 'uiterste houdbaarheidsdatum' zijn.

Lance had gelijk.

Ik zag Alisons ex voor me – tenminste, als hij dat was, als ze daar niet ook over had gelogen. Lang, met smalle heupen en waanzinnig aantrekkelijk. En ik vroeg me af of hij echt was vertrokken. Of dat hij nog in Delray was, hurkend tussen de obscene aanhangsels van een uit de kluiten gewassen palmboom, waar hij wachtte op het juiste moment om zich vanuit de duisternis op me te storten.

Je tijd is om, dacht ik glimlachend.

Kalm liep ik de vier trappen af, dankbaar toen ik zag dat het niet meer regende en dat de donderwolken die de hemel de hele dag hadden verduisterd plaats hadden gemaakt voor een voorzichtig avondzonnetje. Het is happy hour, dacht ik met een blik op mijn horloge, toen ik in de auto stapte. Ik overwoog even om op weg naar huis ergens iets te gaan drinken, maar besloot dat het te vroeg was. Er viel nog niets te vieren. Er was nog te veel dat mijn aandacht vereiste. Met het oog op de avond die voor me lag, was het van het grootste belang dat ik helder bleef, dat ik mijn aandacht in geen enkel opzicht liet verslappen.

Toen ik me in de drukke spits op Jog Road voegde, hoorde ik een sirene huilen, en ik zag een ambulance langsschieten over de vluchtstrook, ongetwijfeld op weg naar Delray Medical Center. Ik vroeg me af hoe lang het zou duren voordat een van de verpleegsters bij Myra om een hoekje keek, haar pols opnam en besefte dat ze dood was. Zouden ze me bellen om me het verdrietige nieuws te vertellen? Ze was tenslotte mijn patiënte. *Waar is mijn Terry?*, waren elke ochtend haar eerste woorden, alsof ik geen recht had op een eigen leven.

Waar is mijn Terry? Waar is mijn Terry?

Dat vond iedereen altijd zo schattig.

'Hier is je Terry!' Ik greep het stuur vast alsof het een kussen was en drukte er met volle kracht op. Onmiddellijk werd de avond-

schemering opgeschrikt door het verscheurende geluid van mijn claxon. Vijf andere automobilisten begonnen onmiddellijk ook te toeteren. Het hersenloze geblaat deed me denken aan lammeren die naar de slacht werden geleid. Ik glimlachte naar de automobilist vóór me, die zijn rechtermiddelvinger opstak zonder zelfs maar de moeite te nemen zich om te draaien.
En waarom zou hij ook? Wat viel er te zien? Ik was immers onzichtbaar.
Er zou geen lijkschouwing komen. Daar was geen enkele reden voor. Myra's dood kwam niet onverwacht. Integendeel. Iedereen was verbaasd dat ze het nog zo lang had volgehouden. Niemand zou verrast zijn of enige verdenking koesteren. Bij een vrouw van zevenentachtig die aan kanker en een hartkwaal leed, zou de dood als een zegen worden beschouwd. De verpleegsters zouden gelaten knikken en haar dood noteren in het patiëntenarchief. De artsen zouden het tijdstip van overlijden vaststellen en zich aan de volgende patiënt in de wachtkamer van de dood wijden. Josh Wylie zou de begrafenis van zijn moeder regelen, en over een paar weken zou hij misschien een bloemetje sturen naar het personeel, om uiting te geven aan zijn waardering voor de uitstekende zorg die zijn moeder in Mission Care had ontvangen. Het zou niet lang duren of er lag een andere patiënt in Myra's bed, en na zevenentachtig jaar zou het al heel snel zijn alsof ze nooit had bestaan.
Er kwam een oud nummer van de Beatles op de radio: *She loves you, yeah, yeah, yeah!* Ik zong luidkeels mee en ontdekte tot mijn verrassing dat ik de tekst helemaal kende. Het bezorgde me een merkwaardig gevoel van opwinding, euforie zelfs. De Beatles werden gevolgd door Neil Diamond, en vervolgens door Elton John. *Sweet Caroline* en *Goodbye Yellow Brick Road.* Als echte fan van 'gouwe ouwe' kende ik elk woord, elk akkoord, elke stilte. *'Soldier boy!'* schalde ik samen met de Shirelles. *'O, my little soldier boy! Bum bum bum bum bum. I'll – be – true – to – you.'*
Ik weet niet precies waarom ik besloot mijn auto niet op mijn tuinpad te zetten, maar mijn huis voorbij te rijden en om de hoek te parkeren. Was ik op zoek naar de auto van Lance? Als dat zo was, dan werd ik teleurgesteld. Hij was nergens te zien. Zou hij echt weg zijn? Was ik veilig?

Ik snoof minachtend om mijn eigen naïviteit en keek opnieuw de straat langs voordat ik uit mijn auto stapte. Toen ik terugliep naar mijn huis, zorgde ik er angstvallig voor om in de schaduwen van de invallende schemering te blijven. Boven mijn hoofd klepperden de palmbladeren als reusachtige castagnetten in de wind.
Toen ik Seventh Avenue bereikte, begon ik langzamer te lopen. Ik trok mijn schouders op, keek naar de grond en liep naar mijn huis alsof ik van plan was er voorbij te lopen. Op het laatste moment liep ik zo onverschillig mogelijk het tuinpad op, met de sleutel van de voordeur al in mijn hand. Ik deed hem open en trok hem onmiddellijk achter me dicht. Toen rende ik naar het raam van de woonkamer. Mijn hart bonsde in mijn keel, het zweet op mijn voorhoofd vormde een vochtige afdruk op het glas en mijn ogen verkenden razendsnel de straat. Hield iemand het huis in de gaten?
'Niets aan de hand,' zei ik hardop. 'Er is niets om je zorgen over te maken.' Ik knikte als om mezelf nog meer gerust te stellen en sloeg geen acht op de omgevallen kerstboom en de kapotte versiering, toen ik naar de keuken liep. De scherven van de porseleinen vazen knarsten onder mijn voeten, maar mijn aandacht was volledig gericht op het huisje in mijn achtertuin.
Er brandde licht, dus waarschijnlijk was Alison thuis. Ze wachtte ongetwijfeld tot ze mijn auto het tuinpad op zag komen, zodat ze de laatste fase van haar plan in werking kon stellen. 'Moet je mij horen,' zei ik lachend. 'De laatste fase van haar plan.' Ik lachte opnieuw.
Toen liet ik me op een keukenstoel vallen, en ik inventariseerde de chaos van het gebroken porselein op de grond. Mijn moeders trots. Haar liefste bezit.'Wat is er aan de hand, meisjes? Hebben jullie soms last van PMS?' Ik schopte naar de scherven en zag de gekartelde stukken over de grond schieten en tegen andere scherven botsen; hier een oor, daar een strik, een stijf kraagje, een eigenwijze hand. 'Ik begrijp niet wat jullie te klagen hebben. Tenslotte hadden jullie al een gat in je hoofd.' Ik kwam weer overeind en veegde de chaos naar het midden van de kamer, eerst met mijn handen, toen met een bezem.
Ik had bijna een halfuur nodig om alle vrouwen bij elkaar te vegen en op te ruimen – tenslotte werkte ik in het donker – maar uiteindelijk lag de hele puinhoop in de vuilnisbak onder de gootsteen.

Toen pakte ik de stofzuiger, en ten slotte behandelde ik de vloer met een vochtige doek. Ik rammelde van de honger toen ik daarmee klaar was, dus ik maakte twee boterhammen met rosbief voor mezelf en spoelde ze weg met een groot glas magere melk.
Vrouwen hebben calcium nodig, weet ik nog dat ik dacht. Zelfs onzichtbare vrouwen zoals ik.
Ik liep weer naar het raam en keek door de vallende schemering naar het huisje waar ik zelf ooit had gewoond. Een onderkomen voor eigenzinnige meisjes, dacht ik, en ik stelde me Erica en Alison voor. Hoe kwam het toch dat ik me tot zulke mensen aangetrokken voelde? Wat was er mis met mijn mensenkennis? Met mijn gezonde verstand? Waarom bracht ik mezelf voortdurend in gevaar? Had ik dan helemaal niets geleerd?
Mijn moeders onuitgesproken hoon lekte vanuit de slaapkamer door het plafond, als accuzuur uit een automotor, en ik had het gevoel alsof het een gat in mijn schedel brandde.
Weer een domme vrouw met een gat in haar hoofd, dacht ik en trok aan mijn haar toen ik de fluisterende stem van mijn moeder in mijn oor hoorde: *Je leert het nooit. In de vuilnisbak, daar hoor je! Samen met al die andere vrouwen.*
Een plotselinge beweging trok mijn aandacht, en ik drukte me plat tegen de muur toen Alison het gordijn van haar woonkamer openschoof om naar buiten te kijken. Met een bezorgd gezicht tuurde ze naar de oprijlaan. Ze vraagt zich af waar ik ben en wanneer ik thuiskom, besefte ik.
Nadat ze nog enkele ogenblikken voor het raam had gestaan, deed ze een stap naar achteren en viel het gordijn weer dicht, zodat ik haar niet langer kon zien. Ik moest voorzichtig zijn en me niet voor het raam wagen. Ze mocht niet weten dat ik thuis was tot ik alles op orde had. Ik had nog veel te doen. Ik liep naar het aanrecht en zocht op de planken boven me de ingrediënten bij elkaar die ik nodig had: een pak cakemix, een zakje instant-chocoladepudding, een kopje olie, een pakje gehakte walnoten, een ons chocoladesnippers, vier eieren en een kwart liter zure room. Terry's beroemde chocoladecake. Mijn moeders lievelingsrecept. Ik had het in geen jaren gemaakt.
Niet sinds de avond dat ze stierf.
Terry! kon ik haar nog steeds vanuit de slaapkamer horen roepen.

Ondanks de beroerte waardoor ze vrijwel volledig verlamd was geraakt, had ze haar krachtige stem behouden.
Ik kom zo, moeder.
Ik wil dat je nu komt!
Ik kom eraan.
Waar blijf je zo lang?
Ik kom zo boven.
Ik roerde de ingrediënten door elkaar in een grote kom en liet de eieren zorgvuldig op de cakemix, de instantpudding, de olie en de zure room vallen. Toen mengde ik alles met de hand, om geen geluid te maken. Tenslotte was het niet ondenkbaar dat Alison naar buiten kwam zonder dat ik het merkte en de elektrische mixer hoorde, zodat ze me zou storen voordat ik klaar was. Dat risico mocht ik niet nemen. Ik zag dat de dooiers zich scheidden van het eiwit en over de lichtbruine pudding stroomden. Toen ging ik met mijn spatel door het mengsel en creëerde levendige, gele wervelingen, als verf op een doek. Zo creëerde ik mijn eigen meesterwerk.
Een stilleven.
Terry, wat dóé je daar beneden?
Ik ben bijna klaar.
Ik moet op de steek. Ik kan het niet langer ophouden.
Ik kom er zo aan.
Voorzichtig werkte ik de gehakte noten en de chocoladesnippers door het mengsel. Toen ging ik met mijn wijsvinger langs de bovenkant van de kom, bracht een grote klodder beslag naar mijn mond en zoog die gretig van mijn vinger. Het was zo lekker dat ik het nog eens deed, deze keer met twee vingers. Ik kreunde ongewild van genot, terwijl ik mijn vingers langzaam in en uit mijn mond liet glijden.
Wat doe je daar beneden?, riep mijn moeder.
Als klein meisje keek ik altijd toe wanneer mijn moeder in de keuken bezig was. Ze bakte bijna elke dag wel iets, en ik vroeg telkens weer of ik haar mocht helpen. Natuurlijk vond ze dat niet goed. Ik zou er alleen maar een puinhoop van maken, zei ze altijd. Maar toen ze op een middag niet thuis was, besloot ik haar te verrassen met een zelfgemaakte cake. Ik mengde de ingrediënten en klopte net zolang tot alle klonten waren verdwenen, zoals ik dat mijn

moeder had zien doen. Vervolgens zette ik mijn cake een uur in de oven op 175 graden.
Toen mijn moeder thuiskwam, liet ik haar mijn prachtige chocoladecake zien. Ze inspecteerde het brandschone aanrecht, keek of ik op de grond had geknoeid en ging ten slotte zwijgend aan tafel zitten terwijl ik haar bediende.
Blakend van trots sneed ik een volmaakt rechte plak van de cake, en ik keek gespannen toe toen mijn moeder het eerste hapje in haar mond stak. Ik rekende er vast op dat ze me goedkeurend zou toeknikken, me op mijn hoofd zou kloppen en zou zeggen dat ze blij verrast was. In plaats daarvan deinsde ik geschokt achteruit toen ze vol afschuw haar gezicht vertrok en het stuk cake uitspuugde.
Wat ben je toch een onnozele gans! Hij smaakt afschuwelijk! Je hebt het helemaal verkeerd gedaan!
Wat ik verkeerd had gedaan, was bittere chocolade gebruiken in plaats van melkchocolade. Natuurlijk had ik beter moeten opletten, maar ik was pas negen, misschien tien, en de uitdrukking op mijn moeders gezicht, de wetenschap dat ze al die tijd gelijk had gehad over mij, was al straf genoeg. Alleen... daar bleef het niet bij, en dat wist ik. Het was nooit genoeg.
Ik voel nu nog hoe mijn hele lichaam verkrampte terwijl ik wachtte op de klap in mijn gezicht; de klap waardoor het me zou duizelen en die mijn oren zou doen tuiten. Maar die klap kwam niet. In plaats daarvan bleef mijn moeder griezelig kalm en verscheen er een glimlach op haar gezicht. Ze wees eenvoudig naar de stoel naast haar en zei dat ik moest gaan zitten. Toen pakte ze het mes en sneed ze net zo'n volmaakte plak af als ik dat had gedaan. Die schoof ze naar me toe, en ze keek me afwachtend aan.
Ik voel nog hoe mijn handen beefden toen ik de cake in mijn mond stopte. Onmiddellijk proefde ik de bittere smaak, die zich vermengde met het zout van de tranen die over mijn wangen mijn mond in liepen.
Ze dwong me de hele cake op te eten.
Pas toen ik misselijk werd en overgaf op de grond, mocht ik ermee stoppen. Maar ik moest de rommel wel zelf opruimen.
Terry, wat dóé je daar beneden?
Ik kom eraan, moeder.
Ik keek weer naar het huisje, zette de oven op 175 graden en vette

een grote bakvorm in. Ik schonk het beslag erin en voegde mijn geheime ingrediënt toe.

Waar blééf je nou zo lang? Ik moet op de steek.

Hij staat naast je. Daar hoef je toch niet zo kwaad om te worden?

Ik roep je al drie kwartier.

Het spijt me. Ik was een cake voor je aan het bakken.

Wat voor cake?

Chocolade. Je lievelingsrecept.

Toen de oven was voorverwarmd, zette ik de cake erin en likte ik de beslagkom schoon. 'Ik mocht van jou de kom nooit uitlikken, moeder.' Dat heb ik altijd het lekkerste gevonden. 'Maar dat ging mijn neus altijd voorbij.'

Ik weet dat je mij de schuld geeft.

Dat doe ik helemaal niet.

Jawel, dat doe je wel. Je geeft mij de schuld van de loop die je leven heeft genomen van het feit dat je nooit bent getrouwd, dat je nooit kinderen hebt gekregen. Die hele toestand met Roger Stillman...

Ach, moeder. Dat is al zo lang geleden. Daar dénk ik niet eens meer aan.

Méén je dat? Meen je dat écht?

Ik knikte, sneed een grote plak cake voor haar af en bracht het gebaksvorkje met het eerste stuk naar haar mond.

Je weet toch dat ik het allemaal voor jouw bestwil heb gedaan?

Ja, moeder, dat weet ik. Natuurlijk weet ik dat.

Het was niet mijn bedoeling om wreed te zijn.

Dat weet ik.

Het komt door de manier waarop ik zelf ben grootgebracht. Mijn moeder behandelde mij net zo als ik jou altijd heb behandeld.

Je bent een goede moeder voor me geweest.

Ik heb veel fouten gemaakt.

We maken allemaal fouten.

Kun je me vergeven?

Natuurlijk vergeef ik je. Ik drukte een kus op haar schilferige, droge voorhoofd.

Je bent mijn moeder. Ik hou van je.

Ze fluisterde iets onverstaanbaars. Misschien zei ze 'Ik hou van je', maar misschien ook niet. Wat ze ook zei, ik wist dat het gelogen was. Alles wat ze zei was gelogen. Ze hield niet van me. Ze had nergens spijt van, of het moest zijn van het feit dat zij in dat bed

lag en niet ik. Ik stopte nog een hapje cake in haar onnozele, gretige mond.
Ik schrok op uit mijn dagdromen toen ik buiten een luid geklop hoorde. Onmiddellijk rende ik naar de keukendeur. Er stond een man voor het tuinhuisje, met zijn rug naar me toe. Op het moment dat Alison de deur opendeed, werd de inmiddels vertrouwde gedaante door het licht van binnen als het ware in het voetlicht gezet.
'KC!' riep Alison, en ik kon zijn profiel duidelijk zien. 'Kom binnen.' Ze keek haastig achterom naar het interieur van het tuinhuis, toen liet ze hem binnen en sloot ze de deur.
Moet je toch eens zien wat voor tuig je in mijn huis hebt gelaten, hoorde ik mijn moeder woedend zeggen.
'Het is míjn huis,' verbeterde ik haar. 'Jij bent dood.'
Dankzij Terry's beroemde chocoladecake en een van je lievelingskussens.
'Die keer liet je smaak je in de steek, waar of niet, moeder?' Wie zei dat Percodan en chocoladepudding niet samengaan?
Ik rook de geur van vers gebakken cake en keek naar de oven. Toen ik mijn blik weer op het huisje richtte, zag ik de deur opengaan en Alison en KC naar buiten komen. 'Terry kan elk moment thuis komen,' zei ze. 'Dus ik wil niet te lang wegblijven.'
Ik rende door de keuken naar de voorkant van het huis. Door het raam van de woonkamer keek ik Alison en KC na. Ze liepen doelbewust de straat op en sloegen de hoek om. Hun armen streken langs elkaar. Hadden ze afgesproken met Lance en Denise? Hoe lang zou het duren voordat ze terugkwamen? En zou Erica's motorvriend er ook bij zijn?
Ik had geen moment te verliezen. Met de reservesleutel van het huisje in mijn hand trok ik het lange slagersmes met het vijf centimeter brede, taps toelopende lemmet uit het houten blok en liep ik de deur uit, de avond in, die geurde naar leugens en gefluister.

26

Ik weet niet precies waar ik naar zocht, of wat ik dacht te vinden. Misschien wilde ik gewoon zeker weten dat Lance weg was. Of misschien zocht ik naar Alisons dagboek, naar iets wat ik de politie kon laten zien om zwart op wit te kunnen aantonen dat mijn leven gevaar liep. Ik weet het niet. Terwijl ik in de helder verlichte woonkamer stond – met bevende handen en knikkende knieën – had ik absoluut geen idee wat mijn volgende stap zou moeten zijn. Ik had geen flauw vermoeden hoe lang Alison en KC zouden wegblijven. Bovendien liep ik het risico dat Lance zich verborgen hield in de slaapkamer; dat hij me in de gaten hield en wachtte tot ik weer een stomme fout zou maken. Ik had mijn auto om de hoek gezet, om niet te worden ontdekt. Hoe wist ik dat hij niet hetzelfde had gedaan?

Niets wees er echter op dat hij er nog was. Er slingerden geen gekreukte kleren op de grond, er zaten geen kuilen in de bank of de stoelen waar hij had gezeten en er hingen geen mannelijke luchtjes in het huisje die de geur van babypoeder en aardbeien verstoorden. Ik liep op mijn tenen naar de slaapkamer, met het slagersmes stijf in mijn hand geklemd. Het lemmet stak naar buiten als de doorn van een reusachtige rozenstruik.

Ook in de slaapkamer was er niets wat erop wees dat Lance hier nog verbleef. Er lagen geen overhemden in de laden, er stonden geen koffers in de kast en geen scheerspullen in het medicijnkastje. Ik keek zelfs onder het bed. 'Niets,' zei ik tegen mijn onrustig bewegende spiegelbeeld in het lange, scherpe lemmet van het mes. Zou hij echt weg zijn? Was hij ervandoor, samen met Denise? Precies zoals Alison had gezegd?

Als dat zo was, wat deed KC dan nog hier? Wat was zijn connectie met Alison?

Ik legde het mes op de witte rieten ladenkast, waar het lag te wiebelen op het hobbelige oppervlak terwijl ik de inhoud van de la-

den inspecteerde. Ze waren zo goed als leeg, op een paar push-upbeha's na, en een stuk of vijf, zes slipjes, diverse ongemakkelijk ogende strings en een *I Love Lucy*-pyjama van gele katoen.
Waar was Alisons dagboek? Dat zou me ongetwijfeld wijzer kunnen maken.
Pas nadat ik alle laden een paar keer had doorzocht, vond ik het op het nachtkastje. 'Stom wicht,' zei ik met de stem van mijn moeder. 'Kijk toch eens uit je doppen. Het heeft daar al die tijd gelegen.' Ik liep naar het bed, pakte het dagboek van het nachtkastje en bladerde naar de laatste aantekening.
Het gaat helemaal mis. De toestand is totaal uit de hand gelopen, las ik. Alsof dat het wachtwoord was, hoorde ik buiten een reeks harde dreunen, als kleine explosies, gevolgd door een nog luidere stem en opnieuw gedreun. 'Terry!' riep de stem. 'Terry! Ik weet dat je thuis bent. Terry, doe alsjeblieft open!'
Ik liet het dagboek op het bed vallen, rende naar het zijraam en zag Alison om de zijkant van mijn huis naar de achterdeur rennen, op de voet gevolgd door KC.
'Terry!' begon ze opnieuw, en ze sloeg met haar vlakke hand op de achterdeur. 'Terry! Doe alsjeblieft open. We moeten praten.'
'Ze is er niet,' zei KC.
'Ze is er wel. Terry, doe alsjeblieft open.'
Plotseling kwam Alison naar het huisje rennen. Had ze me achter het raam zien staan? Ik draaide hulpeloos in het rond, in het besef dat ik nergens heen kon.
Ik zat in de val.
Wanhopig rende ik naar de kast. Pas op het laatste nippertje zag ik het dagboek, dat ik in mijn haast op Alisons bed had laten vallen. Ik rende terug, griste het van het bed en legde het op het nachtkastje. Toen kroop ik over het bed naar de kast, en op het moment dat Alison de sleutel in het slot stak, trok ik de deur achter me dicht.
Met mijn vingers krampachtig om de deurknop besefte ik plotseling dat ik het mes op de ladenkast had laten liggen. Een mes van dertig centimeter, met een lemmet van vijf centimeter! *Stom wicht!* fluisterde mijn moeder in mijn oor. *Je denkt toch niet dat ze dat niet ziet?*
'Misschien was het niet haar auto,' hoorde ik KC in de woonkamer zeggen. 'Er zijn een heleboel zwarte Nissans.'

'Ik weet zeker dat het haar auto was,' zei Alison koppig en met een klank van verwarring in haar stem. 'Ik begrijp alleen niet waarom ze hem om de hoek heeft gezet en niet op het tuinpad.'
'Misschien is ze op bezoek bij een vriendin.'
'Ze heeft geen vriendinnen. Ze heeft alleen mij.'
'Vind je dat niet vreemd?'
Er volgde een lange stilte waarin we allemaal onze adem leken in te houden.
'Hoe bedoel je?' vroeg Alison.
Ik hoorde het geschuifel van twee mensen die wantrouwend om elkaar heen draaiden. Hoe lang zou het duren voordat een van hen naar de slaapkamer liep en het mes zag? Hoe lang zou het duren voordat Alison in de kast keek, om te zien of er geen enge mannen in zaten?
'Alison...' begon KC aarzelend. 'Ik... ik moet je wat vertellen.'
'Wat dan?'
Er viel opnieuw een stilte, nog langer dan de vorige. 'Ik ben niet helemaal eerlijk tegen je geweest.'
'Welkom bij de club,' mompelde Alison. 'Hoor eens, ik geloof niet dat ik hiervoor in de stemming ben.'
'Maar... maar... je móét naar me luisteren.'
'Ik moet naar de wc.'
Goeie god, dacht ik, terwijl ik als een jojo de kast uit schoot en het mes greep. Het lemmet sneed in mijn hand toen mijn vingers zich eromheen sloten. Toen sprong ik de kast weer in, en ik trok nét voordat Alison de kamer binnenkwam de deur achter me dicht.
Ik stopte mijn hand in mijn mond, en terwijl ik het bloed opzoog dat gestaag uit de wond sijpelde, moest ik me beheersen om het niet uit te schreeuwen. In de badkamer hoorde ik Alison moppe-ren. 'Wat is er in godsnaam aan de hand? Ik begrijp er helemaal niks meer van.' En nog eens: 'Wat is er in godsnaam aan de hand?'
Ze trok de wc door, waste haar handen en kwam de slaapkamer weer binnen. Toen bleef ze staan, alsof ze niet goed wist wat haar te doen stond. Of had ze soms iets verdachts gezien? Een druppel bloed op de ladenkast? Een voetafdruk op het tapijt? Lag haar dagboek misschien met de verkeerde kant naar boven? Ik hief mijn mes en zette me schrap voor het moment waarop ze de kastdeur zou opendoen.

'Alison?' riep KC vanuit de woonkamer. 'Is alles goed met je?'
'Dat hangt ervan af.' Ze slaakte een diepe zucht van berusting. 'Wat wou je me nou eigenlijk vertellen?'
KC's stem kwam dichterbij. Ik voelde dat hij in de deuropening kwam staan. 'Misschien kun je beter even gaan zitten.'
Alison liet zich gehoorzaam op het bed vallen. 'Ik begin me hier steeds onplezieriger bij te voelen.'
'Om te beginnen heet ik geen KC.'
'Oké, je heet geen KC.' Het was eerder een constatering dan een vraag.
'Ik heet Charlie. Charlie Kentish.'
Charlie Kentish? Waar had ik die naam eerder gehoord?
'Charlie Kentish,' herhaalde Alison, alsof ze hetzelfde dacht. 'Dus je heet geen KC, voluit Kenneth Charles.'
'Nee.'
'Geen wonder dat er niemand is die je zo noemt,' merkte ze wrang op, en ik begon bijna te lachen. 'Ik begrijp het niet,' liet ze er bijna in één adem op volgen. 'Waarom zou je liegen over je naam?'
'Omdat ik niet wist of ik je kon vertrouwen.'
'Waarom zou je me niet kunnen vertrouwen?'
Ik voelde dat hij zijn schouders ophaalde. 'Ik weet niet goed waar ik moet beginnen.' Hij haalde opnieuw zijn schouders op, of misschien schudde hij zijn hoofd.
'Misschien moet je het dan ook maar niet proberen.' Alison sprong van het bed, en ik voelde dat ze door de kamer liep. 'Misschien is het wel helemaal niet belangrijk wie je bent, of wat je me te vertellen hebt. Misschien moet je gewoon vertrekken en doorgaan met je leven, onder welke naam je dat ook leidt. Dan kan ik verder met het mijne. *En we leefden nog lang en gelukkig*. Lijkt dat je geen goed idee?'
'Alleen als jij met me meegaat.'
'Als ik met je meega?'
'Ja, je bent je leven niet zeker als je hier blijft.'
'Mijn leven niet zeker?' Alison lachte. 'Ben je wel goed bij je hoofd?'
'Alison, luister alsjeblieft naar me...'
'Nee,' zei ze op besliste toon. 'Je maakt me bang, en ik wil dat je weggaat.'
'Je hoeft voor mij niet bang te zijn.'

'Luister, KC, of Charlie, of hoe je ook heet...'
'Ik heet Charlie Kentish.'
Charlie Kentish, herhaalde ik. Waarom kwam die naam me zo verdomd bekend voor?
'Ik heb geen zin in dit gesprek. Als je nú niet weggaat, bel ik de politie.'
'Ik ben de verloofde van Erica Hollander.'
'Wat?'
'Van Terry's vorige huurster.'
'Ik weet wie Erica Hollander is.'
Natuurlijk! Daar kende ik de naam van! Charlie Kentish. Erica's verloofde. Haar mond had niet stílgestaan. *Charlie dit... Charlie dat... Charlie is zo knap... Charlie is zo intelligent... Charlie heeft een geweldig aanbod gekregen en werkt een jaar in Japan. Zodra hij terug is, gaan Charlie en ik trouwen.*
'Je dierbare verloofde is 'm in het holst van de nacht gesmeerd en heeft Terry laten zitten met twee maanden onbetaalde huur,' zei Alison.
'Erica is helemaal niet vertrokken.'
'Hoe bedoel je?'
'Precies zoals ik het zeg. Ze is helemaal niet vertrokken,' herhaalde hij, alsof dat alles verklaarde.
'Ik begrijp je niet. Wat wil je daarmee zeggen? Wat is er dán gebeurd, volgens jou?'
'Ik had gehoopt dat jij me dat zou kunnen vertellen.'
'Wat zou ik je moeten kunnen vertellen? Ik heb geen idee waar je het over hebt.'
'Misschien kun je twéé minuten ophouden met ijsberen en gaan zitten...'
'Ik wil niet gaan zitten.'
'Alison, alsjeblieft. Laat me uitspreken.'
'En dan ga je weg?'
'Als je dat wilt.'
Ik hoorde het bed piepen toen Alison zich er weer op liet vallen.
'Ik luister,' zei ze op een toon die duidelijk verried dat ze liever iets anders zou doen.
'Erica en ik waren ongeveer een halfjaar samen toen ik een geweldig aanbod kreeg om een jaar in Japan te gaan werken. We beslo-

ten dat ik het moest doen. Erica zou hier blijven, een goedkoper appartement zoeken, en we zouden allebei zo veel mogelijk sparen, zodat we konden trouwen zodra ik terug was.'
'Ik dacht dat je uit Texas kwam.'
'Daar kom ik oorspronkelijk ook vandaan, ja. Na mijn opleiding ben ik naar Florida gekomen.'
'Oké, dus jij ging naar Japan,' pakte Alison de draad weer op.
'Ja, en ik kreeg een e-mail van Erica dat ze een geweldig onderkomen had gevonden: een tuinhuisje achter het huis van een verpleegster. Ze was er dolblij mee.'
'Dat kan ik me voorstellen.'
'Alles leek perfect. Ik kreeg voortdurend enthousiaste e-mail hoe geweldig Terry was, dat ze Erica te eten had gevraagd en van alles voor haar deed. Erica's moeder is een paar jaar geleden gestorven, haar vader is hertrouwd en naar Arizona verhuisd. Dus ze vond het heerlijk om iemand als Terry om zich heen te hebben.'
'Zo heerlijk dat ze misbruik maakte van haar vertrouwen.'
'Zo was Erica niet. Ze was de liefste...' Zijn stem haperde en dreigde te breken. 'Hoe dan ook, ineens werd alles anders.'
'Hoe bedoel je?'
'De e-mail was niet meer zo positief. Erica schreef dat Terry zich vreemd begon te gedragen, dat ze geobsedeerd leek door de een of andere motorrijder met wie Erica ooit een vluchtig praatje had gemaakt in een restaurant en dat het wel leek alsof Terry bezig was paranoïde te worden.'
'Paranoïde? In welk opzicht?'
'Erica trad nooit in details. Ze zei alleen dat ze zich steeds ongemakkelijker begon te voelen in Terry's aanwezigheid en dat ze bang was dat ze misschien een ander onderkomen zou moeten zoeken.'
'En dus smeerde ze 'm in het holst van de nacht.'
'Nee. Ik had nog maar een paar maanden te gaan, dus we besloten dat ze zou blijven, en dat we na mijn terugkeer samen op zoek zouden gaan naar iets anders. Maar toen kreeg ik plotseling geen e-mail meer. Ik belde haar mobiele telefoon, maar er werd niet opgenomen. Uiteindelijk heb ik Terry gebeld. Ze zei dat Erica was vertrokken.'
'Maar dat geloofde je niet?'

'Ik vond het erg merkwaardig dat Erica zou zijn vertrokken zonder iets tegen mij te zeggen. Laat staan zonder een adres achter te laten om haar post door te sturen.'
'Terry zei dat ze verkeerde vriendjes had.'
'Dat is niet waar.'
'Dat ze een andere man had ontmoet.'
'Daar geloof ik niks van.'
'Zulke dingen gebeuren.'
'Dat weet ik. Maar ik weet ook dat daar in dit geval geen sprake van kan zijn.'
'Heb je haar werkgever gebeld?'
'Erica was niet in vaste dienst. Ze werkte voor een uitzendbureau, en daar hadden ze al in geen weken meer iets van haar gehoord.'
'Ben je naar de politie gegaan?'
'Ja, ik heb ze gebeld vanuit Japan. Maar ze konden niet veel doen, behalve contact opnemen met Terry. Die vertelde hetzelfde verhaal als ze mij had verteld.'
'En dat kun jij niet accepteren.'
'Nee, want het is niet waar.'
'Ben je bij thuiskomst opnieuw naar de politie gegaan?'
'Ja, rechtstreeks vanaf het vliegveld. Ze reageerden net als jij. "Het is rot voor je, kerel, maar ze heeft een ander gevonden. Je kunt het maar beter accepteren en doorgaan met je leven."'
'Maar dat kun je niet.'
'Ik moet eerst weten wat er met haar is gebeurd.'
'En je denkt dat Terry er op de een of andere manier bij betrokken is? En dat ík erbij betrokken ben?'
'In het begin dacht ik dat inderdaad.'
'In het begin?'
'Ja, toen je hier kwam wonen.'
Ik kon de vragende uitdrukking op Alisons gezicht bijna zien.
'Op dat moment hield ik het huis al bijna een maand in de gaten,' vertelde KC. 'Toen jij hier kwam wonen, ben ik je gaan volgen. En ik begon in de buurt van de galerie rond te hangen, nadat je daar een baan had gevonden. Ik dacht dat mijn hart stilstond toen ik zag dat je Erica's ketting droeg. Die had ze van mij gekregen.'
'Ik heb hem onder het bed gevonden,' zei Alison op verdedigende toon.

'Ik geloof je. Maar in het begin wist ik niet wat ik moest denken. Ik móést erachter zien te komen of en in welke mate jij betrokken was bij Erica's verdwijning, en hoeveel je daarvan wist. Ik flirtte met je, maar je ging er niet op in. Vandaar dat ik het met Denise heb aangelegd. Ik wist haar zover te krijgen dat ze me mee nam naar dat etentje met Thanksgiving. Ik besefte al heel snel dat jij niets met Erica's verdwijning te maken had. Maar naarmate ik Terry beter leerde kennen, raakte ik er hoe langer hoe meer van overtuigd dat zij er meer van wist.'
'Hoezo?'
'Ze is raar.'
'Doe niet zo idioot.'
'Ik heb haar maandenlang in de gaten gehouden, ik heb haar gebeld, ik ben haar gevolgd met de auto, ik heb geprobeerd haar de stuipen op het lijf te jagen... allemaal om haar zover te krijgen dat ze een uitglijer maakt. En ze begint haar controle te verliezen. Ik voel het.'
Dus het was geen verbeelding geweest. Ik was inderdáád gevolgd en in de gaten gehouden. En niet alleen vandaag. KC was de schim voor mijn raam, de onbekende, maar tegelijkertijd merkwaardig vertrouwde stem aan de telefoon. Hoe was het mogelijk dat ik zijn licht nasale, Texaanse accent niet had herkend?
'Je valt haar al maandenlang lastig,' zei Alison. 'Vind je het dan gek dat ze zich vreemd begint te gedragen?'
'Terry weet wat er met Erica is gebeurd. Sterker nog, ze is verantwoordelijk voor haar verdwijning.'
'Ben je klaar met je verhaal? In dat geval zou ik je vriendelijk doch dringend willen verzoeken om te vertrekken.'
'Heb je niet gehoord wat ik zei?'
'Natuurlijk heb ik je gehoord.' zei Alison fel. 'Maar het slaat allemaal nergens op. Je vriendin is 'm gewoon gesmeerd. Dat spijt me voor je. Het valt niet mee als je aan de kant bent gezet. Daar weet ik alles van. Maar wat jij beweert, is gewoon te gek voor woorden. Ik wil er niets meer over horen, dus ik had graag dat je me nu met rust liet.'
Het bleef even stil. Toen klonk het geluid van voeten die met tegenzin naar de voordeur schuifelden.
'Wacht even!' riep Alison, Ik hield mijn adem in, schuifelde zacht-

jes naar voren en drukte mijn oor tegen de kastdeur. 'Ik heb iets voor je.' Ze liep om het bed heen en deed de la van het nachtkastje open. 'Jij hebt het haar gegeven, zei je. Dus het is van jou.'
Ik stelde me voor hoe Alison naar hem toe liep met het dunne gouden kettinkje van Erica tussen haar vingers.
'Ga met me mee,' drong hij aan. 'Ik méén het. Je bent je leven niet zeker als je hier blijft.'
'Maak je over mij geen zorgen,' zei ze vastberaden. 'Ik red me wel.'
Ik hoorde de voordeur opengaan terwijl ik te voorschijn kwam en langs de ladenkast sloop. Mijn hand liet een bloedig spoor achter op het witte riet, doordat ik me moest vastgrijpen om mijn evenwicht te bewaren.
'Pas goed op jezelf,' zei de man die zich KC noemde tegen de jonge vrouw die zei dat ze Alison Simms heette.
Toen was hij verdwenen.

27

Ik weet niet hoe lang ik daar stond. Mijn adem stokte in mijn keel, ergens tussen mijn longen en mijn mond, en mijn hand bonsde van pijn terwijl ik het heft van het mes als een brandijzer tegen de wond drukte. Was ik in staat het mes tegen Alison te gebruiken? Ik kon me er niets bij voorstellen, zelfs niet als ik in levensgevaar zou verkeren.

'Wat is er in godsnaam aan de hand?' hoorde ik Alison plotseling zeggen, en ik deed een stap naar voren. Instinctief hief ik het mes, zodat het bloed langs mijn arm naar beneden stroomde, alsof iemand een van mijn aderen met rode inkt had nagetrokken.

Maar Alison had in zichzelf gepraat en was het huisje al uit, op weg naar mijn keukendeur, toen ik uit de schaduwen te voorschijn kwam. Haar gekwelde, onbeantwoorde vraag hing nog in de lucht, als de rook van een weggegooide sigaret. 'Terry!' hoorde ik haar roepen, terwijl ze opnieuw op mijn keukendeur bonsde. 'Terry, doe open. Ik weet dat je thuis bent.'

Ik zag dat ze een paar stappen naar achteren deed en omhoogkeek naar het raam van mijn slaapkamer. 'Terry!' Haar stem ketste als een goed gemikte steen af tegen het glas, maar ten slotte gaf ze het op. Wat zou ze nu doen, vroeg ik me af. Mijn keel werd dichtgesnoerd en ik probeerde krampachtig mijn longen vol lucht te zuigen.

Alison stond tergend lang roerloos voor zich uit te staren. Ze woog haar opties tegen elkaar af, dacht ik. Net als ik. Uiteindelijk besloot ze blijkbaar nog een laatste poging te doen, want ze draaide zich op haar hakken om en rende langs de zijkant van het huis naar de voordeur. Onmiddellijk glipte ik het tuinhuisje uit. Een plotselinge avondbries schuurde langs mijn nek, als de ruwe tong van een kat. Terwijl Alison op de voordeur bonsde, glipte ik de achterdeur binnen.

De geur van versgebakken chocoladecake vulde de keuken en daalde als een bruidssluier over mijn hoofd. Ik schoof het bebloede mes weer in het driehoekige houten blok en wikkelde een vaatdoek om mijn bloedende hand, terwijl Alison terugkwam naar de achterdeur. Haar ogen werden groot van schrik toen ik het licht aanknipte en de deur voor haar opendeed.

'Terry! Wat is er aan de hand? Waar zat je? Ik heb me zo ongerust gemaakt.'

'Ik heb een dutje gedaan,' antwoordde ik slaperig, met een stem die ik zelf bijna niet herkende. KC moest niet denken dat hij de enige was die zijn stem kon verdraaien.

'Is alles goed met je?'

'Ja, uitstekend.' Ik wuifde onverschillig haar bezorgdheid weg.

'Lieve hemel! Wat is er met je hand?'

Ik keek naar de snee alsof ik die nu pas voor het eerst zag. De dunne, katoenen doek was al doorweekt met bloed. 'O, ik heb me gesneden. Maar het stelt niks voor.'

'Daar geloof ik niets van. Laat eens zien.' Voordat ik verder kon protesteren, wikkelde ze de vaatdoek eraf. 'O, nee! Dat is verschrikkelijk. Misschien moeten we wel naar het ziekenhuis.'

'Kom nou toch, Alison. Voor zo'n klein sneetje.'

'Het is geen klein sneetje. Volgens mij moet het gehecht worden.' Ze trok me mee naar de gootsteen, zette de koude kraan aan en hield mijn hand onder het stromende water. 'Hoe lang bloedt het al zo?'

'Niet lang.' Ik kromp ineen toen het water mijn hand raakte en het bloed wegspoelde, zodat de kwetsbare, witte lijn van de wond zichtbaar werd. Mijn gewonde levenslijn, dacht ik, terwijl het bloed over mijn vingers bleef stromen.

'Wat ruik ik?' Alison keek naar de oven.

'Terry's beroemde chocoladecake,' zei ik schouderophalend.

Ze fronste verward haar wenkbrauwen. 'Heb je cake in de oven staan? Hoe kan dat nou? Wanneer heb je de tijd gehad om die te bakken? Ik zit al uren op je te wachten. Wanneer ben je thuisgekomen? En waarom staat je auto om de hoek?' De ene vraag stapelde zich op de andere, als een hoge toren pannenkoeken. Alison zette de kraan uit, scheurde een paar stukken keukenrol van de houder aan de muur en drukte het absorberende witte papier tegen mijn hand. 'Wat is er aan de hand, Terry?'

Ik schudde mijn hoofd, terwijl ik probeerde logisch na te denken en orde te scheppen in mijn leugens. 'Er valt niet veel te vertellen.'

'Kom op. Bij het begin beginnen. Je bent in je auto gestapt, en toen? Waar ben je toen heen gegaan?' drong Alison aan. Meer hoefde ze niet te zeggen. Het was niet nodig om de abrupt geëindigde kus ter sprake te brengen.
Op de witte keukenrol vormde zich een rode vlek. Het lijkt wel menstruatiebloed, dacht ik. De vlek werd steeds donkerder, steeds groter, tot hij de rand van het papier had bereikt. 'Ik schaam me zo over wat er is gebeurd,' fluisterde ik terwijl ze me naar een stoel loodste. 'Ik weet niet wat me bezielde.'
'Het was allemaal mijn schuld,' zei Alison haastig, en ze kwam naast me zitten. 'Ik heb je een verkeerde indruk gegeven.'
'Ik heb zoiets nog nooit gedaan.'
'Dat weet ik. Je was gewoon van streek, vanwege Josh.'
'Ja,' gaf ik toe. Waarschijnlijk had ze gelijk, besefte ik. 'Hoe dan ook, ik weet niet meer precies waar ik ben geweest. Ik was erg in de war, dus ik heb maar wat rondgereden, om helderheid te krijgen in mijn hoofd.'
'En je hebt je auto om de hoek gezet omdat je niet wilde dat ik wist dat je terug was,' zei Alison zacht, met een zweem van schuld die zich vasthaakte aan haar woorden.
'Ik was nog erg van streek, dus het leek me beter dat we elkaar niet meteen zouden zien.'
'Ik heb zo in angst gezeten.'
'Het spijt me.'
'Dat hoeft niet.'
Ik keek de keuken rond. Hij was ineens zo kaal, zo leeg, zonder de vrouwengezichten die op me neerkeken. 'Bakken is altijd een soort therapie voor me geweest,' vervolgde ik, terwijl mijn blik naar de oven gleed. 'Dus ik besloot om een cake te bakken. Op dat moment leek het een goed idee.'
Ze knikte.
'Je houdt toch wel van chocoladecake?' vroeg ik glimlachend.
Ze beantwoordde mijn glimlach. 'Of ik van chocoladecake hou? Wat denk je?'
Ik legde mijn hand op de hare, die ijskoud aanvoelde. 'Hij is over een paar minuten klaar.'
'Heb je je toen in je hand gesneden? Toen je die cake aan het bakken was?'

'Ja, het was gewoon onhandigheid,' begon ik. De leugen bengelde aan de punt van mijn tong, als een worm aan de haak van een visser. 'Ik wilde iets uit de la pakken, en toen heb ik me gesneden aan een schilmesje.'
Alison pakte onwillekeurig haar eigen hand vast. 'O, dat kan afschuwelijk pijn doen!'
'Ja, maar nu gaat het wel weer.' Ik keek weer naar de oven en glimlachte. 'Volgens mij is hij klaar. Heb je trek in een stuk?'
'Moet hij niet eerst een tijdje afkoelen?'
'Nee, je kunt hem het beste warm uit de oven eten.' Ik stond op, liep naar het fornuis en deed met mijn linkerhand de deur van de oven open. Een vlaag hitte rolde me als een golf tegemoet toen ik bukte en de rijke chocoladegeur inademde. Ik reikte naar mijn ovenwanten op de aanrecht.
'Ik doe het wel,' bood Alison onmiddellijk aan. Ze schoof haar handen in de roze wanten en zette de cake voorzichtig op het rooster dat ik had klaargezet. 'Hij ziet er net zo lekker uit als hij ruikt. Zal ik koffie zetten?'
'Ja, lekker.'
'Ga jij maar zitten. Je moet die hand rust geven en boven je hart houden.' Ze rolde met haar ogen. 'Hoor mij nou. Jij bent hier de verpleegster, en ik loop jou te vertellen wat je moet doen.' Ze schudde haar hoofd en lachte opgelucht. Het was een opluchting die ik herkende. Ze was blij dat ik een redelijke verklaring voor alles leek te hebben; blij dat ik blijkbaar niet langer boos op haar was; blij dat alles tussen ons weer gewoon leek.
Léék, dacht ik, terwijl ik weer ging zitten. Fijn woord.
Glimlachend sloeg ik Alison gade tijdens het koffiezetten. Het was een beetje overdreven hoezeer ze zich op haar gemak voelde in mijn keuken, tussen mijn spullen. Zonder ook maar iets te hoeven vragen wist ze dat ik de koffie in de vriezer bewaarde en de suiker in het kastje links naast de gootsteen. 'Er staat slagroom in de koelkast,' zei ik toen ze de lepels koffie aftelde en water in het apparaat deed.
'Het is verbijsterend hoe jij altijd op alles bent voorbereid,' zei ze.
'Soms werpt het zijn vruchten af om voorbereid te zijn.'
'Ja, ik wou dat ik ook zo was.' Alison leunde tegen het aanrecht. 'Ik ben veel impulsiever.'
'Dat kan gevaarlijk zijn.'

'Vertel mij wat.' Het bleef even stil. Alison keek naar de grond, toen naar de lege planken, en er kwam een ondeugende grijns op haar gezicht. 'Die vazen tegen de grond smijten was anders ook behoorlijk impulsief.'
Ik lachte. 'Ja, daar heb je gelijk in.'
'Dus misschien lijken we toch meer op elkaar dan jij denkt.'
'Misschien.' We keken elkaar recht aan, en even verroerden we ons geen van beiden, alsof we elkaar uitdaagden om als eerste weg te kijken. Natuurlijk delfde ik het onderspit. 'Wat denk je? Zullen we een stukje cake nemen?'
'Laat mij maar. Jij blijft zitten. En hou die hand omhoog.' Alison haalde twee bordjes en twee koppen en schotels uit de kast en zette ze op tafel, samen met papieren servetjes, suiker en het schaaltje slagroom. Toen liep ze naar het aanrecht en reikte ze naar het messenblok. 'Weet je nog, die eerste keer dat ik hier was? Dat ik het verkeerde mes pakte?' De adem stokte in mijn keel toen ze het grote slagersmes te voorschijn haalde. '"Lieve hemel. Lijkt dat je niet een beetje overdreven?" zei jij toen. Grote genade!' Ze staarde verbijsterd en met open mond naar het bebloede lemmet. 'Wat is dat? Bloed?' Haar blik gleed naar het heft. 'Hier zit het ook op.' Ze staarde naar haar hand.
'Je verbeelding gaat met je op de loop.' Ik stond haastig op van mijn stoel, pakte het mes uit haar handen en hield het onder de hete kraan. 'Het is geen bloed.'
'Wat dan?'
'Gewoon een hardnekkig geval van aardbeienjam.'
'Jam? Op het heft?'
'Hoe zit het, krijg ik nog een plak cake van je?' vroeg ik ongeduldig. Alison pakte een ander mes en sneed de warme cake aan. 'O, nee, hij valt uit elkaar. Weet je zeker dat het niet te snel is?'
'Nee, hij is precies goed op temperatuur,' zei ik, terwijl ze een groot stuk cake op een bordje liet glijden. 'Neem jij dat maar. Ik wil niet zo'n groot stuk. Ongeveer de helft van wat je voor jezelf hebt afgesneden.'
'Weet je het zeker?'
'Ja, ik kan altijd nog een stuk nemen.'
'Daar zou ik maar niet zo zeker van zijn.' Alison ging aan de keukentafel zitten en prikte gretig een groot stuk cake aan haar vork.

Ik zag hoe de kruimels een donkere lijn om haar mond vormden. Net een clownsmond, dacht ik, terwijl ze de kruimels met een snelle beweging van haar tong weglikte. *Een slangentong.*
'Dit is absoluut de lekkerste cake die je ooit hebt gemaakt. Echt de lekkerste.' Ze nam nog een hap. 'Kun je mij niet leren bakken?'
'Ach, daar is niks aan.'
'Dat denk je maar. Ik weet zeker dat ik er niets van terecht breng.'
Alison lachte verlegen en at haastig haar cake op. 'O, hij is om je bord bij op te eten. Waarom eet jij niet?'
'Ik wacht tot de koffie klaar is.'
Alison keek naar het koffiezetapparaat. 'Zo te zien duurt dat nog even. *Met kijken krijg je hem niet aan de kook.*' Ze wendde haar blik af. 'Dat heb ik van jou geleerd.'
'Onthou je alles wat ik zeg?'
'Dat probeer ik wel, ja.'
'Waarom?' vroeg ik nieuwsgierig.
'Omdat ik je bijzonder vind. Bijzonder en intelligent. Ik bewonder je.' Alison aarzelde, alsof ze nog meer wilde zeggen, maar ze bedacht zich. 'Mag ik nog een stuk cake? Ik kan niet wachten tot de koffie klaar is.'
'Natuurlijk. Je moet er wat slagroom op doen.'
Alison sneed een tweede stuk cake voor zichzelf af, nog groter dan het eerste, en schepte er een flinke klodder slagroom op. 'Verrukkelijk,' riep ze genietend. 'Echt verrukkelijk. Dit móét je proeven!' Ze hield me haar vork voor.
Ik schudde mijn hoofd en wees naar de koffie.
'Wat heb jij toch een zelfbeheersing.'
'De koffie is bijna klaar.' Ik keek toe hoe ze het tweede stuk cake verslond. Net een vuilnisbak, dacht ik, met bijna iets van ontzag. 'Heb je nog ruimte voor een derde stuk?'
'Je maakt zeker een grapje. Nog een stuk en ik ontplof! Dan lig ik in duizend stukken, net als die porseleinen vrouwtjes.' Ze aarzelde. 'Hoewel... misschien heb ik nog ruimte voor een kléín stukje. Bij de koffie.' Ze lachte, keek naar haar schoot en deed haar ogen dicht. 'Wat zal ik dit missen,' fluisterde ze, licht met haar bovenlichaam zwaaiend.
Ik boog me naar haar toe en vroeg me af of ze op het punt stond om van haar stoel te vallen. Dat kon haast niet, dacht ik. Zelfs een

sterk kalmerend middel als Perdocan heeft langer nodig dan een paar minuten om zijn werk te doen.
In plaats van om te vallen schoot Alison overeind, en ze sperde haar ogen wijdopen, alsof ze wakker schrok uit een nare droom.
'Zeg alsjeblieft dat ik niet weg hoef.'
'Wat?'
'Ik weet dat je het huisje al aan iemand op je werk hebt verhuurd, maar ik hoop zo dat je van gedachten verandert, dat je me nog een kans geeft. Ik beloof je dat ik het deze keer niet zal bederven. Ik doe alles wat je zegt. Ik hou me aan alle regeltjes. En ik doe niets meer waardoor het fout kan gaan. Dat beloof ik.'
Ze klonk zo oprecht dat ik haar bijna geloofde. En ondanks alles besefte ik dat ik ook niets liever zou doen dan haar geloven. 'Hoe zit het met Lance?'
'Met Lance? Dat is voorbij. Hij is weg.'
'Hoe weet ik dat hij niet terugkomt?'
'Omdat ik je dat beloof. Met mijn hand op mijn hart.'
'Je hebt al eerder tegen me gelogen.'
'Dat weet ik, en daar heb ik zo'n spijt van. Het was stom van me. Ik ben ontzettend stom geweest door te denken dat Lance zou veranderen, dat het deze keer anders zou zijn.'
'En wat gebeurt er de volgende keer?'
'Er komt geen volgende keer. Lance wéét dat hij te ver is gegaan. Dat hij over de schreef is gegaan door jou te versieren.'
'Wat is het verschil tussen mij en iemand anders? Waarom heeft hij deze keer definitief zijn eigen ruiten ingegooid?'
Ze zweeg even, keek op en sloeg haar ogen neer, alsof ze zocht naar de juiste woorden. 'Omdat hij wist hoe belangrijk je voor me bent.'
'Waarom ben ik zo belangrijk?'
Weer bleef het even stil. 'Dat ben je gewoon.' Alison sprong overeind en moest zich vastgrijpen aan de tafel.
'Alison? Voel je je wel goed?'
'Ja. Ik werd alleen een beetje duizelig. Waarschijnlijk omdat ik te snel opstond.'
'Ben je nu nog steeds duizelig?'
Ze schudde langzaam haar hoofd, alsof ze het niet zeker wist. 'Nee, ik geloof dat het over is. Ik vind het wel een beetje eng.'
'Neem wat koffie. Dat helpt tegen duizeligheid.'

'Echt waar?'
'Wie is hier de verpleegster?'
Ze glimlachte. 'Oké. Twee koffie dan maar.' Ze schonk de verse koffie in en deed drie volle scheppen suiker en een grote klodder slagroom in haar kop.
'Proost.' Ik tikte met mijn kopje tegen de hare.
'Op ons.'
'Op ons,' viel ik haar bij en keek toe terwijl ze een grote slok nam. Ze vertrok haar gezicht en zette de kop op het schoteltje. 'Een beetje bitter.'
Ik nam ook een slok koffie. 'Hij smaakt prima.'
'Ik denk dat ik hem een beetje te sterk heb gemaakt.'
'Misschien moet je nog wat suiker nemen,' zei ik plagend.
Alison deed een vierde schep in haar kop en nam weer een slok. 'Nee, hij smaakt nog steeds niet goed.' Ze bracht haar hand naar haar hoofd.
'Alison, voel je je wel goed?'
'Ik weet het niet. Ik voel me een beetje raar.'
'Neem nog een slok koffie. Dat helpt.'
Alison deed wat ik zei en sloeg de koffie achterover alsof het tequila was. Toen haalde ze diep adem. 'Ligt het aan mij of is het hier zo warm?'
'Niet echt.'
'O, nee, ik hoop niet dat ik een migraineaanval krijg.'
'Beginnen ze met duizelingen?'
'Nee. Meestal krijg ik een soort tunnelzicht, en dan komt die verschrikkelijke hoofdpijn opzetten.'
'Ik heb nog wat van die pillen.' Ik stond op van mijn stoel en deed alsof ik in een la rommelde. 'Waarom neem je er niet een paar? Dan ben je de migraine misschien voor.' Ik gaf haar twee witte pilletjes en stopte het flesje Perdocan weer in de la.
Ze slikte de pillen zonder er zelfs maar naar te kijken. 'Wat denk je?' vroeg ze toen, en ze streek haar haar uit haar gezicht.
Ik zag dat er zweet op haar voorhoofd parelde. 'Ik denk dat je je nu wel snel beter zult voelen.'
'Nee, ik bedoel... of ik mag blijven.'
'Je mag blijven zo lang als je wilt.'
Ze kreeg tranen in haar ogen. 'Echt waar? Meen je dat echt?'

'Absoluut.'
'Dus je zet me niet op straat?'
'Nee, dat zou ik niet over mijn hart kunnen verkrijgen. Dit is je thuis.'
Alison sloeg een hand voor haar mond en smoorde een kreet van vreugde. 'O, dank je wel. Dank je wel! Je zult er geen spijt van krijgen. Dat beloof ik.'
'Maar dan wil ik geen leugens meer.'
'Ik beloof je dat ik nooit meer tegen je zal liegen.'
'Oké. Want leugens maken het vertrouwen kapot, en zonder vertrouwen...'
'Je hebt gelijk. Natuurlijk heb je gelijk.' Ze ging met haar hand door haar haar, bewoog langzaam haar hoofd heen en weer en bevochtigde haar lippen met haar tong.
'Voel je je wel goed? Of wil je even gaan liggen?'
'Nee. Laat me maar. Het gaat wel over.'
'Wat deed KC hier vanavond?' vroeg ik nonchalant, terwijl haar ogen wazig begonnen te worden.
'Wat?'
'Geen leugens meer, Alison. Dat heb je beloofd.'
'Nee, geen leugens meer,' fluisterde ze.
'Wat kwam KC hier doen?'
Ze schudde haar hoofd en legde haar handen tegen haar slapen, alsof ze bang was dat haar hoofd van haar schouders zou vallen.
'Hij heet geen KC.'
'O?'
'Nee. Hij heet Charlie. Charlie nog wat. Ik weet het niet meer. Hij was de verloofde van Erica Hollander.'
'Erica's verloofde? Wat kwam hij doen?'
'Ik weet het niet.' Alisons ogen zochten mijn gezicht. 'Hij kraamde onzin uit.'
'Wat zei hij dan?'
'Ach, allemaal rare dingen.' Ze lachte, maar het klonk zwak en haperend. 'Hij zegt dat ze er helemaal niet vandoor is gegaan. Dat ze niet weg is gegaan. En hij heeft het idiote idee dat jij weet waar ze is.'
'Misschien is dat niet zo'n idioot idee.'
'Wat? Wat bedoel je?'

'Misschien weet ik inderdáád wel waar ze is.'
'Weet je dat dan?' Alison probeerde op te staan, wankelde en liet zich weer op haar stoel vallen.
'Ik denk echt dat je beter even kunt gaan liggen. Laten we naar de woonkamer gaan.' Ik hielp haar overeind, sloeg een van haar lange, slanke armen om mijn schouders en loodste haar de keuken uit. Haar voeten schuifelden over de grond, als het gefluister van een mensenmassa.
'Wat is er met de kerstboom gebeurd?' vroeg ze toen we de woonkamer binnenkwamen.
'O, een ongelukje.' Ik loodste haar naar de bank, ging naast haar zitten en legde haar voeten op mijn schoot.
'Ga je me een pedicure geven?' vroeg ze met een dronken glimlach.
'Misschien straks.'
'Ik voel me zo raar. Misschien komt het door die pillen.'
'En de cake.' Ik trok haar sandalen uit en begon haar blote voeten te masseren, op de manier waarvan ik wist dat ze die prettig vond. 'En de koffie.'
Ze keek me vragend aan.
'Volgens mij heb je er vier scheppen suiker in gedaan. Dat is niet goed, Alison. Ze zeggen altijd dat suiker vergif is voor het lichaam.'
'Ik begrijp niet waar je het over hebt.' Voor het eerst zag ik iets van angst oplichten in haar mooie groene ogen.
'Je dacht dat je me te pakken had, hè? Dat een glimlach en een paar onnozele complimenten genoeg waren om me opnieuw te betoveren. Maar dat werkte deze keer niet. Want deze keer ben ík de tovenaar. Met mijn chocoladecake, mijn suiker en mijn pillen. Allemaal tovermiddelen.'
'Waar heb je het over? Wat heb je met me gedaan?'
'Wie ben je?' vroeg ik.
'Wat?'
'Wie ben je?'
'Je weet wie ik ben. Ik ben Alison.'
'Alison Simms?' Ik gaf haar niet de kans om te antwoorden. 'Ik geloof er niets van. Er bestaat helemaal geen Alison Simms.' Ik zag haar ineenkrimpen, alsof ik mijn hand had opgeheven om haar te slaan. 'Net zoals er geen KC bestaat.'
'Maar dat wist ik niet. Ik had geen idee...'

'Net zoals er geen Rita Bishop bestaat.'
Ze wreef over haar mond, haar nek, haar haar. 'Wie?'
'Je vriendin uit Chicago. De vriendin naar wie je op zoek was toen je naar Mission Care kwam en toevallig mijn briefje zag hangen.'
'O god.'
'Laten we ons spelletje nog eens doen. Drie woorden om Alison te beschrijven.'
'Terry. Je begrijpt het niet.'
'Eens even denken. O, ik weet het al: liegbeest, liegbeest, liegbeest. *Liegbeest*. Fijn woord.'
'Maar ik heb niet gelogen. Je moet me geloven. Ik heb niet gelogen.'
'Je hebt vanaf de allereerste dag niets anders gedaan dan liegen. Ik heb je dagboek gelezen.'
'Je hebt mijn dagboek gelezen? Maar dan weet je...'
'Ik weet dat je komst hier geen toeval was. Ik weet dat Lance en jij al maandenlang plannen maken om van me af te komen.'
'Hoe kom je daar nou bij?' Alison zwaaide haar benen van mijn schoot en probeerde op te staan, maar haar knieën lieten haar in de steek en ze zakte in elkaar. 'O god! Wat gebeurt er?'
'Wie ben je, Alison? Wie ben je écht?'
'Terry. Je moet me helpen.'
'De Heer helpt diegenen die zichzelf helpen,' zei ik koud, met de stem van mijn moeder.
'Het is allemaal één groot misverstand. Breng me alsjeblieft naar het ziekenhuis. Zodra ik me niet meer zo ellendig voel, zal ik je alles vertellen.'
'Ik heb liever dat je het me nu vertelt.' Ik duwde haar weer op de bank en zag haar in de dikke, donzen kussens verdwijnen. De weelderige roze en lichtpaarse bloemen dreigden haar op te slokken. Met een afwachtende uitdrukking op mijn gezicht ging ik op de gestreepte Queen-Annestoel tegenover haar zitten. 'De waarheid,' zei ik dreigend. 'En denk erom dat je niets achterhoudt.'

28

'Mag ik een glas water?' vroeg Alison.
'Straks. Als je me alles hebt verteld.'
De tranen stroomden over haar gezicht. Ze zag asgrauw, als een stralende kleurenfoto die voor mijn ogen verbleekt was. 'Ik weet niet waar ik moet beginnen.'
'Ik zou beginnen bij wie je bent. Bij je echte naam.'
'Ik heet Alison.'
'Maar je heet geen Simms,' zei ik zakelijk.
'Nee, ik heet geen Simms,' herhaalde ze dof. 'Ik heet Sinukoff.' Plotseling verscheen er een vluchtige glinstering in haar ogen. 'Zegt die naam je iets?'
'Moet dat dan?'
Ze haalde haar schouders op. 'Dat vroeg ik me af.'
'Nou, het zegt me niets.'
'O. Omdat ik dat niet zeker wist, wilde ik geen enkel risico nemen.'
'Hoe bedoel je, geen enkel risico?'
'Ik wilde het niet weer verkeerd doen.'
'Waar heb je het over? Wat wilde je niet weer verkeerd doen?'
Alison liet haar hoofd achterover vallen. Het zakte zo ver weg dat ik dacht dat haar nek zou breken. 'Ik ben zo moe.'
'Waarom ben je naar Florida gekomen?' vroeg ik. 'Waar was je op uit?'
'Ik ben hierheen gekomen omdat ik op zoek was naar jou.'
'Dat weet ik inmiddels. Ik weet alleen nog steeds niet waaróm. Geld heb ik niet, ik ben niet beroemd, ik heb helemaal niets wat je zou kunnen interesseren.'
Ze slaagde erin haar hoofd op te heffen en me aan te kijken. 'Je hebt alles,' zei ze eenvoudig.
'Misschien kun je dat uitleggen, want ik begrijp er nog altijd niets van.'
Ze deed haar ogen dicht, en even dacht ik dat ze was bezweken

aan alle kalmeringsmiddelen. Maar toen begon ze te praten. Eerst langzaam. Het kostte haar duidelijk moeite de draad vast te houden terwijl de gedachten met elkaar versmolten en de woorden slepend over haar lippen kwamen. 'Ik was al een tijd naar je op zoek. Zonder resultaat. Uiteindelijk besloot ik een privé-detective in de arm te nemen. De eerste was geen succes, dus ik nam een andere. Hij kwam erachter dat je in een ziekenhuis in Delray werkte. Daarom ben ik naar Mission Care gegaan. Ik wilde je met eigen ogen zien. Toen ik dat briefje op het prikbord bij de afdelingsbalie zag hangen, kon ik mijn geluk niet op. Ik verzon dat verhaal over Rita Bishop omdat ik dacht dat we daardoor de kans zouden krijgen elkaar wat beter te leren kennen voordat...'
'Voordat?'
'Voordat ik het je vertelde.'
'Voordat je me wát vertelde?'
'Weet je dat dan niet?'
'Wat zou ik moeten weten?'
'Ik begrijp het niet. Je zei dat je mijn dagboek had gelezen...'
'Wat zou ik moeten weten?' herhaalde ik. Mijn stem had een lage, dreigende klank, als het geluid van een aanrollende golf.
Ze hief haar hoofd op en keek me recht in mijn ogen, alsof ze me voor het eerst echt zag. 'Dat je mijn moeder bent.'
Even wist ik niet of ik moest lachen of huilen, dus ik deed het allebei. Het gesmoorde geluid dat uit mijn keel opsteeg, klonk vreemd, zelfs in mijn eigen oren. Ik sprong overeind en begon voor de bank te ijsberen. 'Waar héb je het over? Dat kan helemaal niet. Hoe haal je het in je hoofd?'
'Ik ben je dochter.' Ze kreeg opnieuw tranen in haar ogen.
'Je bent gek! Je moeder woont in Chicago.'
'Ik kom niet uit Chicago. Ik kom uit Baltimore, net als jij.'
'Je liegt!'
'Ik ben al heel jong geadopteerd door John en Carole Sinukoff. Heb je ze nooit ontmoet?'
Ik schudde heftig mijn hoofd, bestookt door verre beelden die als een fel knipperend licht mijn geest binnendrongen. Ik sloeg mijn hand voor mijn ogen in een poging de herinneringen op een afstand te houden.
'Ze hadden al een zoon, maar ze konden geen kinderen meer krij-

gen en ze wilden nog graag een dochter. Dus namen ze mij. Dat hadden ze beter niet kunnen doen.' Ze bevochtigde haar lippen met haar tong. 'Ik was een afschuwelijk kind. Precies zoals ik je heb verteld. Ik had altijd het gevoel dat ik niet in dat gezin thuishoorde. Ik was zo anders dan de rest. Bovendien liet mijn oudere broer – het prototype van de ideale zoon – geen gelegenheid voorbijgaan om me dat in te peperen. Ik maakte niet echt deel uit van het gezin. Op een keer, toen hij met Kerstmis thuiskwam van Brown, vertelde hij me dat mijn echte moeder een sloerie was, een sletje van veertien dat haar benen niet bij elkaar kon houden.'

'O, god.'

'Ik heb hem hard in zijn kruis geschopt. Nou, ik kan je wel vertellen dat het hém toen geen enkele moeite meer kostte om zijn benen bij elkaar te houden.' Ze probeerde te lachen, maar kwam niet verder dan een benauwd gepiep.

'Maar dat kan helemaal niet.' Mijn hoofd tolde net zo hevig als het hare. Beelden van het verleden drongen door het scherm dat ik tientallen jaren in stand had gehouden: het beeld van Roger Stillman die onhandig bij me binnendrong op de achterbank van zijn auto; beelden van mezelf terwijl ik elke dag wanhopig in mijn onderbroek keek, biddend om het teken dat koppig weigerde te komen; beelden van mijn meisjesbuik die met de dag dikker werd en zich niet meer liet wegmoffelen, ongeacht de wijde kleren die ik droeg.

'Het kan helemaal niet,' herhaalde ik, nog feller, in een vergeefse poging de beelden te verdringen. 'Reken maar uit. Ik ben veertig. Jij bent achtentwintig. Dan zou ik twaalf moeten zijn geweest.'

'Ik ben geen achtentwintig, maar vijfentwintig, bijna zesentwintig. Over ruim een maand ben ik jarig, op...'

9 februari. Mijn lippen vormden geluidloos de woorden, terwijl zij ze hardop zei. Ik sloeg mijn handen voor mijn oren om haar stem niet te horen. Wanneer was ze zo hard gaan praten?

'Ik was bang dat je meteen zou begrijpen hoe het zat als ik je mijn echte leeftijd vertelde. Vóórdat je de kans had me te leren kennen. En ik wist ook niet hoe je het zou vinden om je dochter te leren kennen. Ik wilde zo graag dat je me aardig zou vinden. Nee, dat is niet waar,' verbeterde ze zichzelf. 'Ik wilde méér. Ik wilde dat je van me zou hóúden. Zodat je het niet meer over je hart zou kunnen verkrijgen me opnieuw af te staan.'

Ik liet me weer in de Queen-Annestoel vallen. Ze was krankzinnig. Daar was geen twijfel over mogelijk. Zelfs als er ook maar iets waar was van wat ze zei, kon ze onmogelijk mijn dochter zijn. Zo'n lange, prachtige vrouw... Ze was net zo lang, net zo prachtig als Roger Stillman, kon ik niet nalaten te denken. 'Het kan niet waar zijn,' hield ik vol. 'Het spijt me, maar je vergist je.'

'Nee, echt niet. Deze keer is het geen vergissing. De eerste detective die ik in de arm had genomen, dacht dat een vrouw in Hagerstown mijn moeder was. Ik was dolgelukkig en ging meteen naar haar toe, maar hij bleek zich te hebben vergist. En toen vond ik jou. Lance zei dat ik gek was om helemaal hierheen te gaan, dat ik alleen maar opnieuw gekwetst zou worden. Maar ik moest je zien. En zodra ik oog in oog met je stond, zodra ik met je praatte, wist ik dat ik gelijk had. Zelfs al voordat je me over Roger Stillman vertelde, wist ik dat je mijn moeder was.'

'Nogmaals, het spijt me verschrikkelijk, maar je vergist je.'

'Ik vergis me niet. En dat weet je.'

'Ik weet helemaal niets! Alleen dat je een stom wicht bent, een onnozele gans!' hoorde ik mezelf schreeuwen.

De stem van mijn moeder weerkaatste tegen de muren.

Je bent een stom wicht, een onnozele gans!

'Zeg dat alsjeblieft niet.'

Hoe kón je het doen? Hoe kón je de eerste de beste stomme knul zijn afschuwelijke ding in je laten steken?

Ik zal voor de baby zorgen, mammie. Ik beloof je dat ik er goed voor zal zorgen.

Denk maar niet dat ik een bastaard in mijn huis zal tolereren. Ik verzuip hem, net als die vervloekte katten!

'Terry,' fluisterde Alison. 'Terry, ik voel me niet goed.'

Ik liep snel naar haar toe en nam haar in mijn armen. 'Wees maar niet bang dat je moet overgeven, kindje. Dat hoef je niet. Ik weet immers hoe afschuwelijk je dat vindt.'

'Wil je me alsjeblieft naar het ziekenhuis brengen?'

'Straks, lieverd. Je moet eerst een poosje slapen.'

'Maar ik wil niet slapen.

'Sst. Je moet je er niet tegen verzetten. Nog even en alles is voorbij.'

'Nee! O god, nee! Alsjeblieft. Je moet me helpen.'

Op dat moment werd er op de keukendeur gebonsd. 'Alison!' bulderde een stem boven het lawaai uit. 'Alison, ben je daar?'
'KC!' riep Alison, maar haar stem was zo zwak dat ik me afvroeg of hij het hoorde. 'Ik ben hier. Je moet me helpen, ik ben hier!'
'Terry!' brulde KC. 'Terry, doe open of ik bel de politie.'
'Ik kom eraan,' riep ik kalm, en ik liet Alison voorzichtig uit mijn armen glijden. Ze kreunde toen ze terugviel op de kussens, te zeer onder invloed van de kalmeringsmiddelen om zich te kunnen bewegen. Haastig liep ik naar de achterdeur. 'Rustig maar. Ik kom eraan.'
'Waar is ze?' KC duwde me opzij en liep naar binnen. 'Wat heb je met haar gedaan?'
'Over wie heb je het?' vroeg ik vriendelijk. 'Over Erica? Of over Alison?'
KC stond al in de woonkamer. 'Alison! Jezus! Wat heeft die gek met je gedaan?'
Ik reikte in de gootsteen en haalde geruisloos het slagersmes uit de witte emaille bak. Het rustte comfortabel in mijn hand, alsof het daar thuishoorde. Toen mijn vingers zich nog strakker om het vochtige heft sloten, voelde ik dat de snee in mijn hand weer openging. Gewapend met het mes liep ik terug naar de woonkamer. Vanachter de droge takken van de kerstboom zag ik KC worstelen om Alison overeind te krijgen.
'Kun je lopen?'
'Ik geloof het niet.'
'Sla je armen maar om mijn hals. Dan draag ik je.'
Hoe moet ik beschrijven wat er toen gebeurde?
Het was alsof ik plotseling de hoofdrol had in een toneelstuk. Nee, geen toneelstuk, eerder een ballet, vol grootse gebaren en overdreven gelaatsuitdrukkingen; elke beweging was met zorg bedacht en van choreografie voorzien. Terwijl Alison haar armen ophief, deed ik hetzelfde. En toen KC zich bukte om haar op te tillen, liet ik mijn hand vallen. Op het moment dat hij zijn eerste ongemakkelijke stappen zette, vloog ik met woeste gratie door de kamer. En terwijl Alison haar hoofd tegen zijn schouder legde, begroef ik het dertig centimeter lange lemmet in zijn rug. Ik deed het met zo'n kracht dat het heft afbrak. KC deed wankelend een stap naar voren, Alison viel uit zijn armen en belandde met een doffe dreun op de

grond. KC maakte een slordige pirouette, zijn gebaren verloren hun sierlijkheid en zijn handen maaiden naar zijn rug, naar het mes dat diep in zijn lichaam was gedrongen. Het aanzwellende gegil van Alison vulde de kamer als een derderangs orkest, terwijl KC op zijn tenen balanceerde en zijn armen naar me uitstrekte, alsof hij me uitnodigde samen met hem een laatste werveling door de kamer te maken. Ik wees zijn onuitgesproken uitnodiging af en deed een stap naar achteren op het moment dat hij voorover viel. Nog altijd keek hij me ongelovig aan, maar de naderende dood maakte zijn ogen glazig. Toen hij tegen de grond sloeg, miste zijn hoofd op een haar na de voet van de omvergestoten kerstboom.

Het duurde even voordat het tot me doordrong dat Alison niet langer schreeuwde; dat ze niet meer languit op de grond lag, maar op de een of andere manier haar laatste krachten bij elkaar had weten te rapen en een wanhopige vluchtpoging in de richting van de voordeur deed. Ze slaagde erin hem open te krijgen en was al halverwege de treden van de veranda voordat ik bij haar was. Ik kon niet anders dan haar bewonderen om haar wilskracht en haar vastberadenheid.

Overlevingsdrang, de wil om te leven, is een verbijsterend iets.

Ik herinnerde me dat ik bij Myra Wylie ongeveer hetzelfde had gedacht. Alleen Erica Hollander had geen verzet geboden. Ze was binnen een paar minuten in slaap gedommeld nadat ik 's avonds laat nog een hapje voor haar had klaargemaakt. Het kussen dat ik vervolgens op haar neus en haar mond had gedrukt, had hooguit tot symbolisch verzet geleid.

'Nee!' schreeuwde Alison, toen ik haar bij haar arm wilde grijpen.

'Alison, maak alsjeblieft geen scène.'

'Nee! Blijf van me af! Laat me met rust!'

'Kom mee naar binnen, Alison.' Ik greep haar zo stevig bij haar elleboog dat mijn vingers in haar vlees drongen.

'Nee!' schreeuwde ze opnieuw, en ze verzette zich uit alle macht, zodat ik bijna mijn evenwicht verloor. Ze kwam tot halverwege het tuinpad voordat haar benen het begaven en ze als de spreekwoordelijke lappenpop in elkaar zakte. Zelfs toen weigerde ze op te geven, en ze kroop op handen en knieën naar het trottoir.

Op dat moment hoorden we geblaf, onmiddellijk gevolgd door het getik van hoge hakken op het plaveisel. Bettye McCoy en haar mor-

mels van honden, besefte ik, terwijl ik probeerde Alison overeind te hijsen.
'Help!' riep Alison toen de derde mevrouw McCoy, gehuld in capribroek in luipaardprint, de hoek om kwam dribbelen. 'U moet me helpen!'
Maar Alisons kreten werden overstemd door het woedende gekef van de honden.
'Niks aan de hand,' riep ik naar de overjarige Alice in Wonderland. 'Ze heeft gewoon een beetje te veel gedronken.'
Bettye McCoy gooide haar getoupeerde haar minachtend over haar schouder, nam haar hondjes onder de arm en stak de straat over. 'Niet weggaan!' riep Alison haar na. 'U moet me helpen! Help me!'
'Ik stop je in bed om je roes uit te slapen,' zei ik luid, voor het geval dat iemand ons hoorde.
'Alsjeblieft,' smeekte Alison met haar blik op de inmiddels verlaten slaat. 'Ga alsjeblieft niet weg.'
'Ik ben bij je, kindje.' Ik nam haar in mijn armen en loodste haar naar de voordeur. 'En ik ga niet weg.'
Bij de voordeur staakte ze haar verzet. Misschien kwam het door de kalmeringsmiddelen, of misschien besefte ze dat het toch geen zin meer had. Ik zal het nooit weten. Ze slaakte een diepe zucht en werd slap in mijn armen, zodat ik haar over de drempel moest dragen als een jonge echtgenoot met zijn kersverse bruid.
Doen ze dat tegenwoordig eigenlijk nog? Ik weet het niet. En ik betwijfel of ik het ooit aan den lijve zal ondervinden. Voor mij is het te laat, net zoals het voor Alison te laat was. En dat is jammer, want ik denk dat ik een prima echtgenote zou zijn geweest. Dat is het enige wat ik ooit echt heb gewild. Iemand om van te houden en die van mij hield, een gezellig huishouden, een gezin. Een kind om alle liefde en tederheid aan te geven die mij altijd zijn ontzegd. Een dochter.
Ik heb altijd een dochter gewild.
Ik droeg Alison naar de bank en wiegde haar in mijn armen. *'Too-ra-loo-ra-loo-ra,'* zong ik teder. *'Too-ra-loo-ra-lie...'*
Langzaam sloeg Alison haar ogen op naar de mijne. Haar mond ging open, en de lucht was plotseling gevuld met fluisteringen. Fluisteringen waarin ik vaag *mammie* meende te horen.

29

Ik heb natuurlijk geen moment geloofd dat Alison mijn dochter was.
Waarschijnlijk had ze van de Sinukoffs gehoord hoe ik mijn ouders te schande had gemaakt. De naam klinkt me vaag bekend in de oren. Misschien woonden ze bij ons in de straat. Misschien ook niet. Baltimore is een grote stad. Het is onmogelijk om iedereen te kennen, ook al beweerde mijn moeder dat de hele stad schande sprak van mijn toestand en dat ze de risée van de buurt was. Dat ze zich nooit meer in het openbaar durfde te vertonen.
Dat was de reden waarom we naar Florida verhuisden. Niet omdat de baan van mijn vader dat vereiste, maar vanwege de situatie waarin ik verkeerde.
Ik bleef op school tot mijn toestand te veel begon op te vallen en niet langer kon worden genegeerd, zodat ik het verzoek kreeg te vertrekken. Roger Stillman kwam er zonder kleerscheuren van af. Wat voor mij een schande was, leverde hem alleen maar bewondering op, en hij mocht op school blijven en gewoon eindexamen doen met zijn klasgenoten.
Ik had bijna twintig uur weeën voordat mijn moeder mijn vader eindelijk toestemming gaf om me naar het ziekenhuis te brengen. Daar duurde het nog eens tien uur voordat de baby – een indrukwekkende, royale achtponder – ter wereld kwam. Ik heb haar geen moment in mijn armen gehouden. Daar kreeg ik de kans niet voor. Ik heb haar ook niet gezien. Dat was mijn moeder wel toevertrouwd.
Natuurlijk had ze gelijk. Wat had ze anders kunnen doen? Ik was pas veertien en zelf nog een kind. Wat wist ik van het leven? Hoe kon ik weten wat het inhield om voor een ander mens te zorgen? Het was een belachelijk idee van me, en ik zou er later ongetwijfeld spijt van hebben gekregen.
Hoewel, misschien ook niet. Misschien zou ik helemaal niet zo'n

slechte moeder zijn geweest. Heimelijk had ik vanaf het allereerste moment van het kindje dat in me groeide gehouden. Ik voelde het bewegen, ik praatte ertegen wanneer er niemand thuis was en ik zong tegen mijn kindje wanneer we alleen waren in mijn kamer. Dan stelde ik het gerust en beloofde ik dat ik nooit driftig zou worden, dat ik het nooit zou slaan of vernederen of kleineren. Dat ik het zou overladen met kussen en elke dag zou zeggen hoe dierbaar het me was. 'Ik zal voor je zorgen,' beloofde ik plechtig, wanneer niemand het kon horen. In plaats daarvan werd mijn dochter uit me getrokken en bij me weggehaald voordat ik haar lieve, kleine gezichtje had kunnen zien. En ik wijdde mijn leven aan de zorg voor andere mensen. Natuurlijk was Alison niet mijn dochter.

Ze had ongetwijfeld van iemand in Baltimore gehoord over 'de veertienjarige slet die haar benen niet bij elkaar kon houden'. Misschien inderdaad van haar grote broer, zoals ze had gezegd. En toen had ze met haar vrienden dit plan bedacht om mijn leven binnen te dringen. *Ik wilde dat je me aardig vond. Nee, ik wilde dat je van me híéld*, had ze vlak voor haar dood zelf toegegeven.

Ik mis haar natuurlijk verschrikkelijk en ik denk vaak aan haar, altijd met grote genegenheid. Nee, met liefde. Dus misschien heeft Alison uiteindelijk toch gekregen waarvoor ze kwam.

Ze heeft in elk geval niet geleden, want ze is eenvoudig in mijn armen in slaap gevallen. Daarna ging het heel gemakkelijk. Ze had zoveel kalmeringsmiddelen binnengekregen dat ik betwijfel of ze zelfs maar iets heeft gemerkt van het kussen dat ik bijna twee minuten op haar gezicht heb gedrukt. Daarna heb ik haar verkleed, in haar mooie blauwe zonnejurk – de jurk die ze aanhad bij onze eerste ontmoeting – en in de tuin begraven, naast Erica. Dat hoekje van de tuin is een waar lustoord van bloemen, dus ik denk dat ze het wel eens zou zijn geweest met het plekje dat ik voor haar heb uitgekozen.

KC was een ander verhaal. Ik had nog nooit een man gedood, nog nooit een mes gebruikt, en nog nooit mijn toevlucht hoeven nemen tot zo'n bloederige manier om iemand uit de weg te ruimen. Het duurde dagen voordat de naschokken uit mijn hand waren verdwenen, en weken voordat ik eindelijk al het bloed van de vloer van de woonkamer had geschrobd. Natuurlijk moest ik het kleed

wegdoen. Daar was niets meer mee te beginnen. Alison had gelijk: een wit vloerkleed in de woonkamer was niet erg praktisch. Hoe dan ook, het was toch tijd voor iets anders.
Ik wilde niet dat KC mijn tuin zou bevuilen, dus ik wachtte tot ver na middernacht, hees hem in de kofferbak van mijn auto en reed helemaal naar de Everglades, waar ik hem in een met slijm bedekt moeras gooide. Het leek me een gepaste oplossing, en ik weet zeker dat de alligators me dankbaar zijn.
Er zijn inmiddels drie maanden verstreken sinds Alisons dood. Het hoogseizoen is bijna voorbij. Elke dag is het minder druk op de weg en lopen er minder toeristen door de stad. Er komt sneller een tafeltje vrij in de restaurants, en de rijen bij de bioscoop worden steeds korter. Bettye McCoy laat nog altijd een paar keer per dag die twee mormels van honden uit. Af en toe weet een van de twee zich los te rukken en stormt recht op mijn achtertuin af. Ik heb een laag hek neergezet, in de hoop dat het voldoende is en dat ik geen last meer van ze zal hebben. Mocht ik een van die schurftige mormels toch weer in mijn tuin betrappen, dan zal ik zwaarder geschut gebruiken dan een bezem.
Soms vraag ik me af wat er zou gebeuren als Lance en Denise terugkwamen en op zoek gingen naar Alison. Maar tot dusverre hebben ze zich niet laten zien, dus misschien was het wel waar wat Alison zei. Misschien zijn ze er inderdaad samen vandoor en is de relatie tussen Lance en Alison definitief voorbij. Ik hoop het. Maar ik zal altijd waakzaam moeten blijven.
Op mijn werk is alles nog hetzelfde. In Myra's bed ligt tegenwoordig een oudere heer met een vergevorderd stadium van Parkinson. Ik zorg erg goed voor hem, en zijn familie is dolgelukkig met me. O, en ik had gelijk over Josh. Een paar weken na de begrafenis stuurde hij bloemen. Ook namens zijn vrouw. In het bijgesloten briefje bedankte hij de hele afdeling, zonder iemand in het bijzonder te noemen.
Het dagboek dat ik van hem heb gekregen, heeft echter zijn nut bewezen. Het is leuk om mijn gedachten op te schrijven, zoals ik dat nu doe. Bovendien is het verhelderend om de ware toedracht van het hele gebeuren aan het papier toe te vertrouwen.
En wie zal het zeggen? Misschien vind ik ooit de ware. Alleen het feit dat Josh geen ruggengraat had – en me trouwens niet waard

was – wil nog niet zeggen dat de juiste man voor mij niet ergens rondloopt. Het is nog niet te laat. Ik ben pas veertig en niet onaantrekkelijk. Ik kan morgen iemand ontmoeten met wie ik zou kunnen trouwen en het gezin zou kunnen stichten waarnaar ik altijd heb verlangd. Er zijn genoeg vrouwen die boven de veertig nog kinderen krijgen. Dus het zou kunnen. Ik hoop vurig dat het gebeurt.

Dat was het zo ongeveer. Het leven gaat door, zeggen ze. *En wie zijn 'ze' dan wel,* kan ik Alison horen vragen. Ze is nooit ver bij me vandaan.

Ik draai me om en zie dat ze vlak naast me staat. *Je leven sinds ik er niet meer ben, in drie woorden,* fluistert ze speels.

'Saai,' antwoord ik hardop. 'Leeg.' Ik kijk naar de lege planken in mijn keuken en bedenk dat het moment misschien is aangebroken om mijn collectie opnieuw te gaan opbouwen. 'Eenzaam,' geef ik toe en slik mijn tranen weg.

Door het keukenraam staar ik naar het huisje in de achtertuin. Het staat inmiddels drie maanden leeg en begint er een beetje verwaarloosd uit te zien. Net als ik heeft het behoefte aan iemand die het een beetje verwent en vertroetelt, en die het de liefde en het respect geeft die het verdient. Na het fiasco met Erica en Alison vraag ik me af of zo iemand wel bestaat. Maar misschien is het moment aangebroken om op zoek te gaan naar het antwoord op die vraag. Misschien is het moment aangebroken om het gefluister en de leugens van het verleden te begraven en een nieuwe start te maken.

'Nieuwe start,' herhaal ik met Alisons stem, terwijl ik besluit een advertentie in de weekendkrant te zetten. 'Klinkt lekker.'

Woord van dank

Zoals altijd gaat ook nu weer mijn bijzondere dankbaarheid uit naar Owen Laster, Beverley Slopen en Larry Mirkin, goede vrienden op wier wijze raad ik altijd kan vertrouwen. Daarnaast wil ik Emily Bestler bedanken, de beste redacteur die ik me had kunnen wensen, en haar assistente Sarah Branham. Tijdens het tot stand komen van dit boek hebben ze me met raad en daad bijgestaan, zonder ooit hun opgewektheid te verliezen. Verder prijs ik me buitengewoon gelukkig met de steun van Judith Curr, Louise Burke, Cathy Gruhn, Stephen Boldt en al die andere geweldige mensen bij Atria en Pocket die zo hard werken om mijn boeken tot een succes te maken.

Het schrijven van dit boek zou me aanzienlijk zwaarder zijn gevallen zonder de hulp van Donna en Jack Frysinger, die tijd noch moeite hebben gespaard om me een beeld te schetsen van het charmante kuststadje Delray. Bedankt, Donna en Jack, en tot ziens in Delray!

Natuurlijk wil ik ook Warren, Shannon, Annie, Renee, Aurora en Rosie bedanken, en al mijn vrienden in Toronto en Palm Beach. Niet alleen voor hun trouwe vriendschap en voor het geduld dat ze met me hebben, maar ook omdat ze met hun boeiende persoonlijkheden zo'n belangrijke inspiratiebron vormen. Tussen twee haakjes, Annie: je mag best even iets minder boeiend zijn. Ten slotte een speciaal woord van dank aan alle lezers die zulke fantastische reacties naar mijn website hebben gestuurd. Het is onmogelijk om iedereen afzonderlijk te bedanken, maar u moet me geloven wanneer ik zeg dat uw brieven meer voor me betekenen dan ik ooit onder woorden zal kunnen brengen. Heel hartelijk dank daarvoor.

Zeg maar dag tegen mammie

Na jaren van onderling getreiter besluiten Donna en Victor Cressy te scheiden. Voor de rechtbank ontspint zich een verbeten gevecht om de kinderen. Ondanks Victors pogingen zijn vrouw af te schilderen als labiel en gestoord, krijgt Donna haar beide kinderen toegewezen.

Na alle ellende lacht het leven Donna weer toe en ze koestert zich in de warmte van een nieuwe liefdesrelatie. Zelfs Victor lijkt zich met zijn status als weekendvader verzoend te hebben: iedere zaterdag haalt hij de kinderen op en elke zondag brengt hij hen terug. Tot dat ene weekend.

'Zeg maar dag tegen mammie,'zegt hij en hij verdwijnt met zijn kinderen om niet meer terug te keren. Met de telefoon als wapen begint hij zijn gruwelijke spel. Bellen. Even het geluid van kinderstemmen. Dan die klik. En Donna luistert, radeloos, smekend om die ene fout die hij zal maken…

ISBN 90 269 8317 4
€ 12,50

Nu niet huilen

Aan het geluk in het leven van Bonnie Wheeler komt abrupt een einde wanneer ze wordt gebeld door Joan, de ex van haar man. Joan waarschuwt dat Bonnie en haar driejarige dochtertje Amanda gevaar lopen. Enkele uren later is Joan dood en Bonnie is de hoofdverdachte.
Vanaf dat moment gebeuren er talloze onverklaarbare 'ongelukjes' in het leven van Bonnie en Amanda. Iemand heeft het op hun leven gemunt. Bonnie is vastbesloten om haar dochter te beschermen, maar in plaats van antwoorden vindt ze steeds meer bedreigende raadsels die haar doen twijfelen aan alles en iedereen.

ISBN 90 269 8326 3
€ 12,50

Eindspel

Joanne Hunter staat voor de moeilijkste periode in haar leven. Haar man heeft haar na twintig jaar huwelijk verlaten, haar twee dochters zijn lastig en puberaal en hartsvriendin Eve gedraagt zich vreemd en keert zich van haar af.
Er is maar één persoon die aandacht aan Joanne besteedt: een sadistische maniak die haar keer op keer via de telefoon bedreigt met de dood.
Niemand neemt Joannes angsten serieus, maar de huiveringwekkende telefoontjes volgen elkaar in een steeds sneller tempo op...

ISBN 90 269 8325 5
€ 12,50